D1311190

Mon voisin
du bord du lac

Mary
McNear

REVIVRE À BUTTERNUT - 1

Mon voisin
du bord du lac

Traduit de l'anglais (États-Unis)
par Sophie Dalle

POUR elle

Vous souhaitez être informé en avant-première
de nos programmes, nos coups de cœur ou encore
de l'actualité de notre site *J'ai lu pour elle* ?

Abonnez-vous à notre *Newsletter* en vous connectant
sur **www.jailu.com**

Retrouvez-nous également sur Facebook pour avoir
des informations exclusives :
www.facebook/jailu.pourelle

Titre original :
UP AT BUTTERNUT LAKE

Éditeur original :
HarperCollins Publishers

© Mary McNear, 2014

Pour la traduction française :
© Éditions J'ai lu, 2014

1

— Allez, gros paresseux, debout là-dedans !

Se penchant, Allie tendit la main vers la banquette arrière et secoua avec douceur Wyatt, son petit garçon de cinq ans.

— Nous sommes arrivés. Voilà le chalet.

Wyatt remua mais ne se réveilla pas. Elle ne pouvait guère lui en vouloir. La journée avait été longue. Rectification : la semaine avait été longue. Et même, tant qu'à comptabiliser, ces deux dernières années avaient été longues. Compter ? À quoi bon ? Le temps ne passerait pas plus vite, la douleur n'en serait pas moins vive.

Elle poussa un profond soupir, résistant à l'envie de poser son front sur le volant. Elle était épuisée, éreintée même, et, l'espace d'un éclair, elle songea qu'ils pourraient tout aussi bien passer la nuit dans la voiture.

À peine cette idée lui était-elle venue qu'Allie la rejeta. Le but de l'opération était de recommencer à zéro. De prendre un nouveau départ. Pour eux deux. Alors, se réveiller le lendemain matin perclus de courbatures et les vêtements froissés ? Pas question. Ils dormiraient dans le chalet. Ce chalet qui serait désormais leur demeure.

Le problème, songea-t-elle en l'examinant à la lueur des phares, c'était qu'il était tout sauf accueillant. Pour ne pas dire carrément délabré. Plusieurs tuiles étaient tombées du toit. Le jardin était une véritable jungle.

Quant à la véranda, elle penchait sérieusement d'un côté.

« Aucune importance, se rassura Allie. L'ensemble tient debout. C'est déjà ça. »

Elle n'était pas revenue depuis dix ans. Malgré elle, elle s'était demandé si la maison n'aurait pas totalement disparu, engloutie par la forêt tout autour. Bien sûr que non. Ce n'était pas un conte de fées mais la vraie vie. Elle était bien placée pour le savoir, l'ayant appris à ses dépens.

Elle éteignit les phares et la bâtisse se fondit dans l'obscurité. Un frisson parcourut la jeune femme. À force d'habiter en ville, elle avait oublié à quel point la nuit pouvait être sombre.

Le mieux serait peut-être de continuer à rouler. Si sa mémoire était bonne, il y avait un motel au bord de la nationale 169. Ils y seraient en moins d'un quart d'heure. Et après ? Demain, il faudrait revenir et le spectacle serait tout aussi désolant, voire davantage en plein jour.

La voix de Wyatt interrompit le fil de ses réflexions.

— Maman ? On est arrivés ?

— Oui, mon chéri ! répondit-elle d'un ton aussi enjoué que possible, en se tournant vers lui avec un sourire. Nous sommes au chalet.

— Il est où ?

— Attends, je vais te montrer.

Elle chercha une lampe électrique dans la boîte à gants. Mais dès qu'elle fut descendue de la voiture, elle constata que le faisceau de lumière était très faible. Elle leva les yeux vers le ciel. Une nuit sans lune et sans étoiles.

De nouveau, elle se sentit mal à l'aise. L'obscurité avait quelque chose de palpable, comme si un énorme poids lui pesait sur les épaules. Même l'air était lourd, cotonneux.

Elle ouvrit la portière arrière, détacha la ceinture de Wyatt et l'extirpa de son siège. Le calant sur sa hanche, elle pointa la lampe électrique vers la cabane.

— Je vois rien, chuchota l'enfant. Il fait si noir.

— En effet, reconnut Allie.

Elle eut un pincement au cœur mais se ressaisit aussitôt. Stop. « C'était bien ce que tu voulais, non ? La paix. La tranquillité. La solitude. Tu ne vas tout de même pas te laisser impressionner par l'obscurité ? »

Elle se pencha pour s'emparer du sac fourre-tout qu'elle avait placé à côté de son fils. Elle y avait mis tout ce dont ils auraient besoin pour leur première nuit sur place. Elle déchargerait le reste le lendemain. Pour l'heure, le plus important était de mettre Wyatt à l'abri et de le coucher.

Elle claqua la portière et, éclairée de la lueur atone de la lampe, remonta l'allée pavée envahie de mauvaises herbes. Pauvre gosse. Elle l'avait réveillé aux aurores quand les déménageurs étaient venus transférer toutes leurs affaires dans un garde-meubles. Hormis quelques étapes soigneusement calculées, il avait passé l'après-midi et la soirée dans la voiture. Il ne s'était pas plaint. D'ailleurs, il ne se plaignait plus jamais et Allie s'en inquiétait. N'était-ce pas l'un des droits divins de l'enfance ?

Elle monta les marches et constata avec soulagement qu'elles tenaient le coup, ainsi que la véranda. Sortant sa clé, elle l'enfonça dans la serrure rouillée. Puis elle poussa la porte et pria en silence. « Mon Dieu, je vous en supplie, faites que cet endroit ne soit pas devenu le refuge de trois générations de ratons laveurs. » Elle enclencha le disjoncteur, alluma et fut vite rassurée, rien n'avait changé depuis sa dernière visite.

Wyatt, en revanche, l'était nettement moins. Après un bref coup d'œil autour de lui, il enfouit son visage dans le cou de sa maman.

— Qu'est-ce que tu as ? s'enquit Allie en repoussant le verrou.

Wyatt, loin de relever la tête, se blottit encore plus contre elle.

Sourcils froncés, Allie scruta le salon. Rien à dire. Presque chaleureux même. Certes, le mobilier était recouvert d'une épaisse couche de poussière et quelques toiles d'araignées ornaient les coins. Une odeur de renfermé imprégnait l'atmosphère, rien d'étonnant après toutes ces années d'abandon. Sinon, le décor avait plutôt bien vieilli. Un peu d'huile de coude suffirait.

Malgré tout, Allie comprenait la réaction de Wyatt. Il avait passé toute sa vie dans une jolie maison de plain-pied équipée de tout le confort moderne. En se basant sur ses critères à lui, ce chalet devait lui paraître rustique, voire franchement primitif. De là à le terroriser…

— Wyatt, murmura-t-elle. Qu'est-ce que tu as ? Ce n'est pas comme notre ancienne demeure, d'accord. C'est un peu poussiéreux et les meubles sont vieux. Mais toi et moi, on va arranger ça.

Il secoua vigoureusement la tête et marmonna des mots incompréhensibles.

— Que dis-tu ?

— J'ai dit : « il » nous regarde.

Allie se raidit.

— Qui ? demanda-t-elle, légèrement déconcertée.

Le film racontant l'histoire de ce petit garçon qui voyait les morts lui revint en mémoire mais Wyatt n'avait jamais montré ce genre de talent. Du moins, pas à sa connaissance.

— Wyatt, *qui* nous regarde ? insista-t-elle.

De nouveau, il secoua la tête, accroché à ses épaules.

Allie s'obligea à conserver son calme. « Personne ne nous observe. Nous sommes seuls. À plus d'un égard. »

Une fois de plus, elle examina l'intérieur. Presque aussitôt, elle repéra la tête d'élan suspendue au-dessus de la cheminée. « Bien sûr ! » songea-t-elle. Wyatt n'avait jamais rien vu de tel.

— Mon chéri, c'est cette tête d'élan au-dessus de la cheminée qui te fait peur ?

Il opina.

— Tu n'as rien à craindre, mon trésor, le rassura-t-elle en lui caressant les cheveux. C'est un animal empaillé. Mon grand-père, ton arrière-grand-père, l'a rapporté d'une partie de chasse. Il est accroché là depuis bien avant ta naissance et même avant la mienne. Je n'y ai jamais vraiment prêté attention quand j'étais petite, sans doute parce que j'y étais habituée. Mais je conçois qu'il ait pu t'effrayer.

Contrairement à elle, Wyatt n'avait pas grandi dans un univers de chasseurs et de pêcheurs. Son expérience de la nature sauvage se limitait aux quelques lucioles et autres grenouilles capturées dans leur jardin des faubourgs de Minneapolis.

Au prix d'un gros effort, Wyatt se résolut à se redresser. Il se tourna vers la tête d'élan. Et s'empressa de fermer les yeux.

— Wyatt, je te promets que tu n'as rien à craindre. Il ne peut pas te faire du mal.

— Mais il nous regarde, lui murmura-t-il à l'oreille.

Elle contempla la tête d'élan. Était-ce l'angle depuis lequel elle l'observait ? Une illusion ? De fait, la bête semblait les fixer. Voilà une complication qu'Allie n'avait pas anticipée.

Elle éprouva un sursaut de colère. Pas contre Wyatt. Mais contre le taxidermiste : était-il obligé de rendre son ouvrage aussi réaliste, aussi… féroce ? L'élan ne semblait pas du tout content d'être là. Sans nul doute, il allait devoir disparaître.

— Wyatt, je le décrocherai demain, annonça Allie d'un ton décisif. D'ici là, tâche de ne pas y penser, d'accord ?

Wyatt releva la tête et la dévisagea d'un air dubitatif.

— J'essaierai, promit-il. Mais maman... où est son corps ?

Un intense sentiment de lassitude s'empara d'Allie. Pas la peine d'évoquer des détails sanglants.

— Il est... ailleurs, finit-elle par répondre. Promis, dès demain, j'enlèverai ça.

Wyatt acquiesça, apparemment satisfait. Du moins pour le moment. Comme il se pelotonnait contre elle, Allie ressentit un élan de compassion envers son fils. Elle l'avait arraché à tous ses repères : sa maison, ses proches, ses amis. Tout ce qu'elle avait à lui offrir en échange, c'était ce vieux chalet brinquebalant.

Elle se secoua mentalement, chassant toute idée négative de son cerveau. Peut-être avait-elle commis une erreur en venant ici avec Wyatt. N'empêche qu'il était temps de le coucher. Le plus vite serait le mieux.

Toutefois, avant cela, elle chercha de quoi le rassurer, lui expliquer pourquoi, enfant, elle avait tant aimé cet endroit.

Tiens ! Le canapé en cuir. Usé, sans âge mais, d'après ses souvenirs, si moelleux et si doux au toucher. Elle s'en approcha, y déposa Wyatt et s'assit à côté de lui.

— Quand j'étais petite, c'est ici que j'aimais m'installer pour lire, déclara-t-elle en tapotant l'un des accoudoirs. Surtout les jours de pluie.

Wyatt plissa le front.

— Je sais pas lire, lui rappela-t-il.

— Mais tu vas bientôt apprendre, rétorqua-t-elle en lui ébouriffant les cheveux. Tu commences la maternelle à l'automne.

— Y a pas de maternelles ici.

— Bien sûr que si. Il y en a partout.

Wyatt lui coula un regard apitoyé comme s'il la soupçonnait d'avoir perdu la tête.

— Y a rien d'autre ici que des arbres, grommela-t-il en se tournant vers l'une des nombreuses fenêtres.

Allie réprima un sourire.

— Tu as raison, et il n'y a pas d'école dans les bois. En revanche, il y en a une à Butternut. Je t'ai déjà parlé de cette ville, qui porte le nom du lac. Elle est à quinze minutes d'ici en voiture. Nous irons demain matin et je t'emmènerai chez *Pearl*. Si c'est ouvert, ce que j'espère, je commanderai pour toi les meilleurs pancakes aux myrtilles de ce côté du Mississippi. Qu'en dis-tu ?

Wyatt se contenta de pousser un profond soupir.

— Et maintenant, au lit ! annonça Allie.

Son enthousiasme était forcé. Elle luttait contre un terrible sentiment de culpabilité, la sensation d'avoir failli à Wyatt, de ne pas être à la hauteur. « Ce qui est fait est fait, se réprimanda-t-elle. Nous sommes là, autant en tirer le meilleur parti. »

Elle l'aida à revêtir son pyjama, le surveilla pendant qu'il se brossait les dents. En ouvrant le robinet, elle connut encore un moment d'angoisse : un gargouillis fracassant avait précédé une giclée d'eau boueuse. Heureusement, le problème se régla de lui-même au bout de quelques secondes. Et Wyatt était si fatigué qu'il n'avait rien remarqué.

Elle fit de son mieux pour le distraire en lui décrivant les activités auxquelles ils s'adonneraient tous les deux pendant l'été : pêche au bout du ponton, baignades dans le lac, promenades en bateau.

Lorsqu'elle le conduisit dans sa chambre, Wyatt lui parut plus serein. C'était là qu'Allie avait dormi durant ses vacances estivales. À son grand plaisir, la pièce minuscule au plafond en pente n'avait pas changé : meubles en pin, tapis en lirette multicolore, dessus-de-lit et rideaux assortis à carreaux rouges et blancs, lampe surmontée d'un abat-jour en toile qui diffusait une lumière douce.

Une vague de nostalgie inonda Allie. Mais ce lieu n'évoquait rien pour Wyatt. D'un air détaché, il la regarda ouvrir la fenêtre, préparer le lit et brancher la veilleuse qu'elle avait pensé à mettre dans son sac de voyage.

— Sais-tu ce qu'il y a de plus merveilleux dans cette chambre ?

Wyatt secoua la tête.

— Tu ne peux pas le voir maintenant parce que c'est la nuit mais quand tu te réveilleras demain matin, tu verras le lac, tout près. Et si le temps est beau, l'eau sera d'un bleu comme tu n'en as jamais vu.

Il considéra sans conviction le carré noir en face du lit.

— Si, si, je t'assure, insista Allie.

Elle se pencha sur lui, tenta de discipliner ses boucles brunes désespérément emmêlées, abandonnant presque aussitôt car c'était mission impossible. Par chance, le geste semblait avoir apaisé Wyatt. Il avait les paupières lourdes. Ouf ! Il n'allait pas tarder à s'assoupir.

Un instant plus tard, il s'agita.

— Maman ?

— Oui, mon chéri.

— Et si papa ne peut pas me voir ici ?

Au mot « papa », elle retint son souffle et se força à regarder son fils droit dans les yeux.

— Que veux-tu dire par là ?

Il se tortilla sous la couverture.

— Tu as dit qu'il veillerait toujours sur moi. Sauf que maintenant, on n'est plus chez nous. On est ici. Comment il va le savoir ?

Allie ravala un sanglot. Elle ne pleurerait pas. En tout cas, pas devant Wyatt.

— Mon cœur, où que tu ailles, il le saura. Ne t'inquiète pas pour ça.

— Et il veillera toujours sur moi ?

— Toujours, promit-elle avec un sourire.

— Même si je fais une bêtise ?

— Quel genre de bêtise ?

14

— Tu te souviens, quand Teddy est venu à la maison et qu'on a attrapé la grenouille ? enchaîna Wyatt, soudain ranimé. Et qu'on l'a mise dans l'évier de la buanderie. Sauf que je te l'ai pas dit. Parce que j'avais peur que tu m'obliges à la remettre dans le jardin. Tu l'as trouvée et tu t'es fâchée. Tu crois que papa m'observait ? Si oui, il a dû être pas content, lui aussi.

— Non, Wyatt. Il n'était pas fâché contre toi. Pas du tout. D'ailleurs, moi non plus. Pas vraiment. J'ai juste été un peu… surprise en découvrant cette bestiole.

Elle esquissa un sourire.

— Tu sais, Wyatt, quand il était petit, ton papa a fait toutes sortes de bêtises. Un de ces jours, je te les raconterai, d'accord ?

— D'accord.

— À partir de maintenant, on va partir du principe que ton papa ne t'observe que lorsque tu as besoin de lui. Il n'est pas obligé de veiller sur toi chaque instant de la journée. Il sait que tu es un grand garçon. Que la plupart du temps, tu te débrouilles tout seul.

Wyatt hocha la tête, au bord de l'endormissement, et Allie se jura de mesurer ses paroles à l'avenir.

Comme il se recroquevillait sous la couette, Allie porta son regard vers la fenêtre, cherchant le lac entre les arbres. Impossible de le distinguer dans l'obscurité mais elle suivit des yeux ce qu'elle savait être le rivage. À un kilomètre, de l'autre côté de la baie, elle repéra un ponton illuminé. Elle fronça les sourcils. Ponton signifiait maison et maison… voisin.

Un soupir lui échappa. Elle aurait dû s'en douter. Même à Butternut dans le Minnesota, les choses évoluaient. N'empêche qu'elle avait choisi de venir ici précisément parce que le chalet familial était complètement isolé.

Elle repensa à son entourage à Eden Prairie. Tous les habitants du lotissement lui avaient tendu la main. Ils leur avaient apporté de quoi manger, ils avaient ratissé les feuilles de leur jardin, tondu la pelouse, dégagé la neige de l'allée. Sans jamais lui demander son avis.

Elle aurait dû leur en être reconnaissante. Elle l'était, jusqu'à un certain point. Pourtant, elle ne pouvait s'empêcher de s'interroger : ne lui aurait-il pas été plus facile de faire son deuil dans l'intimité ? Sans cette impression d'être devenue une curiosité, une de ces personnes que l'on guette subrepticement au super-marché ou que l'on aborde avec ménagement au parc ?

Bien sûr, la nouveauté de son statut de veuve avait fini par s'estomper… mais pour le pire. Ensuite était arrivé le temps des conseils proférés par les amis, la famille, parfois même de vagues relations. Qu'atten-dait-elle pour aller de l'avant, recoller les pots cassés ? Elle était jeune. Elle devrait envisager de se remarier. D'avoir un deuxième enfant.

Plus encore que la commisération, c'étaient ces conversations qui l'avaient poussée à bout. Allie avait compris, alors, que le moment était venu pour elle de partir.

À présent, perchée sur le bord du lit de Wyatt, elle se secoua mentalement. Pendant quelques minutes, elle écouta sa respiration devenue régulière, presque imper-ceptible. Il était exténué et ne se réveillerait probable-ment pas avant le matin. Elle éteignit la lampe et quitta la pièce en prenant soin de laisser la porte entrouverte. S'il avait besoin d'elle, elle l'entendrait depuis sa cham-bre située juste en face.

Après avoir préparé son propre lit, elle enfila un débardeur et un bas de pyjama avant de se brosser les dents. Ce n'est qu'une fois couchée dans le noir qu'elle s'autorisa à contempler l'énormité de ce qu'elle avait fait. Elle avait vendu leur maison, la seule que Wyatt eût jamais connue. Elle avait mis l'essentiel de leurs affaires en garde-meubles. Elle avait racheté à son frère ses parts du chalet que leur avaient légué leurs parents, désormais installés dans un village pour retraités au sud de la Floride.

Aujourd'hui, elle était de retour dans cette propriété qu'elle n'avait plus fréquentée depuis des années. Un lieu où elle n'avait jamais passé un été entier depuis son enfance. Elle n'y avait plus de famille, plus d'amis. Ses quelques connaissances d'antan avaient sans doute déménagé depuis longtemps. Quelle mouche l'avait piquée de choisir cet endroit pour refuge ?

Elle perçut un bruit lointain et familier, un de ces bruits que l'on n'oublie jamais quand on l'a entendu une fois. Le hurlement d'un coyote. Un son qui résonnait fréquemment dans les forêts du nord du Minnesota. Tout en se sachant en sécurité, Allie eut un tressaillement de peur. Cependant, la fatigue l'emporta rapidement sur son angoisse. « Je suis folle, je n'aurais jamais dû venir ici », se reprocha-t-elle en sombrant dans un sommeil agité.

2

Quand son portable sonna à vingt-trois heures ce soir-là, Walker était d'une humeur exécrable. Il consulta l'écran de son appareil. C'était son frère, la dernière personne à laquelle il avait envie de parler à ce moment précis. L'ennui, c'était que Reid était non seulement son frère, mais aussi son associé. Et un partenaire exigeant. Si Walker ignorait son appel, ce serait à ses risques et périls. Avec un soupir, il décrocha.

— Quoi ? grogna-t-il.

— Eh bien Walker ! C'est comme ça que tu réponds au téléphone, maintenant ? riposta Reid avec flegme.

— Il est onze heures du soir, lui fit remarquer Walker.

Se calant plus confortablement dans son siège de bureau, il se massa les tempes. Il souffrait d'un début de migraine.

— Nous avons déjà abordé le problème, enchaîna-t-il. Tu t'en souviens ? Toi, tu as la capacité de travailler vingt-quatre heures par jour. En ce qui me concerne, je préfère m'en tenir au créneau huit heures – dix-huit heures.

— Possible, répliqua Reid d'un ton légèrement désapprobateur.

Malgré lui, Walker ébaucha un sourire. Seul un accro du boulot comme Reid aurait l'audace de le taxer de paresseux sous prétexte qu'il ne travaillait « que » dix heures par jour.

— Je viens de terminer la vérification des chiffres du chantier naval de Butternut.

Reid marqua un temps.

— Et alors ? demanda Walker, pressé d'en finir.

— Pari réussi, déclara Reid en toute simplicité. Tu m'avais dit qu'il te faudrait cinq ans pour remonter l'entreprise. Trois années t'auront suffi. Félicitations.

Il se tut, attendant que Walker réagisse. Walker n'en fit rien.

— Hé, frérot ! C'est une bonne nouvelle, non ?

— Oui, admit enfin Walker. Bien sûr que oui. Pardonne-moi, je suis d'une humeur de chien.

— Ça, je l'avais deviné. Et tu sais quoi ? Je ne t'en veux pas. Si je vivais à Butternut, Minnesota, mille deux cents âmes, je serais ronchon moi aussi. Sans blagues, Walker, à quoi consacres-tu ton temps libre dans ce trou perdu ?

— Quel temps libre ? railla-t-il.

— Tout le monde en a un peu, même moi.

« Et nous savons tous deux comment tu le remplis, pensa Walker. Tu cavales après les femmes. Le plus souvent sans résultat. »

— Si tu veux tout savoir, je pêche. Une activité très thérapeutique. Tu devrais essayer, ça te ferait du bien.

Reid choisit d'ignorer la remarque.

— Je ne te téléphone pas uniquement pour te congratuler. Je voulais discuter avec toi d'autre chose.

Walker se figea, flairant le piège.

— Tu devrais revenir à Minneapolis, poursuivit Reid. J'ai besoin de toi ici, au siège. Nous étions convenus que tu vivrais à Butternut le temps de mener ta mission à terme. Tu y es parvenu avec brio. Ce gouffre financier est désormais l'une de nos affaires les plus prospères. Pourquoi ne renouvellerais-tu pas cet exploit avec un autre chantier naval ? Puis un autre. Car personne n'est meilleur que toi en matière de gestion au jour le jour, Walker. Même pas moi.

Que de compliments !

Le silence de Walker incita Reid à tenter une nouvelle tactique.

— Sérieusement, Walker, je me demande comment tu supportes de vivre là-bas toute l'année. L'environnement est magnifique, d'accord. Et tu peux être fier de la maison que tu t'es construite. Mais tu es célibataire. Dans la fleur de l'âge. Et tu croupis dans une ville où l'événement le plus excitant se résume à une partie de bingo le vendredi soir. Tu n'as de cesse de me vanter les compétences de ton directeur général. Laisse-lui les clés et reviens parmi nous. Rien ne t'empêche de retourner le week-end à Butternut, pêcher tant que tu veux, voire même jouer au bingo de temps en temps.

— Reid... on peut en parler une autre fois ? marmonna Walker, dont le mal de tête s'amplifiait à chaque seconde.

— Non. J'ai déjà patienté trop longtemps. J'ai essayé de te soutenir, Walker, même durant ta petite... expérience domestique...

— C'est ainsi que tu qualifies mon mariage ? Une *expérience domestique* ?

— Peu importe, ça n'a pas marché. Rien de surprenant d'ailleurs, quand on pense au modèle auquel nous avons été confrontés pendant toute notre jeunesse.

Walker tressaillit. Son frère n'avait pas tort. Le mariage de leurs parents, un véritable désastre, avait eu de quoi les vacciner à jamais contre cette institution. La brève et catastrophique tentative de Walker avait achevé de l'en convaincre.

— Je t'appelle demain, Reid.

— Je veux une réponse.

— Plus tard.

— Maintenant, persista Reid.

— La ligne est mauvaise, mentit Walker. Un orage se prépare.

— Pas du t...

Trop tard. Walker avait coupé la communication. Il replia son portable et le posa sur le bureau. Reid était sûrement furieux. Il s'en remettrait. Ce n'était pas la première fois, et sans doute pas la dernière, que Walker et lui se chamaillaient.

Quittant la pièce, il pénétra dans la cuisine et sortit une bière du réfrigérateur. Puis il traversa le salon et poussa la baie vitrée coulissante pour gagner la terrasse. La nuit était particulièrement noire. Il scruta le ciel. Le fin croissant de lune était masqué par une épaisse couche de nuages. Tendant le bras vers l'intérieur, il appuya sur un interrupteur pour allumer les projecteurs. Il s'approcha de la balustrade, le regard rivé sur la surface lisse et noire du lac en dessous, et décapsula sa bouteille. Prenant place sur une chaise longue, il savoura tranquillement sa bière. Lorsqu'il eut fini, il faillit se relever pour aller s'en chercher une deuxième, puis se ravisa. À quoi bon noyer ses tracas dans l'alcool ? « Pauvre Reid, il n'y est pour rien », songea Walker, en proie à un vague sentiment de culpabilité.

Il avait commencé à ruminer bien avant le coup de fil de son frère. Tout ça à cause d'un bout de tissu blanc sur lequel il était tombé par hasard dans l'après-midi.

Il s'emparait de sa mallette de pêche dans l'armoire du vestibule quand il avait tâté quelque chose d'étrange au fond de l'étagère. Une chose incroyablement douce et soyeuse. Il l'avait attrapée et contemplée avec un mélange de fascination et de dégoût. Une nuisette en satin. Plus précisément, une nuisette appartenant à Caitlin.

Effaré, il avait essayé de la tenir uniquement par le bout des doigts comme s'il risquait de se brûler. Ridicule, bien sûr. Ce bout d'étoffe n'avait rien d'un talisman aux pouvoirs surnaturels.

Cette pièce de lingerie fine ne lui rappelait pourtant rien. D'un autre côté, Caitlin en avait possédé des dizaines. Vu la rigueur des hivers dans le nord du Minnesota, elle aurait mieux fait de s'acheter une chemise de nuit en flanelle à col montant. Le pragmatisme n'avait jamais été son point fort. N'empêche. Comment ce minuscule chiffon bordé de dentelle avait-il atterri là ? L'énigme restait entière.

L'espace d'une seconde, il s'était demandé si elle ne l'avait pas laissé là à dessein. Là où il s'attendrait le moins à le découvrir. « Non », avait-il fini par décider. Caitlin n'était pas sournoise. Ni malveillante. Maggie, la dame qui passait une fois par semaine faire le ménage, avait dû le ramasser après le départ de sa femme. Avec sa délicatesse légendaire, elle l'avait rangé en lieu sûr. Du moins pour un temps.

À présent, il l'avait trouvé. Qu'en faire ? Le jeter ? Ce serait manquer de respect envers Caitlin. Car, si leur couple s'était déchiré, il ne lui en voulait pas. Le lui envoyer ? Impossible. Il n'avait pas ses coordonnées. D'ailleurs, quand bien même il les aurait eues, comment s'y prendre pour poster une nuisette à son ex-épouse ? La glisser dans une enveloppe vide sans mentionner l'adresse de l'expéditeur ? L'emballer dans du papier de soie avec un petit mot gentil du genre : « Je suppose que tu as oublié ceci en bouclant tes valises au milieu de la nuit… » ?

Au bout du compte, il l'avait remise dans l'armoire du vestibule, tout au fond de l'étagère. Un de ces jours, il la donnerait à une œuvre de charité locale avec une pile de vêtements. Pour l'heure, il ne prendrait aucune initiative. La nuisette serait hors de sa vue. Pas de son esprit, malheureusement.

La brise s'était levée et les branches des immenses sapins dominant la terrasse bruissaient. La migraine de Walker s'atténuait. Reid lui reprochait de vivre ici à plein temps. Il avait raison. Rien ne l'y obligeait. Il pouvait parfaitement partager son temps entre Butternut et Minneapolis. Personne ne l'avait forcé à bâtir cette

23

demeure moderne et luxueuse. Il aurait pu s'installer dans l'appartement au-dessus du bureau du chantier naval, un lieu confortable, en tout cas nettement mieux que nombre de logements où il avait vécu ces dernières années.

Si Reid se défoulait en multipliant les aventures sans lendemain, Walker avait besoin de calme et de solitude. Cette ville, ce lac, cette maison lui convenaient parfaitement.

Bien sûr, à Butternut comme dans la plupart des petites villes, les rumeurs couraient très vite. Malgré lui, Walker en savait beaucoup plus qu'il ne l'aurait voulu sur ses résidents. Toutefois, après le départ de sa femme, il avait pris soin de se tenir à l'écart.

Quand il ne travaillait pas sur le chantier, il se réfugiait dans ce chalet qu'il avait conçu et construit de ses mains, au bord de l'un des lacs les plus limpides du nord du Minnesota. Ainsi se protégeait-il de toute complication éventuelle dans son existence. Ici, la faune et la flore foisonnaient. Les chemins de randonnée s'étiraient sur des dizaines de kilomètres alentour. Le lac, d'une longueur de plus de vingt kilomètres et d'une profondeur d'environ quarante mètres, était parsemé d'îlots boisés à explorer. Loin des imbroglios, des quiproquos absurdes et des disputes, Walker savourait sa solitude.

Il n'était pas un saint, loin de là. Il avait gardé son appartement à Minneapolis et, lorsqu'il s'y rendait pour affaires, il y retrouvait une amie qu'il connaissait depuis l'université. Comme lui, elle se consacrait avant tout à sa carrière. Et, comme lui, elle fuyait les relations à long terme. Les moments qu'ils passaient ensemble étaient brefs, simples et distrayants. En un mot : parfaits.

Se penchant pour ramasser sa bouteille de bière vide, il scruta la rive opposée. Son regard capta un rayon de lumière, diffus mais visible, entre les arbres. D'où provenait-il ? Walker connaissait cette baie comme sa poche. Il fouilla sa mémoire.

À cet endroit, il n'y avait rien. Enfin si, un vieux chalet délabré qu'il avait cru abandonné. Ainsi qu'un ponton et un hangar à bateaux en ruine. En tout cas, il n'avait jamais vu les propriétaires. Des adolescents du coin auraient-ils investi les lieux, histoire de faire la fête en douce ? « Ceci explique sans doute cela », se dit-il en retournant à l'intérieur. Personne n'aurait été assez fou, ni courageux, pour s'y installer.

3

— Wyatt, regarde ! Le café existe toujours ! s'écria Allie le lendemain matin en lui prenant la main tandis qu'ils traversaient la rue principale de Butternut.

« C'est bon signe », se rassura-t-elle.

Apparemment, l'établissement n'avait pas changé, constata-t-elle avec satisfaction en contemplant l'auvent à rayures blanches et rouges et l'écriteau vantant « LES MEILLEURES TARTES DE LA VILLE ». À travers la vitrine, elle reconnut le comptoir en Formica et les tabourets pivotants en simili cuir orange.

Comme ils atteignaient l'entrée, Wyatt eut une hésitation. Allie lui serra le bras pour l'encourager.

— Tu as faim ?

Il opina.

— Tant mieux, parce que moi, je suis affamée. Soit on entre ici, soit on se contente de la boîte de haricots que j'ai dénichée au fond d'un placard de la cuisine ce matin.

Elle guetta sa réaction. Wyatt s'était figé, le regard anxieux. Allie en éprouva un élan d'inquiétude. Cette réticence à s'aventurer en des lieux inconnus ne lui ressemblait guère.

— Alors ? insista-t-elle. Qu'est-ce que tu préfères ?

— Ici, répondit-il enfin d'un ton résigné.

Beaucoup trop solennel pour un enfant de cinq ans.

Curieusement, une fois à l'intérieur, Allie fut elle-même assaillie par un sursaut de timidité. Les joues brûlantes, elle salua poliment les clients qui levaient les yeux de leur journal ou interrompaient leur conversation. Il y avait longtemps qu'elle ne s'était pas sentie aussi étrangère.

Elle entraîna Wyatt jusqu'au comptoir et le hissa sur l'un des tabourets disponibles. Une jolie quadragénaire aux yeux bleus et aux cheveux blond vénitien était en train de verser des grains de café dans un gigantesque moulin électrique.

— Je suis à vous tout de suite ! lança-t-elle gentiment.

— Prenez votre temps, répondit Allie en s'emparant d'une carte.

Elle proposa à Wyatt de la lui lire mais il venait de découvrir que le siège de son tabouret pouvait pivoter sur trois cent soixante degrés. Une lueur de joie dans les prunelles (enfin !), il se servait de ses deux mains pour se repousser du comptoir et tournoyer sur lui-même.

Allie esquissa un sourire nerveux.

— Il a passé l'essentiel de sa journée d'hier enfermé dans la voiture, expliqua-t-elle.

La serveuse jeta un coup d'œil vers Wyatt et sourit.

— Trois générations d'enfants ont joué sur ces tabourets, décréta-t-elle en mettant sa machine en marche. Avec un peu de chance, trois autres générations d'enfants leur succéderont.

Allie s'apprêtait à lui répondre. Elle se ravisa car la femme la dévisageait, le front plissé.

— Ne me dites pas… Je l'ai sur le bout de la langue… Allie Cooper ! s'exclama-t-elle enfin, triomphalement. Votre famille possède un chalet au bord du lac de Butternut.

— Absolument, confirma Allie, surprise. Comment avez-vous deviné ?

— Je n'oublie jamais le moindre visage. Remarquez, ajouta-t-elle en s'emparant d'un crayon et d'un bloc-notes, parfois, je le regrette. Prenez celui de mon ex-mari, par exemple. Celui-là, j'aimerais bien l'oublier.

Le ton n'était pas amer. Simplement prosaïque.

— Moi, j'ai une fâcheuse tendance à oublier les visages. Et les noms, avoua Allie.

— Ça m'étonnerait que vous vous souveniez de moi. Vous n'étiez qu'une gamine quand votre père vous amenait prendre le petit déjeuner ici. J'étais adolescente et j'avais un job de serveuse pour l'été. Franchement, j'aurais préféré traîner avec mes copains au bord du lac.

« Bien sûr ! » songea Allie avec soulagement... Caroline, si sa mémoire était bonne. Pearl, sa grand-mère, tenait la caisse autrefois. Sa mère, Alice, prenait les commandes et son père, Ralph, s'activait devant les fourneaux. En soustrayant quelques années, en remplaçant l'affabilité de la quarantaine par la moue boudeuse d'une ado, Allie la revit comme autrefois, débarrassant les assiettes d'un air vaguement exaspéré.

— Vous êtes Caroline. Caroline Bell.

— J'étais. Aujourd'hui, je suis Caroline Keegan. Je me suis débarrassée de mon mari mais j'ai conservé son nom.

— Quant à moi, je suis devenue Allie Beckett. Et voici Wyatt.

— C'est vrai. J'ai entendu dire que vous vous étiez mariée. Votre frère est venu ici pour un week-end de pêche avec des copains, il y a quelques années. Il m'a donné des nouvelles de toute la famille.

Allie s'assura que Wyatt continuait à s'amuser.

— Je me suis mariée mais...

Elle marqua une pause. Le plus dur, c'était de l'annoncer à ceux qui n'étaient pas au courant. Non. Le plus dur, c'était le tout.

— ... Mon mari appartenait à *Minnesota National Guard*. On l'a envoyé en Afghanistan il y a deux ans cet été et...

Elle se tut, incapable de poursuivre.

— Il n'est pas revenu, murmura Caroline avec consternation. Je suis désolée.

Allie secoua la tête, ravalant ses larmes. Sans un mot, Caroline lui présenta une tasse et la remplit de café fumant. Puis elle poussa vers elle le pot de lait et le sucrier.

— Et maintenant, je vais prendre votre commande. Malheureusement, je ne peux pas vous servir tout de suite. Frank, mon cuisinier, est en train de bricoler le système de climatisation qui est en panne. Ça tombe mal avec la météo qui prévoit une canicule.

Allie hocha la tête et but une gorgée de café. Elle était reconnaissante à Caroline d'avoir changé de sujet. Peu de personnes maîtrisaient l'art du tact.

— Tiens ! Le voilà ! reprit Caroline tandis qu'un géant apparaissait derrière le comptoir.

Wyatt l'aperçut et s'immobilisa. Puis, les yeux écarquillés, il regarda Frankie se laver les mains dans l'évier, les essuyer avant de se saisir d'un immense tablier et le nouer autour de sa taille épaisse.

— Frankie, la table trois attend ses pancakes et pour la table sept, il me faut un menu spécial œufs au plat ! claironna Caroline d'une voix enjouée.

Frankie acquiesça et se tourna face au gril. Wyatt continuait à le fixer. Avec un sourire, Caroline se pencha sur le comptoir pour confier aux nouveaux venus :

— Frankie mesure un mètre quatre-vingt-douze et pèse cent soixante kilos de purs muscles. Pourtant, c'est l'homme le plus doux que j'aie jamais rencontré. Je ne l'ai jamais, jamais vu se mettre en colère. Ce n'est pas la peine. Un coup d'œil et les importuns prennent leurs jambes à leur cou.

« Pas étonnant », pensa Allie, amusée. L'affronter serait revenu à se jeter contre un mur de pierre.

— Bon, ces commandes !

— Wyatt et moi, nous aurions voulu des pancakes aux myrtilles, s'il vous plaît.

— Et un milk-shake au chocolat ! intervint l'enfant.

— Pas pour le petit déjeuner, protesta Allie.

— Hier, tu m'as dit que je pourrais en avoir un.

— Vraiment ?

— Oui. Dans la voiture, tu m'as parlé de chez *Pearl*. Et moi, je t'ai demandé : est-ce qu'ils ont des milk-shakes ? Et tu as dit : oui. Et moi, j'ai demandé : est-ce que je pourrai en avoir un quand on ira ? Et toi, tu as dit : oui.

— Ah ! murmura Allie, prise de court.

— Que dirais-tu d'un *mini*-milk-shake en guise de compromis ? suggéra Caroline. Après tout, ta maman a raison, c'est l'heure du petit déjeuner. Un garçon comme toi, en pleine croissance, a besoin de se nourrir convenablement.

Wyatt réfléchit.

— D'accord. Pas trop petit quand même.

Caroline gratifia Allie d'un clin d'œil, gribouilla la commande et arracha la feuille de son bloc-notes. Elle épingla le papier au-dessus du gril, à la hauteur des yeux de Frankie. Un client s'approcha pour payer sa note et Caroline se déplaça vers la caisse.

— Votre chalet est bien à Otter Bay ? demanda-t-elle à Allie.

— Oui.

Allie eut du mal à dissimuler sa surprise. À sa connaissance, Caroline n'y était jamais venue. Elle avait oublié que dans les petites villes de province comme Butternut, tout se savait.

— Vous avez un nouveau voisin dans les parages, continua Caroline en tendant sa monnaie au client.

— Je sais, grommela Allie.

Au saut du lit ce matin-là, elle avait emmené Wyatt sur le ponton et ils avaient aperçu la maison de l'autre côté de la baie. De style contemporain, elle était toute en lignes pures, en bois pâle et en verre.

Juste en dessous, sur la rive, se dressait un hangar à bateaux massif pouvant accueillir une demi-douzaine de bateaux et un ponton interminable.

Le hangar et le ponton d'Allie, en ruine, présentaient un contraste presque comique avec tout ce luxe. Le toit du hangar s'était à moitié écroulé et la multitude de nids alignés sur les poutres pouvait abriter une véritable colonie de corneilles. Quant au ponton, il était dans un état pitoyable, sur le point de s'effondrer.

— Il s'appelle Walker Ford, dit Caroline en revenant vers Allie. Il a repris le chantier naval il y a quelques années.

— Ah, bon ? s'enquit Allie davantage par politesse que par enthousiasme.

La perspective d'avoir un voisin ne la réjouissait guère, surtout un homme à la richesse aussi ostentatoire. Cela dit, son statut de propriétaire du chantier naval expliquait la taille de ses installations nautiques.

Caroline plaça devant eux les sets de table, du beurre et un flacon de sirop d'érable.

— Vous serez un peu moins isolée, décréta-t-elle. Ce n'est pas plus mal. Et je crois bien qu'une de vos amies d'antan vit toujours en ville.

— Vraiment ?

— Oui, oui, insista Caroline. Vous vous souvenez de Jax Lindsey, non ? Vous étiez inséparables, il me semble.

Bien sûr qu'Allie se souvenait de Jax. Elles s'étaient rencontrées l'été de leurs seize ans, devant le rayon maquillage du drugstore local. Jamais elle n'aurait pensé que Jax serait restée dans la région. Au contraire, à cause des problèmes qu'elle avait eus avec ses parents, Allie l'aurait imaginée partir le plus loin possible.

— Je n'en reviens pas, admit-elle.

— Eh, oui ! Elle n'a jamais quitté Butternut. Remarquez, si elle n'avait pas connu un gentil garçon des environs, Jeremy Johnson, elle aurait probablement déménagé. Bref, ils se sont mariés, ils ont repris la quin-caillerie des parents de Jeremy et ont eu trois filles. Et bientôt une quatrième.

— Quatre enfants ?

Quel courage !

— Parfaitement. L'air de rien, en plus. J'ai une fille, Daisy. Mais quatre ? Franchement, Jax m'impressionne.

— Quel âge a Daisy ?

— Dix-huit ans. Elle a obtenu une bourse pour suivre ses études supérieures à l'université du Minnesota. Elle commence en septembre et s'est installée à Minnea-polis dès la sortie des classes, il y a quelques semaines. Elle y a décroché un job d'été, histoire de mettre un peu d'argent de côté avant le début des cours.

— Sage décision, approuva Allie.

— Assurément, convint Caroline. Mais elle me manque.

Se retournant, elle s'empara de deux assiettes de pan-cakes aux myrtilles avant de présenter son milk-shake à Wyatt. Elle l'avait préparé dans un gobelet à jus de fruits, tout en le complétant d'une généreuse portion de chantilly arrosée de sauce au chocolat. Wyatt se préci-pita dessus et l'engloutit en quelques gorgées. Lorsqu'il reposa le verre, il avait de la crème sur le bout du nez. Allie rit aux éclats et s'empressa de l'essuyer avec une serviette en papier.

— Ça t'a plu ? J'ai des commandes à prendre. Bon appétit !

— Merci, répondit Allie.

Elle entreprit de couper les pancakes de Wyatt, de crainte qu'il ne les avale en entier. Elle-même avait une faim de loup. Souvent, ces deux dernières années, elle avait dû se forcer à manger. Ce matin, ce ne serait pas nécessaire. Ces pancakes aux myrtilles ne résoudraient pas les problèmes du monde, pas plus que ceux d'Allie d'ailleurs. Mais pour l'heure, elle y croyait presque.

4

Le lendemain matin, Walker était toujours aussi mal
luné lorsqu'il se percha sur un tabouret chez *Pearl* et fit
signe à Caroline de lui apporter une tasse de café. Occupée à prendre la commande à l'une des tables, elle
hocha la tête dans sa direction, lui indiquant qu'elle
serait très vite à lui. Il consulta sa montre. Il était en
retard pour une réunion avec l'un des plus importants
fournisseurs du chantier naval et sa migraine de la
veille, malgré les cachets avalés avant de partir, continuait à lui tarauder les tempes.

Par chance, il avait réussi à atteindre le comptoir en
évitant toute conversation avec les habitués :
aujourd'hui, il n'avait pas l'énergie d'endurer les amabi-
lités des habitants de Butternut. En attendant d'être
servi, il observa Frankie, le colosse cuisinier, en train de
casser des œufs sur le gril grésillant. Chaque fois, il
s'émerveillait de voir ce géant manœuvrer avec une telle
grâce. D'après les rumeurs, Frankie avait purgé une
peine de prison, ce qui expliquait peut-être son aisance
dans un espace aussi restreint.

Alors qu'il admirait Frankie, quelque chose attira son
attention sur sa droite. Trois places plus loin étaient
assis une jeune femme et un petit garçon. La mère et le
fils, de toute évidence. Walker sut tout de suite qu'ils
venaient d'ailleurs. Un soupir lui échappa. Était-il possible qu'il connaisse, du moins de vue, chacun des mille

deux cents résidents de Butternut ? Peut-être Reid avait-il raison : il était temps pour lui de partir.

Par politesse, il voulut détourner la tête mais s'en découvrit incapable. Même de profil, cette inconnue était ravissante. Elle dut sentir son regard car elle se tourna vers lui.

Oui, elle était jolie. Exceptionnellement jolie. Bizarrement, elle n'en semblait pas consciente. Ou alors, elle l'ignorait. À moins que cela ne lui soit égal mais Walker en doutait. D'après son expérience, la plupart des femmes savaient évaluer, et entretenir, leur potentiel attractif.

Celle-ci avait de longs cheveux châtain ambré qui lui tombaient sur les épaules, les yeux noisette et un teint doré. À présent, elle lui adressait un sourire à la fois courtois et désintéressé, ce sourire que lui-même arborait quand il voulait se montrer poli tout en maintenant ses distances. Puis elle se remit à couper les pancakes de l'enfant.

Walker eut un petit sursaut de surprise. Voilà une indifférence qui lui était inhabituelle, les jeunes femmes se montrant souvent sensibles à son charme. Malgré lui, il chercha du regard son annulaire gauche. Elle portait une alliance. Forcément. À moins d'être passionnées de pêche, les célibataires avaient plutôt tendance à fuir la région.

Il continua à la contempler, le plus discrètement possible, tandis qu'elle repoussait l'assiette devant le petit garçon. « Mignon », songea Walker. Il n'était pas très doué en la matière mais il lui donna entre quatre et six ans. Des boucles châtaines, un visage à la fois avenant et grave.

En le voyant dévorer son petit déjeuner avec appétit malgré les protestations de sa mère, Walker réprima un sourire. Lui-même était grand amateur de ces pancakes aux myrtilles qui étaient plus que délicieux.

Caroline surgit devant lui avec une cafetière.

— Tu m'as l'air d'avoir besoin d'un bon remontant, déclara-t-elle.

— Ce ne serait pas du luxe.

— Sur place ou à emporter ?

Walter vérifia de nouveau l'heure.

— À emporter.

— Pas de petit déjeuner ?

Caroline s'empara d'un gobelet en carton, le remplit jusqu'à ras bord de café et le ferma avec un couvercle en plastique.

— Pas de petit déjeuner.

Caroline fronça les sourcils pour marquer sa désapprobation. Elle se garda néanmoins de tout commentaire. À sa manière, elle couvait tout autant ses clients que cette maman son fils. Elle détestait qu'ils repartent le ventre vide. Mais depuis bientôt trois ans qu'elle connaissait Walker, elle savait qu'il était inutile d'insister.

Walker posa un billet de cinq dollars sur le comptoir et se leva.

— Pas si vite ! lança Caroline. Je veux te présenter tes nouveaux voisins. Par le plus grand des hasards, ils sont ici ce matin.

— Mes nouveaux voisins ? Je n'en ai pas.

— Maintenant, si, répliqua Caroline en désignant la femme et l'enfant un peu plus loin. Allie ! Wyatt ! Voici Walker Ford. Votre voisin le plus proche. Sans compter les ours noirs, bien sûr. Rassure-toi, je ne les compte pas, ajouta-t-elle en gratifiant Wyatt d'un clin d'œil.

L'inconnue se tourna vers lui. Elle semblait mécontente. Elle paraissait même carrément hostile. Comme c'était étrange. Lui avait-il donné une raison de le détester ? Walker plissa le front. Il n'avait pas l'habitude de susciter l'animosité, surtout chez les femmes.

Les bonnes manières de celle-ci l'emportèrent sur ses émotions. Elle descendit de son tabouret, entraînant son fils avec elle, et vint lui serrer la main. L'espace d'un instant, Walker resta à court de mots.

— Allie Beckett, se présenta-t-elle, d'un ton plaisant. Et voici Wyatt. Nous sommes arrivés hier soir.

— J'ai vu de la lumière dans votre chalet, dit Walker, fasciné par ses yeux.

De près, il constata qu'ils étaient noisette, d'un joli brun moucheté de vert foncé.

— Vous avez dû vous en étonner. Il y a bien longtemps que personne n'y est venu.

— Pour être franc, avoua Walker, j'ignorais que cette cabane était habitable.

Allie se renfrogna et il comprit qu'il avait été maladroit. Un flot de rose lui monta aux joues. De colère ? D'embarras ? Aucune importance : elle n'en était que plus jolie.

— Elle l'est, bien qu'elle ait besoin d'être retapée. Ce que nous allons faire, mon fils et moi. N'est-ce pas, Wyatt ? poursuivit-elle.

L'enfant opina solennellement et elle le serra contre elle.

— Dieu merci, nous n'avons pas peur de nous salir les mains.

— Ne serait-il pas plus simple de la démolir ? demanda Walker sans réfléchir.

Il avait un mal fou à se concentrer.

— La démolir ? répéta-t-elle, effarée et de plus en plus rouge... (« De fureur », décida Walker.) Mon grand-père l'a construite lui-même. Une bâtisse solide, faite pour durer. Et toute simple, contrairement à d'autres, plus récentes, au bord du lac.

« Aïe ! songea Walker, en plein dans le mille. » Malgré lui, il se sentit vaguement gêné... peut-être parce qu'il s'était lui-même reproché le côté un peu prétentieux de sa demeure.

Toutefois, il ne tenait pas à conclure cette conversation sur une note désagréable. Après tout, désormais, ils étaient voisins.

— Votre mari est amateur de pêche ?

— Mon mari ?

Walker inspecta de nouveau son annulaire gauche. C'était bien une alliance. Baissant les yeux, elle la fixa comme si elle la découvrait pour la première fois. Se serait-il trompé ?

— Mon mari n'est pas là, répondit-elle en le fixant.

Au ton de sa voix, Walker comprit que le couple était séparé pour toujours. Il pouvait compatir, bien qu'il n'ait pas eu d'enfants. Cela devait compliquer la situation. Portait-elle l'alliance pour Wyatt ? Craignait-elle de le contrarier en l'enlevant ?

— Ravie de vous avoir rencontré, monsieur Ford, dit-elle d'un ton si détaché qu'il en tressaillit presque.

Elle et le petit garçon regagnèrent leur place. Walker ramassa son gobelet et s'en alla.

— Épatant, marmonna-t-il en grimpant dans son pick-up pour rejoindre le chantier naval de l'autre côté de la ville.

Il tenta de se rassurer : qu'ils s'apprécient mutuellement ou non, quelle importance ? Au fond, tout allait pour le mieux. Elle ne voulait pas d'un voisin. Et réciproquement.

Pourquoi, alors, cette rencontre avait-elle accru sa mauvaise humeur ? Mystère. C'était pourtant le cas. Et pas seulement cela : pendant tout le reste de la journée, alors qu'il aurait dû se concentrer sur son travail, il pensa à Allie Beckett et à son fils.

Reid avait décelé la faille : la solitude lui faisait perdre la tête. Il avait besoin de prendre l'air. Il se rendrait à Minneapolis dès le vendredi suivant. Deux jours dans la métropole lui feraient du bien. Il en profiterait pour se changer les idées et peut-être, avec un peu de chance, oublier la nuisette dans l'armoire du vestibule. Car, aussi ridicule que cela puisse paraître, Walker était convaincu que cet incident était un mauvais présage, un signe avant-coureur de soucis à venir.

5

À dix-sept heures, l'optimisme d'Allie s'était totalement évaporé. Elle et Wyatt étaient assis sur les marches pourries de la véranda. Wyatt jouait avec ses petites voitures tandis qu'elle chassait en vain les moustiques en se demandant ce qui avait bien pu la pousser à s'installer ici. Le confort de leur ancienne maison lui manquait déjà. Pour ne rien arranger, une tuile dégringola du toit, les évitant de quelques centimètres à peine.

Les paroles de Walker Ford lui revinrent à l'esprit. Ne serait-il pas plus simple de démolir l'ensemble ? Elle s'était offusquée sur le moment. Et s'il avait raison ? Car ce chalet un peu déglingué avait beau détenir un certain charme, elle commençait à se rendre compte que c'était insuffisant pour y vivre au quotidien.

Par bonheur, Wyatt semblait heureux. Il propulsait un véhicule rouge vif le long d'une marche, à grand renfort d'onomatopées.

Bientôt, elle devrait lui préparer à dîner. Le baigner. Lui lire une histoire… le tout comme si de rien n'était, comme si elle n'avait pas commis une erreur irréparable en les déracinant pour se réfugier au bout du monde.

Soudain, Wyatt s'immobilisa et releva la tête. Quelque chose avait attiré son attention. L'instant d'après, Allie perçut le ronronnement d'une camionnette qui remontait l'allée.

Qui cela pouvait-il être ? Elle ne connaissait pratiquement personne ici, hormis Caroline Keegan et Walker Ford, qui n'étaient pas du genre à lui rendre visite. Un instant plus tard, un pick-up rouge apparut. Il se gara et un petit bout de femme en descendit.

— Jax ? s'exclama Allie, sidérée, en se précipitant à sa rencontre.

Elle n'avait pas revu Jax depuis l'été de leurs seize ans. Elle n'avait pas changé. Toujours aussi menue, à peine un mètre cinquante-deux et moins de quarante-cinq kilos. Mêmes cheveux noirs, en queue-de-cheval, mêmes yeux d'un bleu éclatant. Et mêmes taches de rousseur sur le nez et les pommettes.

Par contre, quand son amie l'étreignit, Allie constata une différence majeure entre le passé et le présent. La Jax d'aujourd'hui était enceinte.

— Que c'est bon de te retrouver ! s'extasia Allie, avant de la repousser avec douceur… La naissance est pour bientôt ?

— Crois-le ou non, j'en ai encore pour trois mois, souffla Jax. Tu comprends, vu mes mensurations, je prends tout dans le ventre.

— Hormis cela, tu n'as pas pris une ride.

Jax haussa les épaules.

— J'ai trente ans, comme toi, Allie. Je ne parais pas mon âge et j'en suis consciente. Parce que chaque fois que j'emmène mes enfants au supermarché sur la nationale 53, les grands-mères me coulent des regards noirs, du genre : « Ah ! Ces gosses qui font des gosses ! »

Allie rit aux éclats. Effectivement, elles devaient être choquées par la vision de cette femme qui paraissait à peine assez âgée pour passer son permis de conduire, traînant trois enfants dans son sillage et un quatrième en cours de fabrication.

— À propos d'enfants… enchaîna Jax en s'adressant au petit garçon, je suppose que tu es Wyatt. Caroline m'a dit que tu étais le champion du monde des mangeurs de crêpes, assura-t-elle, les yeux pétillants.

Wyatt baissa le nez, intimidé, et le cœur d'Allie se serra. Tout petit, il était si sociable ! Quand avait-il commencé à changer ? Question stupide. Elle connaissait la réponse.

Jax ne se laissa pas impressionner.

— Tu sais, Wyatt, déclara-t-elle en s'asseyant auprès de lui… J'ai trois filles. Joy a douze ans, Josie en a neuf et Jade, six.

Wyatt fronça les sourcils, l'air inquiet.

— Ça fait beaucoup de filles.

Jax s'esclaffa puis redevint grave.

— Sans blague, ironisa-t-elle. Et, de toi à moi, j'en aurai bientôt une quatrième. Parce que ce bébé est aussi une fille.

Wyatt demeura muet, d'autant plus angoissé.

— Je tiens à te dire que celles que nous avons déjà sont exceptionnelles. Leur papa leur a appris à jouer au baseball.

Aussitôt, le visage de Wyatt s'éclaira. Jax se pencha vers lui et poursuivit en baissant le ton :

— À vrai dire, Wyatt, je pense que leur père aimerait continuer jusqu'à ce que nous ayons assez de filles pour former une équipe. C'est-à-dire : neuf en tout.

Elle lui sourit et lui effleura la joue d'une caresse. À son immense soulagement, Allie constata que Wyatt, loin de se rétracter, l'observait avec attention en attendant la suite.

— Ah ! J'allais oublier ! s'écria Jax en se levant d'un bond. Je vous ai apporté quelque chose.

Elle regagna le pick-up et en sortit une cagette pleine de fraises, cinq kilos en tout !

— Laisse-moi t'aider ! s'écria Allie en se précipitant vers elle.

— Pas la peine, merci ! Je les ai cueillies dans notre jardin ce matin. Il vaudrait mieux les mettre au réfrigérateur.

— Attention aux marches ! prévint Allie en lui courant derrière.

Enceinte ou pas, Jax était remarquablement vive et agile. Elle ouvrit la porte et Allie la suivit à l'intérieur. Wyatt leur emboîta le pas. À peine avait-elle franchi le seuil que Jax stoppa net.

— Incroyable ! Rien n'a changé !

Allie eut un sourire. Elle avait eu la même réaction en arrivant, la veille. Elle avait eu la sensation de remonter le temps. Jax devait éprouver la même impression.

— J'ai seize ans, murmura-t-elle. Tu te souviens de cet été ? Nous avons passé le plus clair de notre temps à nous tresser mutuellement les cheveux... En revanche, ça, je ne m'en souvenais pas, ajouta-t-elle en pointant du doigt la tête d'élan.

Allie avait essayé de la décrocher dans la matinée mais la tâche s'était avérée plus difficile que prévu. Pour finir, elle l'avait recouverte d'un plaid.

— Ah, ça... Allons dans la cuisine... Wyatt déteste. Malheureusement, je n'ai pas réussi à l'enlever.

— Personnellement, ce n'est pas ma tasse de thé non plus, admit Jax en posant son cageot sur le comptoir. Mais Wyatt a intérêt à s'y habituer. Par ici, les gens prennent la chasse très au sérieux.

Allie ouvrit la porte du réfrigérateur et marqua une pause.

— Jax, c'est beaucoup trop. Jamais Wyatt et moi n'allons manger autant de fraises.

— Rien ne vous y oblige. Ce qui restera, tu n'auras qu'à en faire de la confiture.

— Je n'ai aucune idée de la manière dont on procède.

— Crois-moi, si tu as l'intention de t'installer ici pour de bon, tu vas apprendre, riposta Jax en riant. À Butternut, les conserves, c'est le sport local. Juste après la pêche et la chasse, bien sûr.

44

— Tu pourras peut-être me montrer un de ces jours. En attendant, tu es sûre de ne pas vouloir remporter quelques kilos chez toi ?

Jax fit non de la tête.

— Alors merci. Elles sont magnifiques. Puis-je au moins t'offrir un thé glacé ?

— Avec plaisir ! accepta Jax en s'asseyant à la table.

Allie apporta le thé ainsi qu'un verre de lait pour Wyatt, qui les avait suivies. Il l'emporta dans le salon et se mit à jouer avec le circuit de train qu'Allie et lui avaient monté dans l'après-midi.

— Comment vont tes parents ? Ton frère ? s'enquit Jax.

— Très bien. Papa et maman vivent dans un village pour retraités en Floride. Ils souhaitaient que je me rapproche d'eux mais je me voyais mal les rejoindre chaque soir pour le menu spécial couche-tôt. Mon frère, Cal, habite à Seattle avec sa femme. Tous deux sont des accros du boulot. Et toi ? Tes parents ?

Allie regretta aussitôt d'avoir posé la question. Jax haussa les épaules.

— Ils sont morts. Apparemment, le régime bourbon-whisky est incompatible avec le grand âge.

Allie devint écarlate. Jax lui tapota le bras.

— Ne t'inquiète pas pour moi. Il y a douze ans, j'ai rencontré Jeremy. Et là, ma vie a basculé.

— Caroline m'a dit que vous possédiez la quincaillerie. Et qu'à te voir, élever trois enfants était simple comme bonjour.

— Elle exagère... Elle m'a expliqué, pour ton mari. Je suis désolée.

La gorge d'Allie se noua.

— Il était réserviste de la *Minnesota National Guard* et son unité a été déployée en Afghanistan, racontat-elle en s'efforçant de parler calmement, le regard fixé sur son amie. Ils ravitaillaient une escouade mobile

45

quand la Jeep que conduisait Gregg a sauté sur un engin explosif improvisé. Il n'a pas survécu.

— Oh, Allie ! Il doit te manquer terriblement.

— Oui. Il était mon meilleur ami.

C'était vrai et ce, depuis le tout premier jour. Elle l'avait rencontré dans son cours d'Introduction à la psychologie. Gregg s'était approché d'elle avec un sourire, en repoussant de ses yeux une mèche de cheveux châtains.

— Cette place est-elle prise ?

— Non, avait-elle répondu, légèrement troublée.

Il s'était assis à côté d'elle. Dès lors, ils ne s'étaient plus séparés – vraiment séparés – que dix ans plus tard quand Gregg s'était envolé pour l'Afghanistan.

Jax prit la main d'Allie dans la sienne, si petite, si fine.

— Je suis contente que tu sois venue t'installer ici. Sincèrement.

— Ça en fait au moins une de nous deux, plaisanta (à moitié) Allie.

— Tu as des regrets ?

— Je n'en sais rien. J'ai peut-être agi par égoïsme ? J'avais besoin de prendre le large. Mais Wyatt, le pauvre, il n'a pas eu son mot à dire.

— Tu ne me sembles pas être quelqu'un d'égocentrique, Allie, déclara Jax après réflexion. D'ailleurs, décider, c'est le rôle des parents. En général, ce qui est bon pour nous l'est aussi pour nos enfants.

Elle marqua une pause, l'air songeur.

— Cela dit, sans vouloir être indiscrète, qu'est-ce qui t'y a poussée ?

— Trop de souvenirs à la maison, répliqua Allie (après tout, c'était une des raisons). Gregg et moi n'avons jamais trouvé le temps de séjourner ici. Nous étions si occupés, et Butternut nous semblait au bout du monde. D'ailleurs, Gregg avait horreur de la pêche. Selon lui, c'était aussi excitant que de regarder l'herbe pousser. Tu sais quoi, Jax ?

— Quoi ?

— Maintenant, je m'en félicite : ici, il n'y a rien pour me rappeler Gregg.

— La ville ne va pas te manquer ?

— Possible. Mais j'en avais tellement assez que l'on s'apitoie sur mon sort. C'est épuisant, à la fin. Tous ces conseils bien intentionnés…

— Ne t'inquiète pas, tu n'auras rien de tel à Butternut, admit Jax avec un sourire un peu triste. Les gens ont tous leurs problèmes. Tu te souviens de Walter Starr, le propriétaire du magasin d'articles de pêche ? Il souffre d'un cancer avancé de la prostate. Et les Weber, Don et Liz… anciens gérants de la station-service ? Au printemps dernier, ils ont tout perdu, absolument tout, dans l'incendie de leur maison. Quant à Caroline, sa fille est partie pour l'université. Cette enfant est la prunelle de ses yeux et par moments, je t'assure, j'ai l'impression qu'elle ne s'en remettra jamais. La liste n'est pas exhaustive…

Le regard d'Allie s'humidifia. Malgré elle, Jax venait de remuer le couteau dans la plaie.

— Tu as raison. Parfois, j'oublie que Wyatt et moi ne sommes pas les seules personnes au monde à souffrir.

— Tu as du chagrin, quoi de plus normal ? Mais ici, ton malheur ne te transformera pas en objet de curiosité. Cependant, je préfère t'avertir : comme dans toutes les petites villes, les potins y sont monnaie courante… À ce propos, enchaîna Jax en remplissant son verre, as-tu rencontré ton nouveau voisin ?

— Walker Ford ? Oui. Ce matin, chez *Pearl*. Ça n'a pas été très agréable.

— Ah, non ? Remarque, il est assez distant.

— Distant ? Je dirais plutôt : arrogant.

— Arrogant ? Oui, peut-être un peu, supposa Jax. Mais Butternut lui doit beaucoup. Le chantier naval était au bord de la faillite quand il l'a repris. Aujourd'hui, c'est le deuxième employeur après la scierie.

D'ailleurs, continua-t-elle, une lueur espiègle dans les yeux, ce n'est pas le seul service qu'il ait rendu à la communauté.

Allie haussa les sourcils, intriguée malgré elle.

— On en revient aux cancans... Il a été à l'origine de plus d'un d'entre eux.

— Vraiment ?

— Tu l'as vu, non ? On dirait une star de cinéma.

Allie se remémora la scène. Grand et athlétique, Walker avait les cheveux noirs, très courts, le teint bronzé et les yeux bleu foncé. Il n'était certes pas laid. De là à affirmer qu'il était d'une beauté transcendante... Allie ne regardait plus les hommes comme avant.

— En tout cas, il n'a jamais été à court d'admiratrices. Mis à part son physique, il a moins de quarante ans, une bonne situation et il est célibataire. En d'autres termes, il appartient à une minorité de notre population. Il a été marié, brièvement, ce qui le rend d'autant plus mystérieux. Tout le monde aime spéculer sur ce qui a conduit son couple à la dérive.

— Qui était sa femme ?

— Elle n'était pas d'ici. On ne l'appréciait guère car elle était belle mais terriblement froide. Ils se sont mariés à l'automne et moins de six mois plus tard, elle a décampé. Fin de l'histoire. Personne ne sait ce qui s'est passé. Sauf lui, bien sûr. Et il reste muet comme une carpe sur le sujet.

« Pas la peine de chercher bien loin », pensa Allie en se remémorant l'attitude de Walker ce matin-là.

Jax changea de sujet.

— Allie, est-ce que tu t'intéresses encore à l'art ?

— À l'art ? répéta-t-elle, prise de court.

— Quand tu venais en vacances, tu apportais toujours une collection de beaux livres sur la peinture, la sculpture. Et en plus, tu les lisais. Un jour, tu m'avais fait part de ton envie d'obtenir un diplôme en Histoire de l'art et de trouver un emploi dans ce secteur.

— Ah, ça… marmonna Allie, un peu gênée. Oui, je fantasmais : je voulais m'installer à New York et travailler dans une galerie à SoHo. Les choses ne se sont pas déroulées comme prévu.

— Pourquoi ?

— Ma foi, je suppose que la réalité a pris le dessus. J'ai suivi quelques cours et j'aurais volontiers mené mon projet à terme mais, à l'époque, je savais déjà que Gregg et son frère Travis envisageaient de reprendre l'entreprise familiale de jardinage. Alors je me suis dit qu'une maîtrise en management me serait plus utile.

Elle ne l'avait pas regretté. À eux trois, ils avaient transformé une petite affaire artisanale en une entreprise florissante.

— Ça te plaisait ? s'enquit Jax.

Allie hésita.

— Oui. Je… c'était intéressant.

De surcroît, elle s'était toujours débrouillée pour s'échapper de temps en temps pour aller visiter les musées et galeries de Minneapolis.

— Tu as gardé tes parts ?

— Non. J'ai cédé notre moitié au frère de Gregg. J'ai aussi vendu notre maison. Il ne me reste plus qu'à décider quoi faire ensuite. L'argent économisé ne durera pas indéfiniment et, un de ces jours, je devrai recommencer à gagner ma vie.

— Comme nous tous.

— Oui.

Décidément, Jax avait le don de mettre le doigt sur la vérité sans jamais être méchante.

— Il faut que j'y aille, annonça cette dernière en se levant. J'ai un repas à préparer.

— Bien sûr ! s'exclama Allie, gênée de l'avoir retenue si longtemps. Wyatt et moi allons te raccompagner jusqu'à ton pick-up.

Le petit garçon venait de ressurgir dans la cuisine et d'ouvrir le réfrigérateur. Il contemplait les fraises. « On en mangera pour le dessert, se promit Allie. Avec de la glace à la vanille. »

Comme elles se dirigeaient vers la sortie, Jax s'immobilisa brusquement et se retourna vers la tête d'élan recouverte d'un plaid.

— Je connais quelqu'un qui pourrait t'aider à la décrocher. Et te donner un coup de main pour toutes les réparations.

Elle fonça dans la cuisine. Allie avait laissé un bloc-notes et un crayon sur le comptoir. Jax y gribouilla un nom et un numéro de téléphone, arracha la feuille et la tendit à son amie.

— Il s'appelle Johnny Miller. Il est menuisier et très bricoleur. Un peu vieux mais il travaille merveilleusement et ses tarifs sont plus que raisonnables.

— Merci, murmura Allie. Ce ne sera pas du luxe.

Wyatt et elle restèrent dans l'allée jusqu'à ce que le pick-up rouge eût disparu. Puis ils rentrèrent dans le chalet. Wyatt semblait un peu triste et Allie le comprit : en présence de Jax, l'atmosphère y avait semblé plus légère.

— Allez, mon chéri ! Mettons-nous aux fourneaux, proposa-t-elle d'une voix faussement enjouée.

6

Une vive douleur entre les omoplates rappela à Caroline qu'elle était assise depuis trop longtemps à son bureau. Elle se redressa, croisa les mains derrière sa nuque et cambra le dos pour tenter d'étirer ses muscles endoloris. « Jamais je n'aurais imaginé que tenir un café exigeait autant de paperasse ! » songea-t-elle en refermant le dossier devant elle pour le glisser dans son meuble-classeur à la rubrique « taxes sur les salaires ».

On frappa discrètement à la porte puis Frankie, le cuisinier, apparut.

— Miss Caroline, je m'en vais, annonça-t-il, son imposante carrure remplissant le cadre.

Elle jeta un coup d'œil sur sa pendule.

— Il est dix-sept heures, Frankie ! Comment se fait-il que vous soyez encore là ?

Il haussa ses épaules de mastodonte.

— J'ai réparé la clim. Elle était retombée en panne. Ensuite, j'ai récuré les friteuses. Du coup, j'ai dû repasser la serpillière.

— Frankie, votre service se terminait à quinze heures, protesta-t-elle.

— Ça m'ennuie pas de travailler tard.

— Je sais bien, marmonna-t-elle en l'invitant d'un geste à entrer. Ce n'est pas ce qui m'inquiète.

Frankie s'avança, non sans difficultés. Le plafond était très bas et il devait prendre des précautions pour ne pas heurter l'éclairage fluorescent. Il ne pouvait pas non plus s'asseoir car l'unique siège disponible était une chaise pliante brinquebalante. Tous deux savaient qu'elle ne supporterait pas son poids.

— Ce qui me chiffonne, Frankie, c'est que vous accumuliez les heures supplémentaires parce que vous vous sentez redevable envers moi.

— C'est pas ça. J'aime bien être ici.

— Et moi, je n'aime pas que vous soyez là. Car malheureusement, je n'ai pas les moyens de vous payer audelà des horaires prévus. Vous devriez vous arrêter à quinze heures, rentrer chez vous et... vaquer à vos affaires, acheva-t-elle, à court d'imagination.

Frankie avait beau être son employé depuis trois ans, elle n'avait pas la moindre idée de la manière dont il occupait son temps libre.

— Ce que j'aime, c'est bosser ici, répondit-il, coupant court à toute discussion. En plus, je vous *suis* redevable, enfin plus ou moins. Vous avez pris un risque en m'embauchant, Miss Caroline, alors que personne ne voulait de moi. Pas facile pour un ex-détenu de décrocher du boulot.

— Je sais, Frankie. Je ne regrette rien. Vous avez plus que justifié ma confiance en vous. D'ailleurs, c'était donnant-donnant. Vous avez eu la place et moi, le meilleur cuisinier que j'aie jamais eu. Doublé d'un réparateur de clim.

Frankie lui adressa un de ses rares sourires.

— Bon, ben, je vais y aller, Miss Caroline.

— Entendu. Euh... Frankie ?

— Oui ?

— Comment puis-je vous convaincre de ne plus m'appeler Miss Caroline ?

Il réfléchit, secoua la tête.

— Impossible, m'dame. Ce serait vous manquer de respect.

— Au moins, j'aurai tenté le coup, soupira Caroline tandis qu'il tournait sur lui-même pour sortir... un défi en soi dans un espace si petit.

Il ferma la porte derrière lui. Caroline se leva, s'étira de nouveau et quitta le bureau à son tour.

Elle longea l'étroit couloir derrière le café et gravit l'escalier jusqu'à son appartement. S'immobilisant devant l'entrée, elle prit tout son temps pour sortir les clés de son tablier et en insérer une dans la serrure. Cet instant, elle le redoutait tous les jours depuis deux semaines, depuis le départ de sa fille, Daisy, pour Minneapolis.

Une fois à l'intérieur, elle se rendit directement dans la cuisine et alluma la radio. L'appareil était réglé sur leur station de rock classique préférée et elle monta le volume au maximum pour noyer le silence. Elle n'y parvint qu'à moitié. Oui, la musique était forte, mais elle ne suffisait pas à combler l'absence de Daisy.

Au son de « Night Moves » de Bob Seeger, elle poursuivit son chemin jusqu'à la salle de bains. Elle se déshabilla et prit une douche, se lavant vigoureusement pour se débarrasser de l'odeur de friture qui lui collait toujours à la peau à la fin d'une journée de travail. Puis elle enfila un peignoir en éponge, brossa ses cheveux mouillés et les noua au-dessus de sa tête.

Alors seulement, elle s'autorisa à se jeter sur son lit et enfouir son visage dans les oreillers. Mais elle ne pleura pas. Ce n'était pas son truc car, si elle avait appris une chose dans sa vie, c'était que répandre des larmes ne servait à rien. Elle avait eu bien des occasions de s'en rendre compte. Elle avait perdu ses parents très tôt. Ensuite son mari, emporté non pas par la mort mais par son incorrigible infidélité. Elle avait donc élevé sa fille seule tout en gérant une entreprise. Alors, si elle s'était apitoyée sur son sort, elle n'aurait pas eu le temps d'accomplir grand-chose.

Cependant, le départ de Daisy avait été un véritable coup de massue pour elle. La sonnerie du téléphone interrompit le fil de ses réflexions et elle tendit le bras pour décrocher l'appareil sur sa table de nuit. Pourvu que ce soit Daisy !

— Salut, maman !

— Bonjour, ma chérie, répondit Caroline en feignant la désinvolture. Que fais-tu de beau ?

— Rien de spécial, à part m'inquiéter pour toi…

— Tu t'inquiètes pour moi ? Normalement, ce devrait être le contraire.

— Mais je ne te donne aucune raison d'inquiétude, n'est-ce pas ?

C'était vrai. Daisy était née responsable.

— D'une manière générale, non. Toutefois, tu n'as jamais vécu seule auparavant. Sur ce plan, tu es encore inexpérimentée.

— À propos d'expérience, devine ce que Giovanni m'a dit aujourd'hui ?

Giovanni était le propriétaire du café italien où Daisy travaillait comme serveuse l'été.

— Quoi ?

— Que j'étais la reine du cappuccino.

— Évidemment ! riposta Caroline avec fougue.

— Et crois-moi, ce n'est pas facile.

— Ce devrait l'être pour toi. Tu as du café dans les veines.

— C'est vrai, répondit Daisy en riant.

Elle lui parla ensuite de son appartement, de ses colocataires, d'un garçon qui flirtait avec elle mais n'avait pas encore osé lui demander son numéro de téléphone. Caroline l'écouta en intervenant de temps en temps, proférant des commentaires qu'elle jugeait appropriés. Daisy ne fut pas dupe de son manège.

— Qu'est-ce qui ne va pas, maman ?

— Tout va bien, assura Caroline, avec un peu trop de précipitation.

— Maman, je te connais comme ma poche.

C'était tellement vrai. Seulement, si Caroline lui avouait à quel point elle lui manquait, sa fille se sentirait coupable. Elle lui relata donc sa conversation avec Frankie et la tragédie que venaient de subir Allie Beckett et son fils, Wyatt.

— Maman, je sais que Frankie travaille trop. Et je suis désolée pour cette femme et son enfant. Mais c'est de toi que je veux parler. Te rappelles-tu notre dernière conversation avant mon départ ?

— Laquelle ? éluda Caroline.

— Celle au cours de laquelle nous étions convenues que tu t'occupais toujours des autres et jamais de toi. Quand vas-tu enfin penser à toi ?

— N'est-ce pas un thème que le Dr Phil a traité dans son émission ?

— Je l'ignore, c'est possible, dit Daisy, exaspérée. Tu t'éloignes du sujet.

— À savoir… ?

— Ton tour est venu de te concentrer sur toi-même, sur ta propre vie. Tu as pris soin de grand-père et de grand-mère. Tu as pris soin de moi. À ton tour maintenant.

— C'est déjà le cas.

— Maman, je ne fais pas allusion aux vitamines que tu gobes tous les matins. Tu devrais t'inscrire à un cours, t'offrir un voyage, rejoindre un club de lecture. Ou quelque chose de ce genre.

— Je n'ai aucune envie de rejoindre un club de lecture, grommela Caroline.

— Tu aimes lire.

— Oui. En revanche, je n'aime pas que l'on me dise quoi lire.

— Mamaaaan ! s'énerva Daisy. Rien ne t'y oblige. C'est simplement un moyen de voir du monde.

Caroline resta silencieuse. Du monde, elle en voyait plein tous les jours dans son café. Pour autant, elle ne voulait pas faire de peine à sa fille.

— Bon, j'abandonne pour ce soir. Je t'appellerai demain, promit Caroline.

— Bonne soirée, ma chérie.

Caroline raccrocha d'un geste lent. Puis elle demeura parfaitement immobile, l'oreille tendue. Était-ce son imagination ou l'appartement était-il encore plus silencieux qu'à son arrivée ?

7

— Tu devrais me laisser t'acheter un lave-vaisselle, dit Jeremy à Jax, qui s'affairait devant son évier.

Il s'approcha d'elle, glissa les bras autour de son ventre rebondi et effleura son oreille d'un baiser.

— J'aime bien laver la vaisselle, répondit-elle, son corps réagissant instantanément au contact de son mari.

Douze ans de mariage et il l'attirait toujours autant...

— D'accord, je ne t'offrirai pas une machine. Au moins, laisse-nous t'aider, les filles et moi.

— Pourquoi pas ?

Jax savait qu'elle ne leur céderait la place pour rien au monde. La vérité, c'était qu'elle prenait grand plaisir à accomplir cette tâche toute seule. Tremper les bras jusqu'aux coudes dans l'eau savonneuse la relaxait. Elle en profitait pour réfléchir sans être interrompue, un privilège rare pour une maman de trois enfants.

La plupart du temps, elle pensait à ses filles, à ce qu'elles avaient fait ou raconté dans la journée. Contrairement à nombre de ses amies, Jax ne tenait pas la chronique de chaque instant de leur existence. Dédaignant films vidéo, *scrapbooks* et autres albums, elle préférait imprégner sa mémoire de ces souvenirs chaque soir en faisant la vaisselle pendant que Jeremy les couchait.

Aujourd'hui, pourtant, cette activité se teintait d'une vague tristesse. Curieusement, elle s'en voulait d'être heureuse alors qu'Allie et Wyatt étaient si tristes. Cette visite chez eux, quelques heures plus tôt, la hantait. Elle en avait parlé à Jeremy avant le repas.

— Tu songes à ton amie et à son fils ? devina-t-il en la berçant contre lui.

Elle opina gravement.

— Tu tenais énormément à elle, n'est-ce pas ?

— Oui. L'été de nos seize ans, nous étions inséparables. J'adorais passer du temps avec sa famille dans leur chalet. Ils étaient si… normaux, conclut-elle enfin.

— Jax, toutes les familles sont normales en comparaison de la tienne.

— Exact.

— Ma chérie, tu es consciente que tu ne peux rien contre leur malheur, j'espère ? murmura Jeremy après un long silence.

— Oui. Remarque, poursuivit-elle, son visage s'éclairant, si je ne peux rien contre leur malheur, je peux m'efforcer de leur rendre les choses plus faciles maintenant. Wyatt ne connaît aucun enfant dans le coin. Et nous en avons trois, dont l'une quasiment du même âge.

— Tu suggères de l'adopter ? la taquina Jeremy en l'embrassant dans le cou… Parce qu'à mon avis, sa maman risque de s'y opposer.

— Je suggère de l'inclure dans nos activités, rétorqua-t-elle en s'attaquant à la phase rinçage.

À contrecœur, Jeremy la relâcha et s'empara d'un torchon pour essuyer les assiettes au fur et à mesure que Jax les lui tendait.

— J'ai promis aux filles de les emmener cueillir des myrtilles la semaine prochaine. Je vais proposer à Wyatt de nous accompagner. Ensuite, au mois de juillet aura lieu notre barbecue annuel. La moitié de la ville y sera. C'est l'occasion idéale de leur offrir une soirée « Bienvenue à Butternut ».

— Entendu, murmura Jeremy. Je dirai à notre secrétaire des mondanités de les rajouter à la liste des invités.

— Très drôle, railla Jax.

Elle marqua une pause, le temps de l'embrasser. Puis, une fois la corvée vaisselle achevée, Jeremy la reprit dans ses bras et l'étreignit avec ferveur. « On dirait qu'il sent que je lui cache quelque chose », se dit Jax.

Comme s'il avait deviné sa pensée, il s'écarta légèrement.

— Avant de nous coucher, nous avons un problème à régler.

— Lequel ?

— Joy, chuchota-t-il en la serrant de nouveau contre lui. Elle a recommencé à lire sous ses couvertures à la lueur d'une lampe électrique. Cela m'inquiète. Comment veux-tu que je m'occupe de mon épouse, ravissante et si sexy, si notre fille refuse de s'endormir ?

Jax, qui s'était raidie, se décontracta.

— Franchement, Jeremy, tu ne penses qu'à ça.

— Eh oui, convint-il. Tu es tellement belle quand tu es enceinte.

Elle leva les yeux au ciel.

— Jeremy, je ressemble à un tonneau. Et j'entame à peine mon troisième trimestre de grossesse.

— J'aurai d'autant plus de temps pour en profiter, décréta-t-il en posant un regard ardent sur ses seins voluptueux.

D'une main délicate, il en entoura un et Jax sentit la chaleur de ses doigts à travers le fin coton de sa tunique. Un frémissement la parcourut. Mais elle avait une chose importante à faire. Seule.

— Jeremy, laisse-moi ranger, sans quoi nous finirons par faire l'amour sur le sol de cette cuisine.

— Je n'y vois aucun inconvénient.

— Oh, toi ! gronda-t-elle avec un sourire. Monte sermonner Joy. Je te rejoins dès que j'aurai nettoyé les plans de travail.

— D'accord. Dépêche-toi ! lança-t-il d'un ton suppliant en lui soufflant un baiser avant de se diriger vers l'escalier.

Jax patienta une minute avant d'ouvrir l'un des placards. Elle en sortit une boîte contenant des recettes, la posa sur le comptoir puis l'ouvrit pour en extirper une enveloppe tout au fond.

Elle était décachetée. Jax déplia le courrier avec soin, scrutant l'écriture pratiquement illisible. Bobby n'avait jamais été un champion de la plume et, de toute évidence, son séjour en prison n'avait rien arrangé. Pour autant, elle arrivait à lire cette lettre qu'elle avait par ailleurs déjà lue une dizaine de fois. Comme toujours, cette lecture suscita une série de symptômes : nausée, accélération du pouls, mains moites.

Au bout de quelques minutes, elle la remit dans sa cachette, un endroit sûr où Jeremy ne risquait pas de la trouver. La boîte retrouva sa place dans le placard, en apparence parfaitement innocente alors qu'elle contenait une véritable bombe à retardement dont le tic-tac semblait résonner dans toutes les pièces de la maison.

8

— Walker ? Tu es toujours là ?

Cliff Donahue, le directeur général du chantier naval, passa la tête dans la salle de repos.

— Je suis toujours là, répondit Walker en se versant un café.

— Tu n'avais pas prévu de passer le week-end à Minneapolis ?

— Si. Mais j'ai changé d'avis.

Cliff haussa les sourcils.

— On a un problème ici ?

— Pas du tout.

Walker goûta son café et grimaça. Il était infect.

— En fait, il y en a un, rectifia-t-il. Cette cafetière. De quand date-t-elle ? De la Grande Dépression ?

— Possible. Les anciens ne s'en plaignent pas. Bien sûr, contrairement à toi, ils ne sont pas habitués au café de Caroline.

— Sans doute, concéda Walker.

Celui de Caroline était le meilleur qu'il eût jamais dégusté, y compris dans certains établissements haut de gamme de Minneapolis.

— J'y vais. En cas de besoin, tu peux me joindre sur mon portable.

— Merci !

Walker regagna son antre mais ne se remit pas tout de suite au travail. Il se cala confortablement dans son fauteuil, posa les pieds sur son bureau et but son café infect à petites gorgées. Non seulement le chantier tournait à plein mais, en plus, Cliff se montrait d'une efficacité telle que la présence de Walker ne se justifierait plus bien longtemps. Soudain, il fronça les sourcils. Car le jour où il avait interviewé Cliff pour ce poste, trois ans auparavant, était aussi celui où Caitlin était venue lui rendre visite sur son lieu de travail.

L'entretien d'embauche parvenait à son terme quand on avait frappé discrètement.

— Qui est-ce ? avait aboyé Walker sans dissimuler son irritation.

Ses employés savaient qu'ils ne devaient en aucun cas le déranger quand sa porte était fermée.

— Caitlin.

Caitlin ?

— Entre ! avait-il lancé d'un ton qu'il espérait nonchalant.

Il avait le cerveau en ébullition. Caitlin était la jeune femme qu'il fréquentait lors de ses brefs séjours à Minneapolis. Elle n'était jamais venue à Butternut. Pour une raison simple : il ne l'y avait jamais invitée. Il n'en avait d'ailleurs aucune intention. Plus ils passaient du temps ensemble, plus Walker se rendait compte qu'ils n'avaient rien en commun. Depuis un certain temps, il avait pris conscience que leur attirance physique initiale ne suffisait pas à nourrir leur relation.

Ce qui expliquait probablement son initiative, avait-il songé, soulagé, alors qu'elle entrait d'un pas timide. Elle avait sûrement décidé de rompre. Cela étant, il avait du mal à comprendre qu'elle se soit donné le mal de parcourir tous ces kilomètres en pleine semaine. Elle aurait pu le faire par téléphone. C'eût été nettement plus pratique et leur aurait épargné à tous les deux le désagrément d'un face-à-face.

Il s'était levé et l'avait embrassée sur la joue. Se tournant vers Cliff pour faire les présentations, il s'était aperçu que ce dernier fixait Caitlin d'un air fasciné. Comment lui en vouloir ? La première fois qu'il avait rencontré Caitlin dans un bar à Minneapolis, Walker avait réagi de la même façon.

Elle était magnifique, avec ses longs cheveux blonds, ses immenses yeux bleus et une peau si blanche qu'elle en était presque translucide. Hélas, comme beaucoup de personnes douées d'un physique de rêve, elle semblait s'en contenter. Soit elle manquait de caractère, soit elle le cachait bien.

— Cliff, avait déclaré Walker, nous allons nous arrêter là. Je vous recontacte très vite.

Ils s'étaient serré la main et Cliff s'en était allé. Walker avait invité d'un geste Caitlin à prendre la place laissée vacante par son futur directeur.

— Veux-tu une tasse de café infect ?

— Non, merci.

Il lui avait souri.

— Je crois deviner ce qui t'amène.

— Ah bon ? s'était-elle étonnée.

Il avait alors continué, tentant de mesurer ses paroles :

— Notre relation est dans une impasse. Tu n'y es pour rien et j'espère que moi non plus. Mais il manque ce petit « plus »...

Les mots étaient restés suspendus sur ses lèvres. La manière dont elle le dévisageait l'avait stoppé dans son élan.

— Qu'es-tu en train de me dire, Walker ?

— Que je crois deviner ce qui t'amène.

— À savoir...

— Tu veux rompre.

Là ! Cartes sur table. Autant en finir au plus vite.

— Tu plaisantes ? s'était-elle indignée, un flot de rouge envahissant ses joues.

— Ce n'est pas le cas ?

« Quel maladroit ! »

— Loin de là, Walker.

Il avait plissé le front.

— Je suis venue t'annoncer que je suis enceinte.

Il était resté muet. Figé. En état de choc. Incapable d'émettre une phrase cohérente. Quand il s'était enfin ressaisi, il avait lancé la première chose qui lui passait par la tête :

— Comment est-ce arrivé ?

De toute évidence, ce n'était pas la réponse à laquelle s'attendait Caitlin. Elle avait levé les yeux au ciel.

— À ton avis, Walker ? Tu as suivi les cours d'éducation sexuelle au lycée, non ? Peut-être étais-tu absent le jour où le professeur a abordé le chapitre du spermatozoïde qui féconde l'ovule ?

Jamais il ne s'était imaginé que Caitlin pouvait faire preuve de sarcasme. Quel idiot ! Au fond, il ne savait rien d'elle. Il avait donc reformulé sa question.

— Ce n'est pas ce que je voulais dire. Tu m'avais assuré que tu prenais la pilule. J'en ai déduit que tu ne risquais pas de tomber enceinte.

— Je prenais effectivement la pilule, s'était-elle défendue. Malheureusement, même le contraceptif le plus efficace n'est pas sûr à cent pour cent.

Il avait hoché la tête, penaud. Ce problème, ils l'avaient aussi abordé en cours d'éducation sexuelle. Tout à coup, une pensée lui était venue. Ou plutôt, un espoir. Minuscule. Comme lorsqu'on s'empare d'un gilet de sauvetage juste avant d'être submergé par un raz-de-marée.

— Tu es sûre que c'est...

Il s'était tu. Il marchait sur des œufs. Toutefois, il voyait mal comment il pouvait faire preuve de tact.

— Tu es sûre que c'est moi le père ? Cet enfant pourrait-il être celui d'un autre ?

— Mais oui j'en suis sûre, avait-elle riposté, plus blessée que furieuse. D'après toi, Walker, avec combien d'hommes ai-je des relations intimes en ce moment ?

— Je... je l'ignore, avait-il bredouillé.

Erreur fatale.

— Pour l'amour du ciel ! Tu me connais suffisamment, j'espère, pour savoir que tu es le seul et l'unique.

Walker s'était réfugié dans le mutisme. Son cerveau s'était mis en mode veille. Un silence de plomb avait suivi.

— Écoute, avait-elle fini par murmurer. Je suis aussi surprise que toi. J'ai failli tomber dans les pommes quand j'ai vu le résultat du test. Peu importe comment c'est arrivé. Je suis ici pour discuter de la suite. Qu'allons-nous faire ?

— D'accord. Je t'écoute, Caitlin.

Elle avait repris son souffle et Walker avait eu l'impression qu'elle avait répété son texte.

— Je veux avoir ce bébé, Walker. Je vais l'élever, lui ou elle, toute seule. Forcément, j'aurai besoin de ton aide. Sur le plan financier, j'entends. Comme tu le sais, j'ai un poste d'hôtesse d'accueil. Le salaire que je perçois ne me suffira pas. Mais si ma carrière évolue, cela pourrait changer. Je ne souhaite pas rester réceptionniste toute ma vie. Et j'ai envie de me marier un jour, bien que ceci (elle avait pointé le doigt sur son ventre encore parfaitement plat) complique sérieusement la donne. Par ailleurs, tes insinuations qu'il pourrait y avoir un autre père que toi m'ont blessée. Tu pourras faire un test de paternité à la naissance, pour ta tranquillité d'esprit.

« Ma tranquillité d'esprit », avait-il songé. Jamais plus il ne la connaîtrait. Ce lui serait dorénavant un concept totalement étranger.

Constatant qu'il était soit incapable, soit réticent à s'exprimer, Caitlin s'était levée.

— Mon avocat t'appellera.

Elle atteignait le seuil de la pièce quand Walter l'avait interpellée. Son cerveau s'était brusquement remis en marche.

— Caitlin.

Elle avait pivoté vers lui.

— À part une assistance financière, sur laquelle tu peux compter, naturellement, où est ma place là-dedans ? Quelle sera ma relation avec cet enfant ?

Elle avait hésité.

— Ça dépend.

— De quoi ?

— De toi. Du genre de relation que tu souhaites entretenir avec lui. Je ne t'oblige à rien. Je ne te forcerai pas à être quelqu'un que tu n'es pas.

— Pardon ?

Avec un soupir, elle était revenue s'asseoir.

— Je m'explique : à mes yeux, tu n'es pas prêt à devenir père, Walker.

Il avait réfléchi.

— Tu as raison. Jusqu'ici, j'ai toujours refusé de m'engager. Je n'ai jamais vraiment envisagé de me marier. Encore moins d'être père.

« Menteur, s'était-il dit. Tu as pesé le pour et le contre et tu t'es dérobé. »

— Je peux le comprendre. Je ne te demande pas de changer du jour au lendemain. Ni même de changer du tout. Si tu n'as pas envie de jouer un rôle dans cette histoire, hormis sur le plan matériel, libre à toi.

Walker n'avait rien dit. Il se remémorait sa propre enfance, sa propre relation avec son père.

Ses parents avaient divorcé quand il avait sept ans. Pendant un temps, son père les avait vus, lui et son frère Reid, tous les week-ends. Puis, peu à peu, les rendez-vous s'étaient espacés : leurs parents se disputaient tout autant qu'avant. Comble de l'horreur, leur père s'était remarié avec une femme qui lui reprochait de trop s'occuper de ses fils. Quand ils avaient eu à leur tour une petite fille ensemble, l'attitude de leur belle-mère à leur égard n'avait fait qu'empirer.

Lorsque Walker avait atteint l'adolescence, leur père avait plus ou moins disparu de leur existence. Il leur envoyait une carte pour leur anniversaire et un cadeau à Noël. Au fil des ans, il s'était mis à « oublier » de verser la pension alimentaire. Traîné en justice par leur mère, il avait été condamné. Dès lors, il avait recommencé à envoyer les chèques. Mais rien d'autre.

Walker l'avait revu une fois, à un match de baseball, quelques années auparavant. Il l'avait reconnu et lorsqu'il l'avait abordé, son père s'était montré relativement aimable. Leur conversation était restée brève et malaisée : ils n'avaient plus rien à se dire.

— Non ! avait soudain lancé Walker.

— Non, quoi ? avait demandé Caitlin.

— Je ne veux pas être cette sorte de père.

— Quelle sorte de père ?

— Je ne veux pas être un étranger pour mon enfant, notre enfant. C'était le cas de mon père. J'étais le gosse de l'équipe *Little League* qui vérifie les tribunes toutes les soixante secondes pour guetter son arrivée alors qu'il n'était jamais là. Si j'accepte de reconnaître cet enfant, je veux être là, dans les tribunes, pour le match du circuit *Little League*.

Malgré elle, Caitlin avait esquissé un sourire.

— Et si c'est une fille ? Elle jouera peut-être au volley ou au badminton.

— Peu importe. J'y serai.

— Je ne te mettrai jamais de bâtons dans les roues, avait assuré Caitlin. Nous ne sommes pas obligés de régler tous les détails aujourd'hui. Sache que si tu veux un droit de visite, je te l'accorderai.

— Un droit de visite ? avait-il bafouillé, un goût amer dans la bouche.

— Il me semble que c'est le terme juridique adéquat.

— Ce n'est pas ce que je veux.

— Que veux-tu, exactement ? avait-elle alors demandé d'un ton las, teinté d'exaspération.

— Je veux que nous formions une véritable famille.

Cette déclaration les avait sidérés autant l'un que l'autre.

— Une véritable famille ?

— Oui. Je veux tout. Le mariage, la maison, le bébé.

Cette fois, c'était Caitlin qui était restée muette.

— Walker, est-ce une demande en mariage ? avait-elle fini par balbutier après un interminable silence.

— Je suppose que oui.

— Qu'est-ce qui te prend ? Nous n'avons jamais évoqué ce sujet.

— Il est peut-être temps d'y remédier.

— Je ne sais pas quoi dire, avait confessé Caitlin. Je m'attendais à tout sauf à ça.

— Je suis étonné moi-même... Viens ici, avait-il ajouté.

Elle s'était levée et approchée de lui. Il lui avait pris la main et l'avait attirée maladroitement sur ses genoux.

— Pardonne-moi cette proposition si peu romantique, avait-il chuchoté en nouant les bras autour de sa taille.

— Ce n'est pas grave.

— Alors ? Tu acceptes ?

Elle avait eu un sourire tremblant.

— Pourquoi pas ?

— Exactement. Après tout, le mariage, ce ne doit pas être si compliqué.

La suite des événements leur avait prouvé le contraire, bien qu'à l'époque, il ne se soit douté de rien. Aujourd'hui, trois ans plus tard, assis dans son bureau du chantier naval, il n'éprouvait que des regrets. Et un immense sentiment de culpabilité.

À présent, autre chose venait le tracasser : Allie, la femme qu'il avait rencontrée au café le week-end précédent, et son fils, Wyatt. Curieusement, ils hantaient tous les deux ses pensées. En quel honneur ? Probablement parce que Caroline lui avait parlé de la mort du mari d'Allie. Il n'était pas étonné. Derrière cette attitude ombrageuse et défensive, il avait cru déceler une grande tristesse. Et une certaine vulnérabilité.

« J'aurais dû aller à Minneapolis », se reprocha-t-il. Car voilà qu'il se faisait du souci pour deux personnes qu'il ne connaissait pas. Qu'il n'avait aucune envie de connaître. Il les chassa de son esprit et vida sa tasse. Que ce café était mauvais ! Demain, il irait à la quincaillerie acheter une cafetière digne de ce nom. Ainsi, il aurait de quoi justifier (au minimum) son revirement de décision.

9

Assis sur les marches du chalet, Allie et Wyatt guettaient le crissement des pneus de la camionnette de Jax sur le gravier de l'allée.

— Wyatt, avant ton départ, j'ai quelque chose d'important à te dire, annonça Allie en le coiffant de sa casquette de baseball au logo des *Minnesota Twins*, visière inclinée de façon désinvolte sur le côté.

— Quoi ?

— Manger les myrtilles sur place dans leur récipient est une vieille tradition, expliqua-t-elle d'un ton enjoué. Ne te soucie pas de le remplir. Peu importe ce que tu rapporteras à la maison. Je veux que tu t'amuses, d'accord ?... D'accord ? insista-t-elle en le regardant dans les yeux.

Wyatt ne dit rien. C'était inutile : le tremblement de sa lèvre inférieure le trahissait. Il n'avait aucune envie d'aller cueillir des myrtilles sans sa mère. « Je t'en supplie, ne pleure pas ! Sinon, je risque de craquer et de venir avec toi. Ou te garder à la maison. Mais tu es avec moi vingt-quatre heures sur vingt-quatre, sept jours sur sept. Ce n'est pas sain. Ce doit être pénible de vivre auprès de quelqu'un qui fait toujours semblant que tout va bien alors que ce n'est pas le cas... »

Ne sachant comment lui dire tout cela, Allie lui tendit un vieux seau en zinc.

— Fais-moi confiance, d'accord ? Tu vas passer un bon moment avec Jax et ses filles. Quant à moi, je vais m'attaquer au nettoyage à fond de ce chalet... Tiens ! Les voilà ! s'écria-t-elle tandis que le pick-up rouge surgissait... Allons-y, mon chéri.

Elle se leva en époussetant son jean coupé en short. Wyatt se mit debout à son tour, lentement. Péniblement même. « Comme un petit vieillard », songea Allie avec tristesse.

L'instant d'après, Jax et ses filles dégringolaient de la camionnette. Allie fut amusée de constater que les gamines étaient toutes trois des versions miniatures de leur maman : cheveux noirs comme l'encre, yeux bleus et vifs, teint laiteux saupoudré de taches de rousseur. Elles se ruèrent sur Wyatt en parlant toutes en même temps.

— Et maintenant, tout le monde dans le pick-up ! s'exclama Jax, une fois les présentations faites. Allons cueillir nos myrtilles avant qu'il ne fasse trop chaud. Ensuite, nous pique-niquerons à l'ombre.

Jade, la plus jeune, prit fermement Wyatt par la main et l'entraîna vers le véhicule. Wyatt parut surpris mais ne protesta pas. Jax les suivit des yeux, puis s'adressa à Allie.

— Serait-ce le début d'une belle amitié ?

— Je l'espère, murmura Allie, visiblement soulagée. Je craignais qu'il ne fasse une scène. Tu sais, du genre crise d'hystérie et toi, obligée de me l'arracher des bras.

— Il m'a l'air d'aller bien.

Jade lui parlait avec enthousiasme et Allie crut l'entendre évoquer une collection de pierres. Elle en sortit d'ailleurs une de sa poche et la montra à Wyatt, qui l'examina poliment.

— J'espère qu'il a la passion des cailloux, plaisanta Jax.

Allie esquissa un sourire avant de se tourner vers son amie. Son sourire s'élargit.

— Jax, tu es vraiment adorable !

C'était vrai. Avec ses deux nattes identiques, sa tunique blanche sous une salopette en jean délavée et son

72

chapeau de paille accroché par un ruban dans son dos, elle était mignonne à croquer.

— Je ne me sens pas adorable. Juste grosse.

— Ah ! J'ai failli oublier ! claironna Allie en ramassant une boîte en plastique hermétique posée sur les marches... Voici ma contribution au pique-nique.

— Des cookies aux pépites de chocolat ? s'enquit Jax avec espoir.

— Oui.

— Notre recette d'antan ?

— Au gramme près.

Elles se mirent à marcher en direction du véhicule.

— Comment ça va toi ? demanda Jax. Vous êtes là depuis combien... deux semaines ? Vous commencez à vous habituer à votre nouvelle vie ?

— Plus ou moins. En tout cas, je tiens à te remercier de m'avoir donné le numéro de Johnny Miller. Il est devenu ma bouée de sauvetage. Il a déjà remplacé les planches pourries de la véranda et plusieurs marches. À présent, il répare le hangar à bateaux et le ponton.

— J'en suis ravie. Il est habile et soigneux.

Jax aida Jade et Wyatt à s'installer sur la banquette arrière et attacha leurs ceintures. Légèrement à l'écart, Allie résista à la tentation de se précipiter pour embrasser une dernière fois son fils avant que Jax ne claque la portière.

Elle suivit Jax jusqu'au côté conducteur et l'observa avec stupéfaction se hisser derrière le volant. Comment une femme aussi minuscule pouvait-elle conduire un engin de cette taille ? Elle s'attarda un instant, en proie à une nouvelle bouffée d'angoisse. Wyatt n'était pas le seul à craindre cette séparation.

— Tu es sûre que ça ne t'ennuie pas d'emmener Wyatt ?

— Pas du tout. Crois-moi. Quand j'ai une occasion de fuir la maison et la quincaillerie, je me sens comme en vacances. Quant à toi, tu as du pain sur la planche.

Allie hocha la tête et recula d'un pas afin que Jax puisse fermer sa portière. Une fois le véhicule disparu, elle réintégra le chalet, l'âme en peine.

Elle se rendit dans la cuisine. Elle avait prévu de passer sa matinée à frotter l'intérieur des placards mais, au lieu de s'y mettre tout de suite, elle alla se poster devant la fenêtre pour contempler le lac. Aujourd'hui, il était d'un bleu profond et sa surface, lisse comme un miroir étincelant sous le soleil, n'était troublée que par de légères ondulations intermittentes au gré de la brise. Un de ces vents doux et tièdes qui gonflent les rideaux et apportent avec eux des odeurs de pin et d'eau claire. C'est alors qu'Allie se rappela avoir vu quelque chose dans la remise un peu plus tôt en cherchant le seau pour Wyatt.

« C'est bon, décida-t-elle, je ne resterai pas une minute de plus enfermée ici. Les placards de la cuisine attendront. » Elle gagna la remise, poussa la porte grinçante et se faufila entre les monticules de vieilleries jusqu'au canoë calé dans un coin. L'embarcation, qui datait de l'époque où ses grands-parents passaient l'été à Butternut, avait au moins cinquante ans. Elle la retourna et en inspecta l'intérieur. Le fond était tapissé de feuilles mortes, de saleté et de toiles d'araignées mais elle refusa de se laisser décourager.

Elle tira le canoë dehors et s'empara du tuyau d'arrosage pour le rincer. Puis elle l'inspecta de nouveau. Avec un peu de chance il flotterait encore. Certes, la coque était légèrement abîmée. Mais Allie n'y avait pas repéré le moindre trou. Elle retourna dans la remise chercher le reste de l'équipement nécessaire : une pagaie, un vieux gilet de sauvetage et une bouteille de lait en plastique découpée en guise d'écope. Après avoir lavé le tout, elle les jeta dans le bateau et traîna ce dernier jusqu'au lac.

Ce faisant, elle s'aperçut que son moral avait remonté d'un cran. Elle avait besoin de s'éloigner de ce chalet, ne serait-ce qu'une heure. Depuis qu'elle et Wyatt y étaient arrivés, leurs rares sorties avaient consisté à se rendre à la supérette, à la quincaillerie ou chez *Pearl*.

Elle ne s'aventurerait pas loin, se promit-elle. Quelques centaines de mètres, pas plus. Elle resterait près de la rive. Si le canoë prenait l'eau, elle reviendrait aussitôt. « Au moins, cette sortie sera une bonne distraction », se disait-elle.

Parvenue au lac, elle poussa le canoë dans l'eau, la proue devant, et le tira le long du ponton. Elle s'assit avec précaution dedans, se servant de la pagaie pour s'éloigner du bord. Après quelques mouvements de pagaie hésitants et maladroits, elle trouva son rythme. Contre toute attente, les gestes lui revenaient naturellement après toutes ces années.

Elle avait parcouru une centaine de mètres parallèlement à la côte quand elle s'aperçut qu'elle se dirigeait vers le ponton de Walker Ford. Même à cette distance, elle voyait qu'il était désert. « Tant mieux », pensa-t-elle sans trop comprendre pourquoi. Car leur première rencontre chez *Pearl* lui restait en travers de la gorge. S'efforçant de l'oublier, elle continua à pagayer jusqu'au moment où elle se rendit compte que plusieurs centimètres d'eau s'étaient accumulés dans le fond de l'embarcation. Elle s'arrêta et se laissa dériver quelques minutes, le temps d'écoper. Le plus sage aurait sans doute été de faire demi-tour mais cela aurait signifié la fin de sa petite aventure. Or elle n'avait aucune envie de l'interrompre.

Elle poursuivit donc, sans trop s'éloigner de la rive, à une distance juste assez profonde pour lui permettre de pagayer sans peine. L'embarcation ne coulerait pas à pic si elle écopait de temps en temps, ce qu'elle fit… jusqu'à ce qu'elle s'aperçoive que son bras commençait à fatiguer et que le soleil lui brûlait la nuque. La chaleur, si agréable au départ, devenait une souffrance. Allie avait presque atteint le ponton de Walker Ford et même s'il n'y était pas pour l'instant, elle ne voulait pas s'attarder. Il était temps de faire demi-tour.

S'arrêtant une fois de plus pour écoper, elle découvrit que son bateau se remplissait de plus en plus vite. Elle accéléra le mouvement pendant plusieurs minutes, mais en vain. Épuisée, elle s'accorda une pause, reprit son souffle puis constata avec horreur que le niveau de l'eau atteignait à présent ses chevilles.

Jetant un coup d'œil vers son propre ponton, elle reçut un choc en découvrant la distance qui l'en séparait. Impossible d'y retourner. Elle scruta la baie mais n'y vit pas âme qui vive. Quand bien même elle aurait accepté de ravaler son amour-propre et appelé au secours, il n'y aurait eu personne pour l'aider. Le ponton de Walker Ford, en revanche, n'était plus qu'à une centaine de mètres.

Elle tergiversa encore un peu, sachant quelle était la solution, mais rechignant à l'employer. Cependant, avec à présent de l'eau pratiquement jusqu'aux genoux, il n'était plus question d'hésiter. Elle s'empara de la pagaie, du gilet de sauvetage et de l'écope et sauta dans l'eau, peu profonde à cet endroit. Immergée jusqu'aux épaules, elle regarda son embarcation sombrer inexorablement, jusqu'à ce qu'il touche le fond du lac. Se détournant, Allie nagea comme elle put jusqu'au ponton de Walker Ford, y jeta ses affaires et se hissa dessus.

Là, dégoulinante, se sentant parfaitement ridicule, elle inspecta les alentours. Par bonheur, Walker Ford n'avait pas choisi ce moment pour se baigner. Allie observa son chalet perché sur un promontoire. Apparemment, les lieux étaient déserts. Tant mieux. Un de ces jours, elle serait obligée de lui parler du canoë coulé. Pour l'heure, elle pouvait filer en douce jusque chez elle, sa dignité intacte. Enfin… partiellement.

Quel chemin emprunter ? À vol d'oiseau, sa propriété n'était qu'à un kilomètre. Sportive, Allie pouvait parcourir cette distance dans l'eau sans difficulté. La tentation était grande d'y retourner en nageant mais cela aurait dérogé à l'une de ses règles fondamentales de parent unique : ne jamais prendre un risque inutile, si minime soit-il. Car la pensée de laisser Wyatt orphelin était... inimaginable.

Restait une option : rentrer par la route principale. Allie tempêta intérieurement car elle allait devoir contourner la propriété de Walker et remonter son allée. S'il était chez lui, il pourrait l'apercevoir. Et si elle passait par les bois ? Non... trop de moustiques, trop d'herbes à tiques.

Elle longea le ponton, les bras chargés, les semelles de ses baskets clapotant, sa fureur contre elle-même s'amplifiant à chaque pas. « Idiote ! Idiote ! Idiote ! se répétait-elle en boucle. Quelle mouche t'a piquée ? »

Elle passa devant le hangar à bateaux sans y jeter un regard. Elle savait déjà qu'il contenait une demi-douzaine d'embarcations. Toutes en bon état, certainement. Elle ressentit un nouvel élan de rage à l'encontre de Walker Ford.

Lorsqu'elle entama l'ascension des marches menant au chalet, son courroux ne fit que s'intensifier. « Que de marches ! » Elle en avait le souffle court et des crampes au mollet. Toutefois, en arrivant au sommet, elle se retourna : force lui fut d'admettre que la vue était splendide. La maison n'était pas mal non plus, à la fois contemporaine et traditionnelle, mêlant pierre, charpente en bois et murs en verre. Cet homme était désagréable mais il avait bon goût. L'ensemble était impeccablement conçu et construit. L'ensemble dégageait une impression de luxe et d'harmonie tout en se fondant à merveille dans la nature.

Allie tomba sur un chemin pavé qui contournait la bâtisse par la droite. Il permettait d'accéder à l'allée et à la route un peu plus loin. La curiosité de la jeune femme l'emporta sur le pragmatisme. Après tout, elle était seule. Si elle s'autorisait un coup d'œil par la baie vitrée, personne n'en saurait rien.

L'intérieur était aussi spectaculaire que l'extérieur. La pièce qu'elle découvrait, le salon, de toute évidence, était dotée d'un haut plafond aux poutres apparentes. Une énorme cheminée en pierre était encastrée dans l'un des murs. Deux gros canapés en cuir couleur cognac se faisaient face de part et d'autre de l'âtre. Allie s'aperçut avec stupéfaction (après tout, il était chez lui) que Walker Ford occupait l'un d'entre eux.

La bonne nouvelle, si tant est que c'en fut une, était qu'il feuilletait un magazine et ne semblait pas l'avoir remarquée. Clouée sur place, elle tenta de monter un plan d'action. Malheureusement, ses options étaient limitées. Si elle bougeait maintenant, elle risquait d'attirer son attention. Si elle restait là, il finirait par lever les yeux de sa revue et la voir là, figée comme une imbécile, ce qu'elle était, étant donné la longue liste d'erreurs déjà commises ce jour-là.

C'est alors que Walker Ford redressa la tête et la fixa ostensiblement. Bizarre... il ne paraissait pas étonné mais plutôt... perturbé. Comment lui en vouloir ? Elle devait avoir l'air d'une créature issue tout droit du film d'horreur *L'étrange créature du lac noir*.

Comme il posait son magazine, se levait et s'approchait de la baie vitrée, Allie, dans une ultime tentative pour se rendre présentable, voulu distendre son tee-shirt trempé pour l'essorer mais il lui collait à la peau comme de la glu. Elle tira aussi sur son short qui lui semblait avoir raccourci d'un seul coup. Peine perdue. Elle se résigna alors : elle était grotesque, point final.

Tandis que Walker faisait coulisser la baie en verre, elle se demanda comment les choses pourraient être pires aujourd'hui. Tout en ayant la nette sensation qu'elle n'allait pas tarder à le découvrir.

10

Drôle de coïncidence. Un instant, Walker était assis sur son canapé en train de feuilleter le dernier numéro de son mensuel sur la pêche et d'essayer, en vain, de chasser sa nouvelle voisine de ses pensées. Et l'instant d'après, elle était là, de l'autre côté de la vitre, une pagaie à la main.

Il lui sembla alors qu'il était en train de perdre la raison. Ce devait être une hallucination. Pourtant, lorsqu'il ferma les yeux et les rouvrit aussitôt, elle était toujours là.

Il se leva, traversa la pièce et ouvrit la baie vitrée. Il découvrit alors qu'elle était trempée. Il aurait dû commencer par se demander : « Qu'est-ce qu'elle fiche ici ? » Ou plutôt : « Que fabriquait-elle avant de débarquer ici ? »

Au lieu de quoi, il s'émerveilla : « Qu'elle est belle ! Une vraie sirène échouée sur ma terrasse. »

— Excusez-moi de vous déranger, murmura-t-elle, penaude. Mon canoë a coulé et…

Il retomba brutalement sur terre.

— Où est votre fils ? coupa-t-il.

— Ah ! Ne vous inquiétez pas, il n'était pas avec moi. Il est allé cueillir des myrtilles avec Jax et ses filles…

— Attendez, interrompit-il de nouveau. Vous dites que votre canoë a coulé ?

Il contempla la surface du lac, lisse comme un miroir.

— Oui, je sais, ça paraît stupide…

— Coulé ou chaviré ?

Un navigateur inexpérimenté pouvait se retourner mais, d'une manière générale, les canoës ne coulaient pas. Pas par ce temps, avec ces conditions météo idéales. S'il avait pu commander une belle journée d'été sur catalogue, il n'aurait pas pu rêver mieux.

— Je connais la différence entre chavirer et couler, rétorqua-t-elle, une lueur d'agacement dans ses yeux noisette. Croyez-moi ou non, je n'en suis pas à ma première sortie.

Walker ne la croyait visiblement pas et, à en juger par le ton de la jeune femme lorsqu'elle reprit la parole, elle l'avait compris.

— J'ai sorti le canoë de mon grand-père. Il a au moins cinquante ans, voire plus. Quand je suis partie, il prenait un peu l'eau. J'ai cru pouvoir gérer la situation, ajouta-t-elle en brandissant son écope. Malheureusement, ce n'était pas une petite fuite de rien du tout, c'était…

— Une grosse fuite ? suggéra-t-il d'un ton taquin.

Le ton changeait. Allie était toujours aussi irrésistiblement jolie, ses vêtements mouillés moulant à la perfection sa silhouette élancée. Mais tout à coup, il prenait conscience du côté amusant de l'incident.

— Oui, bon. D'accord. Une grosse fuite. Bref, en un mot comme en cent, je n'aurais sans doute pas dû m'aventurer sur le lac à bord de ce canoë.

— Sans doute pas ? répéta Walker en réprimant un sourire.

— Je suis ravie que tout cela vous divertisse à ce point, riposta-t-elle, excédée. Si je vous le raconte, c'est uniquement parce que je dois franchir votre propriété pour atteindre la route. Et maintenant, si vous permettez, je vais poursuivre mon chemin.

— À votre guise, répondit-il en haussant les épaules… Où votre canoë a-t-il coulé ?

— À une centaine de mètres à droite de votre ponton. Dans environ un mètre cinquante d'eau.

— Si près ?

Elle s'empourpra et il la dévisagea, fasciné.

— Je ne regardais pas chez vous, se défendit-elle. Si c'est ce que vous sous-entendez.

— Je ne sous-entends rien du tout.

— Bon. Si vous le voulez bien, je reviendrai le récupérer dès que j'en aurai la possibilité. Je ne voudrais pas devenir un danger pour d'autres plaisanciers.

— Je m'en charge, décréta-t-il car il adorait les opérations de sauvetage, les petites comme les grandes… Entre-temps, si je vous raccompagnais chez vous ? Vous êtes trempée.

« Mais superbe », pensa-t-il malgré lui, son statut de veuve lui inspirant un certain respect.

— Merci, je préfère marcher.

Une goutte d'eau ruissela le long de son cou et disparut dans le décolleté de son tee-shirt. Walker la suivit des yeux, hypnotisé. Allie fronça les sourcils et croisa les bras, mal à l'aise.

— Laissez-moi au moins vous prêter une serviette, proposa-t-il d'une voix aussi neutre que possible.

— C'est très aimable à vous. Ensuite, je m'en irai.

— Entrez donc.

— Non. Je ne voudrais pas abîmer votre plancher.

— Il est fait avec du bois récupéré d'une vieille grange et a déjà résisté à une bonne centaine d'années d'exposition aux intempéries. Il devrait supporter le choc.

— Il est magnifique.

— Merci. Je l'ai posé moi-même. Ne bougez pas, je reviens tout de suite.

Il reparut peu après avec un drap de bain et la contempla discrètement tandis qu'elle s'essuyait. Il faillit lui offrir des vêtements secs, puis se ravisa : il ne possédait strictement rien à sa taille. Enfin, rien qui lui appartienne. Il oblitéra de son esprit l'image de la nuisette de son ex-épouse.

— Merci. Je me sens déjà beaucoup mieux. Je vous le lave et je vous le rapporte ?

— Ce ne sera pas nécessaire, je m'en occuperai. Figurez-vous, lui confia-t-il tout bas, que le mode d'emploi est affiché sous le couvercle du lave-linge.

Sans sourire, elle lui rendit la serviette dont émanait maintenant un léger parfum de lotion solaire à la noix de coco. Une pure et délicieuse odeur d'été. S'il l'avait pu, il l'aurait mise en flacon.

— Ça ne vous ennuie pas que je passe par la maison pour rejoindre l'allée ? demanda-t-elle en scrutant l'intérieur.

— Pas du tout. Je peux aussi vous ramener. Ça ne prendra pas plus de cinq minutes.

— Non, ce n'est pas la peine. Je ne veux pas vous déranger davantage.

— Je lisais un magazine de pêche…

Un article intitulé *Les meilleurs nouveaux appâts pour votre été*. Captivant.

— … rien qui ne puisse attendre, acheva-t-il.

Elle se mordit la lèvre, tout en réfléchissant.

— Entendu, finit-elle par accepter. Avec plaisir. Je serais très ennuyée si Jax essayait de me joindre et que je ne puisse pas lui répondre. Je n'avais pas prévu de m'absenter aussi longtemps.

— Allons-y.

Allie lui emboîta le pas en s'extasiant sur la beauté du décor et Walker dut se retenir pour ne pas lui rappeler que, chez *Pearl*, elle lui avait reproché le manque de simplicité de sa propriété.

Ils grimpèrent dans son pick-up et parcoururent le trajet en silence. Allie regardait studieusement par la fenêtre comme si elle voulait mémoriser chaque espèce d'arbre. Walker s'efforçait de rester concentré sur la route, et non sur les genoux de sa passagère. Il avait un faible pour les genoux des femmes. Le plus souvent, il les trouvait trop anguleux. Ou trop épais. Ceux d'Allie, décida-t-il en les regardant subrepticement, étaient parfaits.

Ils atteignirent leur destination, beaucoup trop vite au goût de Walker.

— Vous avez bien travaillé, approuva-t-il en regardant le chalet.

Allie haussa les épaules et esquissa un mouvement pour ouvrir sa portière.

— Au fait… je tiens à vous présenter mes excuses, ajouta-t-il.

Elle tourna la tête en interrompant son geste.

— À propos de… ?

— Je n'aurais pas dû vous interroger sur votre mari, quand nous nous sommes croisés chez *Pearl*. C'était déplacé. Cela ne me concernait en rien.

Elle regarda au loin, sans un mot, et il eut la sensation qu'elle se ressaisissait. Dehors, les feuillages frémissaient sous la brise, jouant avec le soleil.

— Ce n'est pas votre faute, déclara-t-elle au bout d'un long moment. Vous ne pouviez pas deviner… Cela dit, enchaîna-t-elle avec un sourire contrit, je me doutais bien qu'à Butternut les rumeurs couraient très vite.

— Ce n'est pas ça ! protesta-t-il. Caroline m'en a parlé parce qu'elle pensait que vous et Wyatt pourriez avoir besoin d'aide.

— Quelle sorte d'aide ? demanda-t-elle avec méfiance.

— Celle d'un voisin, d'un vrai voisin. Remarquez, je n'ai guère d'expérience en la matière.

À moins de compter l'aventure sans lendemain qu'il avait eue avec l'hôtesse de l'air vivant sur le même palier que lui à Minneapolis. Mais il ne la comptait pas.

— J'apprécie l'intérêt que Caroline me porte mais si je me suis installée ici, c'est parce que j'étais à la recherche de solitude et d'intimité.

— Personne ne comprend mieux que moi ce besoin… Et votre fils ? Il en a besoin, lui aussi ?

Elle rougit.

— Wyatt se porte à merveille, merci. Je pense être à même de juger ce dont il a besoin ou non… Vous avez des enfants ?

— Non, avoua-t-il, avec un pincement au cœur dont l'intensité le surprit. Non, je ne suis pas papa.

— Alors vous ne connaissez pas grand-chose à la manière d'élever un enfant.

C'était raide. Raide mais franc du collier.

— Vous avez raison, convint-il. Je n'y connais même rien du tout, ajouta-t-il tout en se penchant devant elle pour lui ouvrir la portière.

Le geste manquait singulièrement de galanterie mais il s'en moquait.

Allie demeura immobile. Lorsqu'elle reprit la parole, ce fut d'une voix adoucie :

— Vous êtes bien intentionné. Tout le monde l'est. Le problème, c'est que personne ne comprend vraiment. Ne vous méprenez pas… Je ne suis pas la première à avoir perdu son mari à la guerre. Encore moins la dernière. Les veuves de militaires se comptent par milliers… mais elles, au moins, elles ne me prodiguent aucun conseil, ne prétendent jamais ressentir mon désarroi… ni m'*aider*.

— Vous le prononcez comme un gros mot.

— Non, j'accepte volontiers que l'on me tende la main. Quand je le demande.

— Je ne peux pas parler pour tous les habitants de Butternut mais, en ce qui me concerne, j'essaierai de vous laisser tranquille. Je suis assez doué pour cela. On pourrait même dire que c'est ma spécialité.

— Soyons clairs : je ne cherche pas à ce que les gens nous ignorent. Je veux simplement pouvoir agir à ma guise. Je suis assez grande pour me débrouiller seule avec mon fils.

84

Walker se réfugia dans le silence. Elle se débrouillait si bien que son canoë gisait au fond du lac. Il se garda de le lui rappeler.

— Merci de m'avoir ramenée ! lança-t-elle avec un sourire.

Elle rassembla ses affaires, sauta à terre et claqua la portière derrière elle. Walker n'attendit pas qu'elle regagne son chalet. Dès qu'elle fut suffisamment éloignée, il fit demi-tour et redémarra. Beaucoup trop vite.

« Mon vieux, tu as trouvé ton égale, songea-t-il en s'obligeant à ralentir. Voilà une femme encore plus obsédée que toi par son indépendance et son intimité. Vous ferez des voisins parfaits. »

Alors pourquoi était-il brusquement d'aussi mauvaise humeur ?

11

— Jade, pour l'amour du ciel, tiens-toi tranquille ! s'exclama Jax d'un ton impatient qui ne lui était pas coutumier.

— Pardon, maman, seulement tu tires trop fort. Et puis… est-ce que tu dois *vraiment* me natter les cheveux ? ajouta la fillette.

— Ma chérie, tu connais la règle, répondit sa mère en s'efforçant de masquer son exaspération. Si tu veux avoir les cheveux longs, il faut les tresser. Pas tout le temps mais presque. Et surtout pour le centre de loisirs. D'accord ? Sans quoi, ils s'emmêlent et je n'ai pas l'énergie en ce moment de les démêler matin et soir. Alors ne bouge plus, qu'on en finisse au plus vite.

Un instant plus tard, Jade protesta de nouveau.

— Aïe, maman, tu me fais mal !

Le dos à sa mère, elle se tortilla sur son tabouret. Elles étaient sur la véranda arrière protégée par des moustiquaires, endroit où les filles aimaient bien dormir les nuits d'été.

— Excuse-moi, ma chérie.

Jax se ressaisit. Elle savait pertinemment qu'elle tirait trop fort. En temps normal, elle était plutôt habile. Ce matin, en revanche, ses mains refusaient de lui obéir. Repasser la chemise de Jeremy lui avait demandé un effort surhumain tellement elle tremblait. Et elle avait eu une nausée en avalant son cachet de vitamines prénatales.

— Qu'est-ce que tu as, maman ?

— Rien, mon trésor. Je suis enceinte. Et fatiguée. Et j'ai chaud.

Elle se pencha pour remonter le ventilateur.

— Maman, tu as dit que tu aimais bien être enceinte. Tu as dit que c'était facile pour toi parce que tu ne vomissais jamais.

— Tu as raison, soupira Jax. Merci de me le rappeler. Sais-tu ce que j'ai décidé pour aujourd'hui ?

— Quoi ?

— J'ai décidé que ce serait une journée queue-de-cheval pour toi. Qu'en penses-tu ?

Jade acquiesça, soulagée.

Jax recommença tout à zéro, brossant soigneusement la chevelure de sa fille et se taisant quand la petite se remit à se trémousser. La pauvre, elle n'avait que six ans. Pour elle, c'était une journée comme une autre, en mieux puisqu'on était en plein été. Jax, elle, la redoutait depuis des semaines. Elle n'était pas marquée sur le calendrier familial suspendu dans la cuisine. Si elle l'avait été, c'eût été d'une grosse croix noire : aujourd'hui, Bobby devait lui téléphoner depuis la prison.

Le carillon de la porte d'entrée vint interrompre le fil de ses pensées.

— Ce sont Allie et Wyatt, annonça-t-elle, en achevant de coiffer Jade.

— Déjà ?

— Oui. Va vite leur ouvrir.

Jade se rua avec enthousiasme dans le vestibule et Jax sourit, enchantée que sa fille apprécie Wyatt autant. Pendant la cueillette aux myrtilles, il n'avait pratiquement pas dit un mot. Loin de s'en décourager, Jade avait ajusté sa stratégie et bavardé pour eux deux.

Le temps que Jax la rejoigne, Jade assommait déjà Wyatt d'un discours ininterrompu.

— Jade, ma chérie, tu pourrais au moins commencer par dire bonjour !

— Ah, euh… bonjour. Tu veux monter dans ma chambre voir ma collection de pierres ? enchaîna-t-elle, sans reprendre son souffle. J'en ai des millions. Et j'ai même pas fini de les collectionner.

Wyatt eut une hésitation mais Jade le prit par la main et l'entraîna derrière elle.

— Dépêche-toi, Jade. Ton papa va bientôt arriver pour vous emmener au centre de loisirs.

Allie gratifia Jax d'un sourire reconnaissant.

— Elle est exactement ce dont Wyatt a besoin en ce moment.

— Une petite fille impertinente de six ans qui lui donne des ordres sans arrêt ?

— Non, une amie.

Jax sourit à son tour, la gorge nouée à la pensée de ce qu'Allie et son fils avaient traversé.

— Que dirais-tu d'une tasse de café ? suggéra-t-elle en se précipitant vers la cuisine. Ou plutôt… d'un thé glacé ? Il fait si chaud.

— Volontiers.

Allie s'assit à la table pendant que Jax s'affairait à sortir une carafe et des verres.

— As-tu bien avancé, samedi ? J'ai oublié de te poser la question quand nous t'avons ramené Wyatt.

— J'ai été moins efficace que prévu, avoua Allie, le regard vague. En tout cas, merci d'avoir offert cette escapade à Wyatt. Ça lui a fait le plus grand bien. Il ne voit pas assez d'enfants de son âge.

— As-tu songé à l'inscrire au centre de loisirs ?

Jax se rendait compte qu'elle devait marcher sur des œufs : Wyatt n'était pas le seul à craindre la séparation.

— Celui où vont tes filles ?

— Oui. C'est au petit musée de la Nature, à la lisière de la ville. On appelle les participants des « naturalistes en herbe ». Un thème différent leur est proposé chaque semaine. Les filles sont enchantées.

— Ce doit être amusant. J'en parlerai à Wyatt.

À cet instant, un moteur pétarada au bout de la rue et Jax sursauta, renversant du thé glacé sur la table.

— Jax, murmura gentiment Allie, tu devrais peut-être mettre une sourdine aux excitants ? Tu me parais particulièrement… nerveuse.

— C'est du thé déthéiné, affirma Jax en s'emparant d'un torchon… Je vais bien, je t'assure. J'ai mal dormi, voilà tout. Et ce matin, je le confesse, je suis un peu tendue.

Un peu ? Elle vibrait littéralement d'anxiété.

— Bref, poursuivit-elle, au cas où cela t'intéresserait de savoir pourquoi je t'ai demandé de passer ce matin… c'est parce que je voulais t'inviter à une fête.

— Une fête ? répéta Allie, horrifiée, comme si son amie la menaçait de la chaise électrique ou d'un crash aérien.

— Oui. En principe, les fêtes, c'est fait pour s'amuser, non ?

— Bof… il y a bien longtemps que je ne fréquente plus ce genre de manifestation. À vrai dire, depuis deux ans, je les évite.

Jax tergiversa. Elle comprenait la réticence d'Allie mais tout de même… Avait-elle l'intention de vivre comme une nonne jusqu'à la fin de ses jours ?

— Je ne t'y oblige pas mais j'espère que tu viendras. Notre réception du 3 juillet est devenue une institution à Butternut.

— Le 3 juillet ?

— Oui. Pour célébrer le jour où Jeremy et moi nous sommes rencontrés. Enfin… nous nous connaissions bien, puisque nous avions grandi dans la même ville. C'était la première fois que nous nous revoyions après son retour de l'université. Pour être précis, c'était un 4 juillet. Sauf que le jour de la Fête Nationale, tous les habitants de Butternut vont à la kermesse et au feu d'artifice. Donc, nous les recevons le 3. Nous offrons les hamburgers, la bière et l'orchestre. Les invités apportent une salade ou un dessert. On s'amuse comme des fous.

— Je n'en doute pas, Jax. Wyatt et moi ne manquerions cette occasion pour rien au monde.

— Sûr ?

— Sûr. Que veux-tu que je te prépare ?

— Tes fameux cookies aux pépites de chocolat ?

— Marché conclu. Combien ?

— Voyons… Nous devrions être environ deux cents…

— Deux cents ? interrompit Allie, sidérée. Tu connais deux cents personnes, toi ?

— Dans une ville comme Butternut, c'est facile. Tout le monde connaît tout le monde, qu'on le veuille ou non. Rassure-toi : je me contenterai de deux douzaines de gâteaux. Les gourmands n'auront qu'à se battre entre eux pour y goûter.

Le bruit d'un avertisseur coupa court à la discussion.

— Jeremy vient chercher les enfants pour les conduire au centre de loisirs… Les filles ! Papa est là ! ajouta Jax en allant se poster au bas de l'escalier.

Jade et Wyatt déboulèrent les premiers, main dans la main. Josie, neuf ans, les suivait de près avec cet air renfrogné signifiant qu'elle venait de se disputer avec son aînée, Joy. Jax la poussa doucement dans la cuisine.

— Josie, s'il te plaît, peux-tu prendre vos pique-niques dans le réfrigérateur ?

— Pourquoi moi ?

Jax l'ignora et se tourna vers Joy, douze ans, qui dévalait les marches, visiblement en pleine forme. Elle avait déjà oublié sa querelle avec sa cadette et arborait une expression rêveuse… Elle pensait probablement à Andy Montgomery, le garçon de treize ans qui habitait en face. Jax s'inquiéta intérieurement. Déjà ?

— Joy, je ne veux pas que tu te chamailles avec ta sœur. Compris ?

— Oui, oui, éluda-t-elle.

Dans un tourbillon, les trois petites se précipitèrent dehors.

— Tu ne veux pas rester un moment ? proposa Jax à Allie.

Elle n'avait pas envie de se retrouver seule. Car, depuis qu'elle avait reçu la lettre de Bobby, si elle avait du mal à supporter la compagnie, la solitude lui pesait encore plus.

— Non, merci. Nous ferions mieux d'y aller, nous aussi. Le coffre est rempli de victuailles.

Restée seule, Jax se dirigea machinalement vers la cuisine. La vaisselle du petit déjeuner était encore empilée dans l'évier. Elle le remplit d'eau chaude en fixant d'un regard vide la vapeur s'échappant du robinet. Pour une fois, cette tâche lui apparut comme une corvée.

La sonnerie du téléphone retentit, beaucoup trop fort, et Jax lâcha l'assiette qu'elle était en train de laver. Par chance, cette dernière tomba sans se casser dans l'eau savonneuse. Jax se sécha les mains et alla décrocher le téléphone posé sur le comptoir. Le combiné lui parut étrangement lourd.

— Allô ?

— Jax ?

« Bizarre », songea-t-elle. Elle n'avait plus entendu cette voix depuis des années et pourtant, celle-ci lui était toujours aussi familière.

Elle faillit raccrocher mais se retint pour ne pas risquer de le fâcher. Sous aucun prétexte elle ne devait mettre Bobby en colère. Du moins, pas plus que nécessaire.

— Bobby ? murmura-t-elle, la bouche sèche et la langue pâteuse.

— Eh, oui, bébé, c'est bien moi... Tu n'es pas contente de m'entendre ?

— Je suis surprise, voilà tout. Tu devais m'appeler dans une heure.

— Changement de plan, riposta-t-il avec désinvolture. En m'y prenant plus tôt, j'étais sûr de t'avoir au bout du fil. J'aimerais connaître le son de la voix de Joy, Jax. Après tout, je suis son père.

Le silence était tel dans la cuisine que le bruit de l'eau gouttant du robinet semblait résonner contre les murs. Jax attrapa une chaise et s'effondra dessus.

— Joy n'est pas ta fille, Bobby. Je te l'ai expliqué dans mon courrier. Elle est la fille de Jeremy. J'étais enceinte quand nous nous sommes mariés.

— Oh, pour ça, tu étais enceinte ! railla Bobby. Mais de moi, pas de lui.

— Qu'est-ce qui te permet de l'affirmer ?

— Deux semaines avant que tu ne te mettes à fréquenter Jeremy, tu sortais avec moi. Toi et moi, on a fabriqué un gosse, Jax. Je le sais. Toi aussi. Et maintenant, tu sais que je le sais.

— Mais...

— Jax, je n'ai pas de temps à perdre, trancha Bobby. Il me reste cinq minutes sur ma carte et une douzaine de gars font la queue derrière moi. Si tu crois que c'est facile de téléphoner en prison, tu te trompes.

Jax reprit son souffle. Elle devait à tout prix se ressaisir. Elle devait aussi changer de stratégie. Nier ne servirait à rien d'autant que Bobby, pour une fois, avait raison.

— Je t'en prie, ne nous disputons pas. Après tout, quelle importance ? Cela ne te suffit pas de savoir qu'elle a un foyer stable avec Jeremy et moi ?

— Et moi, bébé, qu'est-ce que j'ai ? gémit Bobby.

On aurait dit l'une de ses filles qui pleurnichait. Jax faillit éclater de rire. Faillit seulement.

— Ce que tu as, Bobby, si tu es convaincu que Joy est ta fille, c'est la satisfaction de savoir qu'elle est heureuse.

Jax n'imaginait pas une seconde que cette tactique fonctionnerait. Toutefois, elle espérait d'une manière ou d'une autre accroître sa force de négociation en faisant appel à la conscience de Bobby. En supposant qu'il en ait une, bien sûr. Ce dont Jax n'était pas du tout certaine.

— Tu me fais perdre mon temps, bougonna-t-il. Et gaspiller mon fric. Tu as lu ma lettre. Joy est ma fille. Quand je serai libéré cet été, je veux la voir. J'ai des droits. Je les connais, figure-toi. La bibliothèque de la prison possède une section juridique et j'ai étudié la question. Par conséquent, soit on trouve un arrangement à l'amiable dès maintenant, soit quand je sortirai dans six semaines, je ferai un saut à la quincaillerie en discuter avec Jeremy. Parce que je suis prêt à parier, trésor, que le sujet de la paternité de Joy est tabou chez vous. Oui ou non ?

Jax ne répondit pas. C'était inutile.

— Impeccable. On se comprend. Tant mieux. Je compatis à ton petit… problème. J'ai très envie de voir notre fille mais si tu crains que le choc soit trop grand pour elle, on pourrait peut-être trouver un arrangement.

— Je t'écoute, assura Jax, avec une pointe d'espoir.

— Eh bien voilà. En partant d'ici, je n'emporterai avec moi que quelques tatouages maison. C'est pas ça qui va payer mes factures. Je dois redémarrer de zéro. Résultat, il me faut du blé.

Jax se redressa. Il voulait de l'argent. Exactement ce qu'elle avait escompté. Si le prix n'était pas trop élevé, elle le paierait.

— Entendu. De quelle somme as-tu besoin ? Je peux sans doute te prêter de quoi t'aider à t'installer quelque part.

« Le plus loin possible de Butternut. »

— Je pensais plutôt à un cadeau, bébé. Voyons… cinquante mille dollars pour me lancer. Dans une activité légale, précisa-t-il.

« Cinquante mille dollars ? Tu es cinglé ? » pensa Jax. Puis elle se rappela que c'était une négociation. À elle de marchander.

— Jamais je ne pourrai réunir un tel montant. En revanche, je peux te proposer deux mille cinq cents dollars… Ce qui, pour moi, est énorme, ajouta-t-elle.

— Navré, bébé, ça ne marche pas.

— Cinq mille, déclara-t-elle.

Elle avait conscience de céder trop facilement mais elle voulait en finir au plus vite.

— Vingt mille, rétorqua Bobby.

— Dix, conclut Jax. À prendre ou à laisser.

Bobby demeura silencieux un long moment.

— D'accord, accepta-t-il enfin, d'un ton boudeur.

— En échange, tu ne t'approcheras ni de Joy ni d'un autre membre de ma famille. Ah ! Un dernier point, Bobby : pas question de t'établir à Butternut, compris ?

— Tu n'as pas d'ordres à me donner.

— Si tu veux cet argent, tu as intérêt à respecter mes conditions.

— Bon, grogna-t-il à contrecœur. De toute manière, je n'ai aucune envie de m'incruster dans cette ville de ploucs. J'aurai besoin d'y passer, histoire de régler quelques affaires. J'en profiterai pour venir chercher l'argent.

— Non, Bobby. Je t'enverrai un chèque. Accorde-moi quelques jours, le temps de rassembler les fonds.

— Oh, non, bébé, tu ne vas pas t'en tirer comme ça. D'ailleurs, je préfère traiter mes affaires face à face.

— Non, Bobby. C'est trop risqué.

— Oui, eh bien, la vie n'est qu'une longue suite de risques. Je l'ai appris à mes dépens. Je te verrai donc à Butternut… le… euh… le 15 août. Disons vingt et une heures au *Mosquito* ?

Le *Mosquito* ? Ce bouge situé sur la nationale 169 était un repaire pour les membres des gangs de motards et les ex-détenus. L'idée de s'y rendre alors qu'elle serait enceinte de huit mois et demi lui paraissait grotesque. Elle se calma : hormis Bobby, personne ne la reconnaîtrait.

— Entendu. J'y serai.

— Génial.

Jax raccrocha et se rendit compte qu'elle tremblait de la tête aux pieds. « Ce n'est pas bon pour ce pauvre bébé », se reprocha-t-elle en posant une main sur son ventre.

— Pardon, chuchota-t-elle dans la cuisine déserte.

Comme pour lui répondre, le bébé bougea. Jax en éprouva un immense réconfort. Se rasseyant, elle croisa les bras sur la table, posa le front dessus... et se remémora cet après-midi au drugstore, treize ans auparavant, où Bobby Lewis avait fait basculer sa vie.

Jax avait obtenu son bac au mois de juin. Elle habitait encore chez ses parents et travaillait à mi-temps au drugstore de Butternut. À l'époque, elle n'avait aucune idée de ce que lui réservait l'avenir. Rien de bien excitant, de toute évidence.

Elle n'irait pas à l'université. Son professeur de maths, Mme Martin, impressionnée par son habileté avec les chiffres, l'avait pourtant vivement encouragée à s'y inscrire. Jax n'en avait pas eu le courage : elle n'avait aucune confiance en elle. D'ailleurs, quand bien même sa candidature aurait été acceptée, elle n'avait pas de quoi se payer des études.

Elle avait donc pris ce poste de vendeuse au rayon maquillage, vouée à réassortir des rouges à lèvres et à attendre qu'il se passe quelque chose. Un jour, Bobby Lewis était venu s'acheter un flacon de lotion après-rasage. Il s'était attardé et avait flirté avec elle.

— C'est tout ce que tu fais à longueur de journée ? Ranger ces tubes ?

— Ce sont des rouges à lèvres, avait-elle répliqué, troublée. Les collégiennes les chamboulent constamment.

Malgré la climatisation, elle avait les joues brûlantes.

— Tu ne t'ennuies jamais ? avait demandé Bobby en se penchant sur le comptoir.

— Si, avait avoué Jax en jetant un coup d'œil pour s'assurer que M. Coats, le propriétaire du magasin, ne rôdait pas dans les parages.

— Si tu posais ce machin ? Toi et moi, on sortirait d'ici et on monterait dans mon pick-up… On achèterait un pack de bière, on irait faire un tour. Qu'en dis-tu ?

— Non, avait-elle chuchoté, écarlate.

Aucun garçon ne l'avait jamais embrassée et, à la manière dont Bobby la dévisageait, il avait envie de bien davantage.

— Allez ! avait-il insisté. Tu ne vas pas rester enfermée ici par une aussi belle journée.

Elle avait secoué la tête.

— Mon patron me renverrait.

— Dans ce cas, je reviendrai à la fermeture. Nous irons au bord du lac admirer le coucher du soleil.

— Je ne pense pas, avait répondu Jax en feignant d'épousseter les fards à paupières.

Pas question de sortir avec ce type. Elle ne le connaissait pas personnellement mais de réputation, si. Et sa réputation n'était pas brillante.

On le disait menteur, tricheur et escroc. À vingt ans, il avait déjà un casier judiciaire copieusement rempli. On racontait aussi qu'il était violent. Même le père de Jax, qui n'avait rien d'un saint, l'avait mise en garde un jour : Bobby Lewis était le genre d'homme qui ne pouvait pas passer à côté d'un chien sans le rouer de coups de pied.

Malheureusement pour Jax, Bobby avait quelques qualités. D'une part, il était beau. D'autre part, il respirait le sex-appeal. De plus, comme Jax n'allait pas tarder à le découvrir, il avait un don de persuasion irrésistible. Quand il voulait quelque chose, il l'obtenait. Or, à cet instant-là, il voulait Jax.

— Je ne m'en irai pas d'ici tant que tu n'auras pas accepté. J'ai tout mon temps.

Jax avait levé la tête. M. Coats s'approchait. Il semblait mécontent.

— Entendu. Mais à présent, je t'en supplie, file.

— Je serai là à dix-huit heures.

Sur ce, il lui avait adressé un sourire dévastateur et tourné les talons.

Plus tard, Jax regretterait souvent cette décision. Se faire renvoyer aurait été, somme toute, un moindre mal. La vérité, c'était qu'elle était fautive, elle aussi. Car s'il avait dû insister lourdement pour qu'elle sorte avec lui la première fois, par la suite, elle ne s'était pas fait prier.

Pourquoi ? Pour tout dire, elle savait qu'il représentait une menace et que cette histoire se terminerait mal. Seulement, elle s'ennuyait et se sentait seule. Les attentions de Bobby l'honoraient. Et surtout, en son for intérieur, elle ne pensait pas mériter mieux.

Naturellement, ce qui devait arriver arriva. Un soir, Bobby avait réussi à convaincre Jax de se déshabiller et il l'avait dépucelée sur la banquette arrière de son pick-up. Après cela, il avait mis fin à son opération de charme, alternant entre la méchanceté et l'indifférence.

Rapidement, il s'était désintéressé d'elle. Un jour, en rangeant ses rouges à lèvres, Jax s'était rendu compte qu'elle ne l'avait pas vu depuis une semaine. « Bon débarras », s'était-elle dit. À cet instant précis, un tube lui avait échappé des doigts. En s'agenouillant pour le ramasser, elle avait su qu'elle était enceinte. Comment ? Elle l'ignorait. Elle n'avait encore ressenti aucun symptôme physique. Il était beaucoup trop tôt. Mais elle en avait eu la certitude absolue : elle allait avoir un bébé.

Curieusement, elle n'avait pas paniqué. Elle ne s'était pas affolée parce qu'elle avait une autre certitude absolue : Bobby Lewis, quoi qu'il arrive, n'aurait rien à voir avec cet enfant. En soi, c'était une motivation.

Une semaine et un test positif plus tard, Jax ne savait toujours pas comment elle allait pouvoir garder son secret. Elle grignotait une tranche de pastèque au pique-nique annuel du 4 juillet de Butternut en considérant l'énormité de son problème, quand Jeremy Johnson l'avait heurtée par mégarde, répandant un verre de punch sur sa robe. Il s'était confondu en excuses et précipité pour lui chercher des serviettes en papier. Ensuite, il était resté bavarder avec elle. Et l'existence de Jax avait basculé pour la deuxième fois en un mois.

Elle se rappelait chaque détail de cette soirée.

— Comment se peut-il que nous ne nous soyons jamais parlé auparavant ? lui avait demandé Jeremy aux petites heures du matin.

Ils avaient marché au bord du lac puis s'étaient réfugiés sur une couverture, à l'abri d'une barque retournée.

— Tu es parti pour l'université alors que j'entrais en troisième.

— Je n'aurais jamais dû, avait répliqué Jeremy en l'embrassant. J'aurais dû rester ici et attendre que tu grandisses.

— Tu ne m'aurais jamais remarquée.

— Pourquoi dis-tu cela ?

— Parce que c'est vrai. Nous sommes issus de deux mondes opposés. Ta famille vit dans une maison sur la rue principale. La mienne, dans une caravane au milieu des bois. Tes parents possèdent une quincaillerie. Les miens sont des alcoolos. Tu as suivi des études supérieures. J'ai un petit boulot de vendeuse.

Jeremy s'était hissé sur un coude.

— Deux mondes opposés, peut-être. En tout cas, je suis sûr d'une chose : je ne regrette pas d'avoir renversé ce verre de punch sur ta robe.

— Tu l'as fait exprès ?

— Évidemment.

— Pourquoi ? s'était-elle exclamée, fascinée.

— Parce que je t'observais. Et j'ai su que je devais à tout prix t'aborder.

Jax était sceptique.

— Je t'assure, avait insisté Jeremy. Je t'ai vue et je t'ai trouvée si... si belle. Si singulière. À la fois forte et fragile. J'ai du mal à l'expliquer. Toujours est-il que j'ai voulu en savoir davantage sur toi.

Jax avait pris le temps de digérer ces paroles. Elle ne se trouvait pas belle. Ni intéressante. Mais auprès de Jeremy, elle arrivait presque à le croire.

— Je n'ai pas été déçu, avait-il continué. J'ai eu envie de discuter avec toi toute la nuit.

— Ah, avait-elle murmuré avec un sourire, en l'attirant vers elle.

Après quelques minutes, il était torse nu et elle en sous-vêtements.

— Jax, avait-il confessé, le souffle court. Je suis désolé. Je ne m'attendais pas à cela. Je n'ai pas de... de préservatifs sur moi. On devrait s'arrêter. Ou du moins se calmer.

Il était visiblement ému.

— Ou encore, on pourrait continuer, l'avait défié Jax, ahurie par sa propre audace, tout en achevant de se déshabiller.

— Jax... avait murmuré Jeremy, conquis, avant de réclamer de nouveau ses lèvres.

Ils avaient fait l'amour tandis que le soleil se levait sur le lac de Butternut.

Jax n'avait jamais oublié cette scène qui, de son propre aveu, donnait d'elle une image peu flatteuse. Sur l'instant, elle n'avait rien calculé. Elle était réellement attirée par Jeremy, elle avait envie de lui. Elle n'aurait jamais pu feindre son émoi. Elle en était incapable. De surcroît, leurs ébats s'étaient révélés aussi intenses que satisfaisants.

Pas une fois elle n'avait songé : « Je vais coucher avec Jeremy et ensuite, je lui dirai que je suis enceinte de lui. » En revanche, impossible de le nier : elle s'était tout de suite rendu compte que Jeremy ferait un bien meilleur père et mari que Bobby Lewis. Peut-être cette notion l'avait-elle influencée inconsciemment.

Deux semaines plus tard, Jax avait annoncé la nouvelle à Jeremy. Il lui avait aussitôt proposé de l'épouser, sans la moindre hésitation. Ils ne s'étaient pas quittés depuis le premier jour et Jax était follement amoureuse. Elle était presque sûre qu'il l'aimait tout autant.

Ils s'étaient donc mariés. Les parents de Jeremy leur avaient prêté de quoi s'acheter une maison et ils avaient repris la quincaillerie. Joy était née – le portrait de sa mère – et la vie avait continué. Une vie parfaite.

Certes, par moments, Jax était rongée par un sentiment de culpabilité. Elle était consciente d'avoir commis une faute. Elle pensait aussi que si Jeremy découvrait un jour la vérité, tout serait fini entre eux. Au fil des ans, la famille s'était agrandie et l'enjeu était devenu de plus en plus gros.

Jax avait opté pour la seule solution possible. Elle aimait Jeremy et les filles de toutes ses forces. La plupart du temps, elle était persuadée que mieux valait continuer à mentir par omission que d'obliger les siens à subir la vérité. Mais certains jours, elle doutait et ces jours-là étaient difficiles.

Quant à Bobby, elle n'avait pas eu besoin de le revoir. Cet été-là, avant même que sa grossesse ne commence à se voir, il avait été incarcéré pour avoir braqué un magasin de vins et spiritueux. Soulagée, Jax s'était dit que la boucle était bouclée. Jusqu'au jour où elle avait reçu cette lettre dans laquelle il lui expliquait qu'il allait bientôt être libéré et voulait voir sa fille. Comment avait-il su qu'il était son père ? Mystère. Il avait dû entendre dire que Jax avait eu un bébé, faire ses calculs et tenter sa chance. Il avait attendu, pour la contacter, d'être sûr de sortir de prison : elle ne pouvait rien pour lui tant qu'il était derrière les barreaux.

Jax poussa un profond soupir et repensa à Joy devant son petit déjeuner ce matin-là. La préadolescente s'était montrée odieuse. Elle avait râlé parce qu'elle devait ranger sa chambre. Elle avait provoqué ses sœurs, ignoré les supplications de paix de sa mère. Puis, Jax l'avait surprise, entre deux bouchées de pain perdu, à rêvasser, le regard mélancolique. Sans doute aspirait-elle à une vie moins ordinaire.

Justement, c'était cette vie ordinaire, dans une maison ordinaire, au sein d'une famille ordinaire, que Jax tenait à protéger. Pour elle, l'ordinaire était un privilège dont elle avait été privée tout au long de son enfance. Aujourd'hui, elle ne reculerait devant aucun sacrifice pour empêcher Bobby de gâcher l'existence de Joy. Leur existence à tous les cinq. « À tous les six », rectifia-t-elle en sentant son bébé bouger de nouveau.

12

Caroline retournait la pancarte de « OUVERT » à « FERMÉ » quand elle aperçut un homme sur le trottoir en train de lire le menu affiché dans la vitrine. Un étranger, forcément. Les habitants de Butternut se connaissaient tous par cœur.

Elle ouvrit la porte, la main en visière pour protéger ses yeux du soleil éclatant.

— Puis-je vous aider ?

Il releva la tête et lui sourit.

— Je cherchais un endroit où acheter une boisson fraîche. Et peut-être un sandwich pour l'accompagner.

— Nous fermons à quinze heures, déclara Caroline d'un ton neutre.

Il consulta sa montre.

— Quinze heures quinze, déjà ? s'étonna-t-il. J'ai complètement perdu la notion du temps. Savez-vous où je peux déjeuner à cette heure-ci ?

Caroline hésita. Elle aurait pu lui indiquer le *Corner Bar*, au coin de la rue, où l'on servait des hamburgers mangeables. Mais ce genre d'établissement recevait surtout des buveurs et, même par une journée ensoleillée comme aujourd'hui, l'endroit était lugubre. Il y avait aussi la station-service à la lisière de la ville, qui vendait l'habituelle sélection de hot-dogs caoutchouteux et de *burritos* sous vide. En toute conscience, elle ne pouvait l'envoyer ni à l'un ni à l'autre.

Elle l'examina brièvement. Jeune quinquagénaire, allure soignée, élégamment vêtu d'un polo et d'un pantalon kaki. Militaire ou ex-militaire, à en juger par sa posture rigide et ses cheveux poivre et sel coupés court.

Il ne l'importunerait pas. Avec un peu de chance, il lui ferait même la conversation. Et il laisserait un pourboire conséquent. Les hommes comme lui se montraient en général généreux.

De surcroît, il présentait un prétexte idéal pour retarder son retour dans l'appartement qui, ces temps-ci, avait pour Caroline l'attrait d'un mausolée.

— Je pourrais vous recommander quelques adresses mais je ne me le pardonnerais jamais. Entrez. Ça ne me dérange pas de m'attarder un quart d'heure de plus pour vous.

— Vous en êtes certaine ? Je ne voudrais pas vous ennuyer.

— Pas de souci ! assura-t-elle en l'invitant d'un geste à la suivre. J'ai amplement de quoi m'occuper pendant que vous déjeunerez.

— Merci infiniment.

— Mon cuisinier est parti à quinze heures, expliqua-t-elle en poussant le verrou. Le gril est déjà éteint, je ne pourrai donc rien vous servir de chaud. Remarquez, vu le temps… En revanche, je peux vous proposer de la citronnade et un sandwich.

— Merci. C'est la meilleure offre que l'on m'ait faite aujourd'hui.

Il se percha sur un tabouret devant le comptoir en Formica.

— Alors ? Que voulez-vous ?

Machinalement, Caroline s'empara de son tablier et l'enfila.

— Qu'avez-vous de bon ? demanda-t-il en parcourant la carte.

— Tout, rétorqua-t-elle, parce qu'à son avis, c'était la vérité… Que diriez-vous d'un sandwich poulet-salade ?

— Parfait.

— Et un verre de citronnade ?

— Et un verre de citronnade, approuva-t-il avec un sourire.

Caroline opina et se retourna pour se mettre à l'ouvrage. Le sourire de cet homme lui plaisait. Elle aimait la façon dont ses yeux bleus se plissaient au coin. Il n'était pas laid, loin de là. Il avait le teint joliment hâlé et son nez, qui avait visiblement subi plusieurs fractures, lui conférait une certaine virilité.

Elle remplit son verre, y ajouta une feuille de menthe, le posa devant lui. Puis elle entreprit de lui confectionner son sandwich.

— Mmm ! Il y a bien longtemps que je n'ai pas savouré un véritable citron pressé. Excellente idée, la feuille de menthe.

— Oh ! J'ai appris quelques trucs au fil des ans. À Butternut, nous ne sommes pas totalement arriérés, côté culinaire.

— C'est bon à savoir car je suis sur le point d'acheter un chalet au bord du lac.

— Sans blague ! Une résidence secondaire ?

— Non. J'ai l'intention de m'installer ici à temps plein. Désormais, je suis officiellement retraité.

— Ancien militaire ?

— Vous êtes observatrice.

— Avez-vous vu… de l'action ? s'enquit Caroline en pensant avec un élan de tristesse au défunt mari d'Allie.

Il haussa les épaules.

— Bien sûr. Un peu. J'étais pilote. De transport, pas de chasse.

— Vous aimiez voler ?

— J'adorais cela.

— Alors pourquoi avoir quitté l'armée ?

— J'avais besoin de changement. D'ailleurs, je suis toujours pilote. Sauf que maintenant, j'ai mon propre appareil, un Cessna. J'envisage de monter une entreprise.

— De quelle sorte ?

Il sortit son portefeuille de la poche de son pantalon et en extirpa une carte de visite.

Buster Caine
Pilote privé
Vols charter

Tout en bas figuraient son numéro de portable et son adresse mail.

— Que pensez-vous de mon projet ?

— Franchement ?

— Bien entendu.

— La plupart des gens d'ici préfèrent conduire, proféra-t-elle sans prendre de gants.

Aussitôt, elle se reprocha son manque de tact. Mais Buster Caine s'esclaffa, nullement offusqué.

— Possible. C'est une idée comme ça. Je n'ai pas besoin d'argent, je touche une pension. J'ai simplement envie de m'occuper.

— Rien de mal à cela. Je peux comprendre.

— Et vous ? Vous arrive-t-il de prendre l'avion ?

— Oh, non ! souffla Caroline avec un petit frémissement. Jamais. Je suppose que c'est votre mode de transport privilégié, pour vous et votre famille ?

— En fait, je suis veuf.

— Je suis désolée.

— Moi aussi, murmura-t-il avec tristesse. Il me reste deux superbes filles. Elles vivent à Minneapolis. Naturellement, elles sont adultes, elles mènent leur vie de leur côté.

Caroline fronça les sourcils, perplexe.

— Je vous ai froissée ? s'inquiéta-t-il.

— Pas du tout ! s'empressa-t-elle de le rassurer. Je pensais à ma propre fille. Elle aussi, elle mène sa vie de son côté.

— Quel âge a-t-elle ?

— Dix-huit ans. Elle vient de partir pour l'université.

— Ce doit être dur pour vous, devina-t-il en finissant son sandwich.

— Vous ne pouvez pas imaginer à quel point. Nous avons vécu toutes ces années ensemble. Mon ex-mari, le père de Daisy, nous a quittées quand elle avait trois ans.

Caroline marqua un temps, sidérée de s'être ainsi confiée à un étranger.

Ce fut au tour de Buster de compatir.

— Navré.

— Pas de quoi. Je me suis parfaitement adaptée à mon rôle de mère célibataire. C'est le nid déserté qui me pose problème. Savez-vous ce qu'il y a de pire ?

Il haussa les sourcils.

— Le silence dans l'appartement.

— Certaines personnes finissent par l'apprécier.

— Pas moi, avoua Caroline.

— Dans ce cas, pourquoi ne pas apprendre à jouer de la batterie ? Question bruit, vous seriez servie.

Caroline éclata de rire. Elle était toujours hilare quand la porte arrière du café s'ouvrit, cédant le passage à Frankie. Penchée sur le comptoir, elle se redressa instinctivement et recula d'un pas. Réaction stupide. Elle n'avait rien à se reprocher.

— Vous êtes toujours là, Frankie ?

— Je désinfectais les poubelles.

— Et moi, je discutais avec M. Caine… Au fait, monsieur Caine, je m'appelle Caroline. Caroline Keegan, ajouta-t-elle en lui tendant la main. Et voici Frankie Ambrose.

Malheureusement, Frankie n'était pas d'humeur à échanger des mondanités. Il fixa le nouveau venu d'un air que Caroline lui connaissait bien : calculateur, impitoyable. En général, il le réservait aux clients râleurs ou aux adolescents turbulents. Jamais elle ne l'avait vu adopter une telle attitude devant quelqu'un qui ne le méritait pas.

Elle observa Buster Caine à la dérobée, s'attendant plus ou moins à ce que celui-ci jette une poignée de pièces de monnaie sur le comptoir et prenne ses jambes à son cou. Ce ne serait pas la première fois qu'un simple regard de Frankie y aurait suffi. Mais Buster fixa Frankie sans ciller. Et sans bouger de son tabouret.

— Bien ! claironna Caroline, un peu trop fort. Frankie, vous devriez rentrer chez vous. Quant à vous, monsieur Caine, je suppose que vous voulez l'addition ?

Frankie se détourna lentement, sans un mot, et se mit à récurer l'évier.

— Volontiers ! répondit Buster Caine, en rien perturbé par cette confrontation avec Frankie.

Caroline poussa un soupir de soulagement. Elle allait devoir parler à Frankie de son comportement. Qu'il se montre protecteur, d'accord. Mais sans exagération. Il finirait par effrayer les clients.

Pendant qu'elle préparait la note, Frankie s'éclipsa. Buster Caine émit un sifflement.

— Il est sacrément baraqué.

— Je sais, acquiesça Caroline. La vérité, c'est qu'il ne ferait pas de mal à une mouche.

— Je n'en suis pas si sûr, marmonna Caine en s'emparant de son portefeuille… Ces tatouages, il les a fait faire en prison.

— Je suis au courant, rétorqua Caroline, sur la défensive. Figurez-vous que Frankie est un gentil géant, au fond. Quant à moi, je crois fermement à la théorie de la deuxième chance.

— Tant mieux, approuva Caine. Car nous en avons tous besoin un jour ou l'autre, n'est-ce pas ?

Il se leva, posa un billet sur le comptoir.

— Ce fut un plaisir de vous rencontrer, madame Keegan.

— Caroline.

— Caroline, répéta-t-il. Et vous, appelez-moi Buster. Merci encore d'être restée pour moi. Le sandwich était délicieux.

— À votre service ! s'exclama-t-elle en se félicitant de ne pas l'avoir envoyé à la station-service.

Elle le regarda partir avant de débarrasser son couvert. Il avait laissé un billet flambant neuf de vingt dollars. Elle ne s'était pas trompée en estimant sa générosité. Elle glissa l'argent dans la poche de son tablier, y sentit la carte de visite. Elle s'apprêtait à la jeter mais se ravisa et la rangea sous le tiroir de sa caisse. Elle n'aurait probablement jamais besoin des services d'un pilote. Néanmoins, pour une raison qu'elle ne s'expliquait pas, elle se sentait réconfortée d'avoir ses coordonnées sous la main.

13

Quand elle vit le nombre de voitures garées dans la rue de Jax et Jeremy le soir du 3 juillet, Allie continua à rouler.

— Qu'est-ce que tu as, maman ? s'enquit Wyatt en remarquant son expression dans le rétroviseur.

— Rien, mon trésor. Pourquoi ?

Allie ralentit.

— Tu as l'air de mauvaise humeur.

Allie se ressaisit. Par moments, elle oubliait combien le sens de l'observation de Wyatt était aiguisé.

— Mais non, pas du tout. Je cherche un emplacement pour me garer. Je n'avais pas imaginé qu'il y aurait autant de monde.

Elle finit par en trouver un à deux pâtés de maisons de là. Comme ils revenaient à pied vers la maison de Jax et Jeremy, Allie se secoua intérieurement. Jax avait raison : quitte à se rendre à une fête, autant s'amuser, non ? Autrefois, elle ne se serait pas fait prier. Aujourd'hui, les mondanités ne lui inspiraient qu'un mélange de crainte et de méfiance. À force, cela finirait par déteindre sur Wyatt.

— Tu vas voir, ça va être bien, dit-elle en resserrant sa main libre autour de la sienne.

Dans l'autre, elle tenait une boîte hermétique remplie de cookies aux pépites de chocolat.

Wyatt ne semblait guère convaincu. Maintenant qu'ils entendaient les voix, les rires et la musique, il ralentissait. Allie accéléra le pas.

— Tu sais qui sera là ce soir ? lui demanda-t-elle tandis qu'ils remontaient l'allée pavée pour rejoindre le jardin.

Wyatt secoua la tête.

— Frankie, annonça-t-elle en se félicitant d'avoir préservé son atout.

— Frankie ? s'exclama-t-il en écarquillant les yeux.

Le cuisinier herculéen le fascinait.

— Absolument. Qui, à ton avis, est responsable des grillades ? Hamburgers, hot dogs, pilons de poulet... tout ce que tu aimes.

— Tu crois qu'il aura besoin d'aide ?

Wyatt se mit à trottiner pour rester à sa hauteur.

— Possible.

Au détour du virage, Wyatt lâcha un petit cri de stupéfaction.

Le jardin était inondé de lumières. Des lampions de couleurs vives étaient suspendus aux branches des arbres et des guirlandes lumineuses ornaient les buissons. Toutes les tables parsemant la pelouse étaient décorées de bougies.

— C'est beau ! souffla Wyatt.

« Quel boulot ! » songea Allie. Pourtant, lorsqu'en scrutant la foule, elle repéra enfin Jax et Jeremy, entourés d'un groupe d'amis, ni l'un ni l'autre ne lui parut fatigué. Au contraire. Ils étaient détendus, sereins, rayonnants d'affection réciproque. Jeremy, beau comme un jeune homme, tenait Jax par la taille et elle, vêtue d'une adorable robe de maternité, le contemplait avec tendresse.

Allie éprouva un élan de jalousie et se détourna, honteuse. « C'est clair, tu es devenue une personne horrible. Tu sais pourtant combien l'enfance de Jax a été malheureuse et qu'elle mérite largement son bonheur. »

Jax n'avait rien exagéré en affirmant que cette réception était l'événement de la saison. Une grande quantité d'habitants de Butternut s'était déplacée et Allie fut étonnée de constater combien d'entre eux elle connaissait. Comme promis, Frankie s'activait devant un énorme barbecue. En face de lui, l'un des employés de la quincaillerie s'affairait derrière un bar improvisé. Et là, parmi les musiciens du groupe de Bluegrass, le joueur de banjo n'était nul autre que le mécanicien de la station-service qui avait vidangé sa voiture le matin même.

Soudain, Allie se sentit terriblement intimidée. Intimidée et... accablée. Elle avait oublié comment se comporter en société. Pire, elle n'avait aucune envie de jouer le jeu. Les réjouissances de ce genre appartenaient au passé, c'est-à-dire avant la mort de Gregg. Aujourd'hui, cette foule, cette cacophonie lui paraissaient presque indécentes. Comme pour étayer ce constat, un éclat de rire tonitruant lui parvint.

« On s'en va », décida-t-elle sur un coup de tête. Elle inventerait un prétexte pour Wyatt en regagnant la voiture.

Sauf qu'en faisant demi-tour, elle se trouva nez à nez avec Caroline Keegan.

— Bonsoir, vous deux !

Allie la salua vaguement mais Wyatt lui adressa un sourire.

— Posez cela sur le buffet des desserts, conseilla-t-elle à Allie en désignant la boîte de gâteaux... Quant à toi, vu la vitesse à laquelle tu grandis, je parie que tu meurs de faim, enchaîna-t-elle en adressant un clin d'œil à Wyatt.

Ils la suivirent jusqu'à une table de pique-nique croulant littéralement sous les victuailles. Allie ôta le couvercle de sa boîte pendant que Wyatt inspectait les mets en salivant devant l'abondance de salades de haricots, œufs mimosa, tartes à la rhubarbe et autres tranches de pastèque.

En voyant Wyatt lorgner d'un œil gourmand une pile de biscuits au babeurre, Caroline lui en tendit un.

— Mon chéri, tu peux en manger autant que tu veux. C'est moi qui les ai confectionnés… Allie, ajouta-t-elle tout bas, étiez-vous en train de repartir, par hasard ?

— Non, non ! Enfin… si, confessa-t-elle, penaude.

— Je m'en doutais. J'espère que vous ne m'en voulez pas d'avoir coupé court à votre fuite ?

— Pas du tout, murmura Allie avec un petit sourire.

— Tant mieux, j'en suis ravie. Mais Allie… c'est toujours aussi pénible ?

— Certains jours, tout me paraît difficile. Notamment lors de ce genre de réception. Trop de gens heureux, je suppose.

Loin de la traiter d'égoïste, Caroline afficha une expression de tristesse.

— Les gens heureux… Ma chère Allie, si je vous racontais les histoires de certaines de ces personnes, vous auriez du mal à me croire. Ne vous méprenez pas, je ne leur reproche rien. Contre toute apparence, elles ne sont pas forcément heureuses. Mais elles sont là. Pour se distraire, profiter des petites joies de l'existence… Si vous voulez mon avis, elles ont raison.

— Peut-être, concéda Allie.

En général, elle détestait qu'on lui prodigue des conseils. Curieusement, les paroles de Caroline ne l'agaçaient pas. Sans doute était-ce sa façon pragmatique de traiter amis et clients à égalité. Ou parce qu'elle ne faisait pas semblant d'avoir toutes les réponses. Ni de les chercher.

— D'après vous, est-ce que l'on finit par s'habituer à l'absence d'un être cher ?

— Je l'ignore, admit Allie en toute simplicité.

À cet instant, Jax et Jade se précipitèrent vers eux.

— Wyatt ! Te voilà enfin ! s'écria Jade. Viens avec moi, continua-t-elle sans lui laisser le temps de réagir. Frankie a promis de réserver ses meilleurs hot dogs pour toi et moi. Mon père a trop chauffé le gril et y en a plein qui ont brûlé. On n'est pas obligé de manger ceux-là. Même si la croûte noire ne fait pas de mal. On pourrait en avaler cent, on serait pas malade.

Elle se tut le temps de reprendre son souffle.

— Alors ? Tu viens ?

— Bien sûr qu'il vient, dit Allie en le poussant doucement devant elle.

— Je suis contente que tu sois là, dit Jax en l'étreignant avec une telle sincérité qu'Allie s'en voulut d'avoir failli filer à l'anglaise… Ne t'inquiète pas pour Wyatt et Jade. Frankie veillera sur eux. Non seulement il excelle en matière de grillades mais en plus, il est d'une patience incroyable avec les enfants. Qui plus est, si Caroline m'autorise à t'accaparer, j'ai quelqu'un à te présenter.

— Ne te gêne pas pour moi, la rassura Caroline.

Allie était sur ses gardes.

— Allez ! Courage ! insista Jax.

Elle l'entraîna jusqu'au bar où une belle femme blonde d'une soixantaine d'années les attendait en sirotant un verre de vin blanc.

— Sara, voici mon amie Allie Beckett. Allie, Sara Gage.

Elles se serrèrent la main.

— Vous n'avez qu'à bavarder toutes les deux pendant que je sers à boire à Allie.

Cette dernière voulut objecter que Jax avait sûrement autre chose à faire. Mais Jax avait de la suite dans les idées.

— Merci ! Je prendrai un coca.

Allie pivota vers Sara Gage, qui attaqua sans préambule :

— Jax me dit que vous vous intéressez à l'art.

— Exact, murmura Allie en se demandant quel tour allait prendre la conversation.

— J'ignore si elle vous a parlé ou non de moi. Je suis la propriétaire de la galerie *Pine Cone*, dans la rue principale. Vous la connaissez ?

— Bien sûr ! Elle est située juste en face de chez *Pearl*.

Allie s'était arrêtée à maintes reprises pour en admirer la vitrine mais n'avait jamais osé entrer avec Wyatt dans une boutique contenant autant d'objets fragiles.

— Elle est magnifique. Quand l'avez-vous ouverte ?

— Il y a environ dix ans. Mon mari et moi venions de prendre notre retraite. Lui était enchanté de se tourner les pouces ; moi, je m'ennuyais à mourir. J'étais consciente, aussi, que je me serais très vite lassée de parcourir les quatre heures et demie de route jusqu'à Minneapolis chaque fois que j'aurais eu envie d'un bain de culture. Au cours de ce premier automne, je suis tombée sur une annonce pour une exposition parrainée par l'association des artistes locaux. J'étais pour le moins sceptique. J'y suis allée et j'en suis ressortie conquise, autant par la quantité d'exposants que par la qualité de leur travail.

— Vraiment ? Je ne m'en serais jamais doutée.

— Certains de ces créateurs sont originaires de la région. D'autres, comme mon mari et moi, ont vécu en ville et décidé de finir leurs jours ici. Tous ont un point en commun : ils ont besoin d'un lieu où vendre leurs œuvres tout au long de l'année. J'ai donc décidé de le leur offrir.

— Avec succès, visiblement.

— Oui, répondit Sara d'un ton satisfait. Certes, je ne risque guère de m'enrichir. En revanche, j'ai prouvé à tous les sceptiques que Butternut pouvait faire vivre une galerie d'art. Les autochtones comme les touristes ont envie d'originalité. Un endroit où l'on ne propose pas que des décorations de sapin de Noël, des bougies parfumées et autres pots-pourris.

— D'après ce que j'ai vu, vous êtes allée bien au-delà.

À travers la vitrine, Allie avait remarqué des huiles et des aquarelles, mais aussi des céramiques, des objets en verre soufflé et des bijoux.

— Merci. Nous présentons des artistes de talent. Pour en dénicher d'autres il faudrait que je puisse me déplacer. Je cherche donc quelqu'un de confiance qui pourrait tenir la galerie en mon absence. C'est la raison pour laquelle Jax tenait à ce que je vous rencontre.

— Moi ? balbutia Allie.

— Absolument. Elle est passée me voir l'autre jour et quand je lui ai confié que je souhaitais embaucher une personne à temps partiel, elle a tout de suite pensé à vous. Elle m'a dit que vous vous intéressiez à l'art et que vous aviez acquis une expérience commerciale en gérant une société.

— Je... J'ignore ce que Jax vous a raconté. J'ai une licence d'histoire de l'art et mon mari et moi possédions une entreprise de jardinage mais je crains que ce soit insuffisant.

Sara Gage demeura imperturbable.

— Les qualités requises sont essentiellement la passion et la bonne volonté. Si vous passiez un de ces jours ? Nous pourrions en rediscuter.

— Pour un entretien ?

— Complètement informel, la rassura Sara. À présent, si vous voulez bien m'excuser, ajouta-t-elle en fronçant les sourcils... Je vois mon mari se rapprocher du buffet. S'il se goinfre d'œufs mimosa, son cardiologue va sauter au plafond.

À peine avait-elle tourné les talons que Jax ressurgissait en lui tendant un verre de coca.

— Alors ? Elle t'a parlé du poste ? s'exclama-t-elle, les yeux pétillants d'excitation.

— Oui. Je regrette que tu ne m'aies pas prévenue avant de me présenter.

Le visage de Jax s'assombrit brusquement.

— Pardon. Je n'ai pas voulu te prendre de court. Je connais ton amour des arts. Et tu m'avais dit que tu serais obligée, tôt ou tard, de décrocher un emploi... Désolée. J'ai oublié qu'il était souvent plus facile de résoudre les problèmes des autres que les siens.

— Quels problèmes ? s'inquiéta aussitôt Allie. Car de mon point de vue, tu mènes une existence idéale.

— Si seulement c'était vrai, marmonna Jax avec un air de tristesse infinie.

Elle se ressaisit immédiatement et Allie se demanda si c'était son imagination qui lui jouait des tours ou si elle projetait son propre chagrin sur Jax.

— Merci d'avoir pensé à moi, répondit-elle en serrant brièvement la main de son amie. Tu as raison, je vais devoir travailler dans un avenir proche. Et l'idée de tenir cette galerie n'est pas mauvaise. C'est juste que...

« Que quoi ? » Elle était incapable de le formuler. La vérité, c'était qu'elle ne se sentait pas prête à reprendre une vie normale. Pourquoi ? Gregg était mort depuis deux ans et elle continuait à vivre en vase clos avec Wyatt. Serait-ce parce que entretenir la mémoire de Gregg dans sa tête et dans son cœur se révélait en soi un travail à plein temps ?

Instinctivement, elle scruta la foule en quête de son fils. Devant l'orchestre, Wyatt et Jade se tenaient par les mains et tournaient sur eux-mêmes. Si Jade en était probablement, comme de coutume, l'instigatrice, Wyatt semblait un partenaire plus que consentant. Sous le regard d'Allie, il adressa à Jade un franc sourire.

Allie s'apprêtait à en faire le commentaire à Jax mais cette dernière, le front plissé et l'air distrait, fixait un groupe d'invités.

— Bizarre, constata-t-elle.

— Quoi ? voulut savoir Allie.

Pivotant légèrement, elle repéra Walker Ford. À une dizaine de mètres de là, une bière à la main, il était en pleine discussion. Allie éprouva une bouffée inexplicable d'irritation. Elle n'avait pas escompté le voir ici. Depuis leur conversation lorsqu'il l'avait ramenée chez elle, elle ne l'avait pas croisé et n'en avait eu aucune envie.

Apercevant Jax et Allie, il eut un sourire et leva sa bouteille en guise de salut. L'agacement d'Allie monta d'un cran.

— Il vient à toutes tes fêtes ?

— Non justement, c'est la première fois. D'où ma perplexité.

— Pourquoi l'invites-tu, alors ?

Jax haussa les épaules.

— C'est un de nos bons clients. Et Jeremy l'apprécie.

— Pas toi ?

— Je le connais mal, admit Jax. Nous n'avons jamais échangé que des banalités. Ça va peut-être changer à partir de ce soir.

— Pourquoi ?

— Parce qu'il vient droit vers nous.

Allie se raidit malgré elle. C'était stupide. Après tout, Walker Ford était son voisin. Autant s'habituer à le croiser de temps en temps.

— Bonjour ! Magnifique soirée.

— Ravie que vous ayez pu venir, répondit Jax. Oups ! J'ai l'impression que nous sommes à court de glaçons. Pardonnez-moi, je dois vous laisser.

— Pas de problème, marmonna Allie sans grande conviction.

— Je peux vous donner un coup de main ? proposa Walker.

— Non, merci. C'est gentil.

Sur ce, Jax disparut.

Walker dévisagea Allie, l'air amusé.

— Savez-vous quelle a été ma première pensée quand je vous ai vue ?

— Non, répliqua-t-elle en toute sincérité, surprise par cet abord si direct.

Ce n'était pas l'échange mondain auquel elle s'attendait. D'un autre côté, Walker Ford ne semblait pas du genre à avoir la patience ni le talent pour des bavardages inconséquents.

— Ma première pensée a été que vous m'évoquiez une personne faisant la queue pour une démarche administrative. Quelqu'un qui redoute l'épreuve à venir.

Allie ne prit pas la peine de le nier.

— C'est à ce point évident ?

Elle but une gorgée de son soda et il opina.

— Oui. N'ayez crainte, les autres ne verront rien. Si cela m'a frappé, c'est parce que je réagis exactement de la même manière dans ce type de manifestation. J'ai tendance à les considérer comme des maux nécessaires, équivalents à une visite chez le dentiste, par exemple. On n'a aucune envie de s'y rendre, mais on y va quand même.

— Vraiment ? D'après ce que j'ai entendu, vous êtes plutôt du genre ermite.

— Ermite ? répéta-t-il avec un sourire en demi-teinte. Ma foi, j'en suis presque flatté. En fait, je travaille énormément.

— Quelles sont les activités du chantier naval ?

— Construction, réparation, entreposage, achat et vente de bateaux. En ce moment, nous en restaurons un qui sort de l'ordinaire. Un canoë. Vintage. Figurez-vous que je l'ai trouvé au fond du lac. Je pense qu'une fois le fond remplacé, il pourrait avoir une certaine valeur. On n'en fait plus des comme ça.

Allie se sentit devenir écarlate.

— Vous restaurez mon canoë ?

— Oui.

— Pourquoi ?

— Pourquoi pas ? Je n'ai pas résisté à la tentation d'y jeter au moins un coup d'œil. Après l'avoir rapatrié à terre, je me suis rendu compte combien il était beau.

— Il ne flotte plus, protesta Allie.

— J'adore les défis. Et en matière de restauration de bateaux, plus le défi est grand, plus je m'en réjouis.

— Ça va coûter une fortune.

— J'y prends plaisir, assura Walker en souriant. Quant au coût de l'opération, n'ayez aucune inquiétude. Je ne vous demanderai rien. J'ai tout le matériel à ma disposition. Sinon, je peux me le procurer au prix de gros chez mes fournisseurs.

Allie secoua la tête. Elle ne voulait sous aucun prétexte être redevable envers Walker Ford. Ils étaient voisins, d'accord. Elle ne pouvait rien y changer. De là à devenir amis… pas question. Chaque fois qu'elle le voyait, elle était mal à l'aise. Tendue. Sur la défensive.

— Vous savez quoi ? s'exclama-t-elle brusquement… Vous n'aurez qu'à le garder après l'avoir remis en état. C'est le moins que je puisse faire dans la mesure où vous avez pris la peine de le sortir de l'eau. D'ailleurs, j'ai promis à Wyatt d'acheter un hors-bord. Il a beau n'avoir que cinq ans, il n'est pas du tout impressionné par les bateaux qui nécessitent rame ou pagaie.

— Dans ce cas, je peux vous aider, déclara Walker en sortant une carte de visite de son portefeuille.

Allie l'accepta avec réticence.

— Cliff Donahue, expliqua-t-il, est notre directeur général. Allez le voir de ma part. Il vous dénichera une bonne affaire.

Allie examina la carte puis dévisagea Walker. Pour la première fois de la soirée, voire la première fois tout court, elle le regarda vraiment. Il était tellement beau que c'en était presque trop. L'effort qu'il avait mis à soigner son apparence était payant. Cheveux noirs bien peignés, visage rasé de près. Il portait une chemise d'un bleu qui renforçait celui de ses yeux. Avait-il choisi ce vêtement dans ce but ? Non, sans doute pas. Walker Ford ne semblait pas être de ces hommes qui s'attardent devant la glace. Ni devant leur garde-robe.

Tandis qu'Allie l'observait, la nuit tomba brutalement comme souvent les soirs d'été. Elle but son coca et rencontra son regard par-dessus le bord de son verre. Lui aussi l'examinait de bas en haut, avec un mélange de sévérité et de douceur. Un peu comme s'il l'étreignait avec fermeté tout en la caressant avec délicatesse.

Allie eut un frisson et remonta le décolleté de sa robe. Sa tenue n'avait rien d'osé mais, sous le regard de Walker Ford, elle eut soudain la sensation d'être nue.

Pour finir, elle se détourna.

— Il faut que je retrouve Wyatt, susurra-t-elle.

Le souffle court, elle s'enfuit au milieu de la foule, se faufilant entre les invités tout en luttant contre une étrange sensation de vertige. « Je ferais mieux de manger quelque chose », songea-t-elle en fonçant vers le buffet.

À son immense soulagement, elle ne revit pas Walker de la soirée.

Plus tard, sur le chemin du retour, alors qu'elle était à l'arrêt à un carrefour, elle profita des phares d'une voiture venant en sens inverse pour jeter un coup d'œil sur Wyatt. Il avait de la terre sur la figure et une tache de sauce tomate sur son tee-shirt. Il bâilla à se décrocher la mâchoire et Allie lui sourit.

— Tu as passé une bonne soirée ?

Il acquiesça et tourna la tête vers la fenêtre, apparemment content. « Il a changé, pensa Allie en redémarrant. Il paraît heureux. »

14

À la mi-juillet, lorsqu'il poussa la porte de son bureau cet après-midi-là, Walker découvrit son frère, Reid, vautré dans son fauteuil, les pieds sur la table. Comme il franchissait le seuil, Reid lui adressa un sourire et, en guise de salutation, expédia un élastique dans sa direction.

— Salut, Reid, murmura Walker en attrapant d'une main le projectile. Pourrais-tu me dire ce que tu fais ici ? ajouta-t-il en prenant place dans le siège réservé aux visiteurs.

— En voilà une façon d'accueillir ton grand frère !

— Tu aurais pu me prévenir.

— Je n'y tenais pas. Je trouvais beaucoup plus drôle de te faire la surprise. D'ailleurs, enchaîna-t-il en remettant les pieds par terre et en montrant la fenêtre surplombant le chantier naval, si je t'avais averti, je n'aurais pas vu ça...

— Quoi ?

— Toi et ta nouvelle amie.

Walker fronça les sourcils.

— Ce n'est pas une amie, c'est ma voisine. Et son fils. Ils veulent acheter un bateau.

— Sans blague ! plaisanta Reid.

Walker haussa les épaules, feignant la désinvolture.

— Je leur ai dit bonjour, rien de plus. Puis je les ai confiés à Cliff.

Il aurait pu leur montrer lui-même les modèles en vente mais il n'en avait pas eu envie. Pour des raisons qu'il ne s'expliquait pas, il lui paraissait important d'établir une distinction entre leur relation personnelle, en admettant qu'elle existe, et leurs rapports commerciaux. Cela étant, il avait donné l'ordre à Cliff de réduire de vingt-cinq pour cent le prix du bateau sur lequel Allie jetterait son dévolu.

Reid se tut mais il n'était pas dupe : Walker était sur la défensive, ce qui l'amusait au plus haut point.

— S'il te plaît, Reid, soupira Walker, exaspéré, évite les spéculations inutiles. La situation est simple. Ils sont à la recherche d'un bateau et j'espère leur en vendre un. N'est-ce pas mon métier ?

— Si, si, convint Reid. Je dis juste... enfin, il ne faudrait pas que cela devienne une habitude. La manière dont tu regardais cette femme m'a semblé tout sauf professionnelle.

— Et je la regardais comment ? demanda Walker tout en redoutant la réponse.

Reid fit mine de réfléchir.

— Comme si elle était un gâteau que tu t'apprêtais à dévorer. Tu sais, le genre « cupcake » recouvert d'une épaisse couche de glaçage ? Parsemé de vermicelles de couleurs et ...

— D'accord, Reid, j'ai compris, interrompit Walker, contrarié de ne pas avoir su masquer son attirance envers Allie.

Avec un peu de chance, elle serait moins perspicace que Reid.

— Ne t'inquiète pas, mon vieux. Ce n'est pas un problème. Du moins en ce qui me concerne. À moins qu'elle ne soit mariée, auquel cas...

— Non, elle ne l'est pas. Elle n'en est pas moins indisponible.

Reid haussa un sourcil interrogateur.

— Elle est veuve, le renseigna Walker après un bref silence. Son mari a été envoyé en Afghanistan et...

Les mots restèrent suspendus sur ses lèvres.

— Il y a combien de temps ? demanda Reid tout bas.

— Qu'il est mort ? Deux ans, je crois.

— Donc, ce n'est pas récent ?

— Pas tant que ça. Son fils avait trois ans à l'époque. Il en a cinq aujourd'hui.

— Je ne vois pas où le bât blesse, déclara Reid. Sans vouloir passer pour un goujat ni salir la mémoire de son époux, après tout, il s'est sacrifié pour son pays, il est mort, Walker. Elle continue à exister.

— Justement. Elle n'en donne pas l'impression. Superficiellement, si, mais sur le plan émotionnel, elle paraît s'être... éteinte.

Encore que... pas complètement, songea-t-il alors. À un moment, au cours de ce barbecue du 3 juillet, ils avaient échangé un regard et il avait senti une sorte de courant électrique entre eux.

— Si elle s'est éteinte, à toi de souffler sur les braises.

— C'est-à-dire ?

— Pardon pour le cliché mais... à toi de lui redonner le goût de vivre.

Walker secoua vigoureusement la tête.

— Je ne m'en sens pas capable, Reid. Vu mon passé, cela me paraît impossible.

— Tu fais allusion à ton divorce ?

— Évidemment, grogna Walker en serrant les dents.

— Votre mariage était une erreur dès le départ.

— L'essentiel n'est pas là. Une fois unis...

— Walker, pour l'amour du ciel ! s'emporta Reid. Ne me dis pas que tu te reproches encore le fait que Caitlin ait perdu le bébé ?

Walker tressaillit.

— Je te l'ai répété mille fois : je ne veux pas en parler.

— Excuse-moi, frérot, répliqua Reid en levant les bras dans un geste d'impuissance. Je ne cherche pas à minimiser ton chagrin. Ni celui de Caitlin. Mais il est temps aussi de tourner la page. C'était il y a deux ans... Tout comme pour cette femme (il désigna la vitre) et tu devrais aller de l'avant.

Walker demeura silencieux.

— Très bien, reste sur tes positions. Et si tu l'invitais à boire un café, par exemple ? Ce ne devrait pas être si difficile ?

« Beaucoup trop pour moi », pensa Walker en quittant son siège pour se poster devant la fenêtre. La voiture d'Allie était toujours garée sur le parking des clients.

— Ils sont encore là ?

Walker ignora la question.

— Reid, depuis quand ma situation personnelle t'intéresse-t-elle au point de t'en mêler ?

— Depuis que j'ai pris conscience que ni toi ni moi n'en avions une.

— N'est-ce pas ce que tu désirais ? Le boulot, rien que le boulot pour nous deux.

Reid se mit debout à son tour et vint le rejoindre.

— Pas pour nous deux. Moi, ça me convient. Mais toi... En dépit de tes grands airs, je suis convaincu que tu rêves de te marier et d'avoir des enfants. Le grand jeu.

— Tu me connais moins bien que tu ne l'imagines.

Reid posa une main sur son épaule, à la grande surprise de Walker. Son frère n'était guère démonstratif. Pourtant, il prolongea le geste, lui serrant brièvement le bras avant de s'écarter.

— Il faut que j'y aille.

— Tu as parcouru tout ce chemin uniquement pour me dispenser ta sagesse d'aîné ?

— Bien sûr que non. Je visitais un chantier naval à vendre près d'Ely. L'entreprise a du potentiel. Je te contacterai à ce sujet.

— Si tu veux patienter pendant que je termine la paperasserie, on pourrait dîner ensemble, proposa Walker en prenant place à son bureau.

— Une autre fois. Je suis pressé de rentrer.

Juste avant de sortir, Reid se retourna.

— Une dernière chose, Walker.

— Quoi ? grommela-t-il, l'œil rivé sur sa pile de dossiers à traiter.

— Réfléchis à notre conversation. Invite cette jeune femme. Car si le frère avec qui j'ai grandi avait quelques défauts, la lâcheté n'en faisait pas partie.

Sur ce, Reid disparut en refermant la porte derrière lui.

« Ça ne marchera pas, Reid. Je n'ai plus douze ans, je ne mords pas à l'appât chaque fois que tu me le tends. »

Mais au lieu de se remettre au travail, Walker retourna devant la fenêtre, l'esprit en ébullition. Cinq minutes plus tard, il dévalait l'escalier jusqu'à la salle d'exposition.

Il repéra immédiatement Allie, tout au fond. Munie d'une poignée de brochures en papier glacé, elle serrait la main de Cliff. Wyatt jouait à proximité, sur l'un des bateaux.

— Walker ! s'exclama Cliff tandis qu'il les rejoignait. Mme Beckett s'apprêtait à partir.

— J'espère que vous repartez avec le canot de vos rêves.

— Pas exactement. Mais Cliff m'a donné amplement de quoi réfléchir.

— Tant mieux, approuva Walker.

Un autre client surgit et Cliff s'excusa pour l'accueillir.

— Wyatt, mon chéri, on y va.

L'enfant leva brièvement les yeux puis se remit à faire semblant de piloter un hors-bord.

— Il a une ouïe incroyablement sélective, soupira Allie.

Walker s'esclaffa, enchanté de cette occasion de l'avoir pour lui tout seul, ne serait-ce que quelques instants.

— Comment se passe votre installation ?

— Ça avance, surtout grâce à Johnny Miller, notre homme à tout faire. Le chalet ne risque plus de s'écrouler sur nos têtes. C'est bon signe, je suppose.

— Depuis combien de temps êtes-vous ici ?

Il connaissait la réponse à cette question mais il était à court d'inspiration. Décidément, Allie Beckett avait le don de le déstabiliser.

Elle était particulièrement ravissante aujourd'hui, en tenue d'été légère, jupe, chemisier et sandales plates. Elle avait rassemblé ses cheveux luxuriants en une simple queue-de-cheval et son visage était dénué de maquillage. Elle n'en avait aucun besoin. Son teint était déjà hâlé et ses yeux noisette ourlés de cils interminables possédaient une luminosité naturelle.

— Six semaines.

— Six *longues* semaines ? devina-t-il.

— Parfois, avoua-t-elle. Maintenant, nous avons pris un certain rythme qui nous donne la sensation que le temps passe plus vite.

— Savez-vous ce qui l'accélérerait ?

Elle secoua la tête, sur ses gardes.

— Un bateau.

— Vous êtes un vendeur dans l'âme, n'est-ce pas ? rétorqua-t-elle avec un sourire.

— Possible. Ou peut-être suis-je tout simplement convaincu que, tant qu'à vivre au bord d'un lac aussi splendide, autant pouvoir l'explorer.

Elle le dévisagea, l'air songeur. Tout à coup, elle parut se rappeler quelque chose. Elle consulta sa montre.

— Nous n'allons pas nous attarder. Je dois déposer Wyatt chez Jax. Croyez-le ou non, j'ai un entretien d'embauche.

À en juger par son expression, il n'en croyait rien.

— À la galerie *Pine Cone*. Sara Gage, la propriétaire, est à la recherche d'une vendeuse à temps partiel. Jax s'est débrouillée pour la persuader que j'étais la candidate idéale. Personnellement, je pense qu'elles sont aussi folles l'une que l'autre.

— Au contraire, elles me semblent toutes les deux avoir la tête sur les épaules. Bonne chance. Ah ! Euh… Allie ?

— Oui ?

Le moment était venu de se jeter à l'eau. Au diable l'invitation à boire un café. Trop banal.

— Je me demandais si vous et Wyatt aimeriez venir dîner à mon chalet un de ces soirs. Sans façons. Je pourrais griller des steaks sur le barbecue et peut-être vous emmener ensuite faire un tour en bateau.

— Wyatt serait sûrement enchanté, bredouilla-t-elle.

« Et vous ? faillit-il lui demander. Qu'est-ce qui vous ferait plaisir ? » Il patienta.

— Ce serait une simple soirée entre voisins.

— Vous en êtes sûr ? riposta-t-elle en le regardant droit dans les yeux.

— Oui, assura-t-il, décontenancé. Enfin, je n'en sais rien…

Elle demeura muette.

— Nous nous connaissons à peine, Allie. Toutefois j'ai une certitude.

— Laquelle ?

— À la fête de Jax et de Jeremy, j'ai senti quelque chose entre nous. J'ignore comment qualifier cela. Une attraction mutuelle, peut-être. Je n'ai pas l'impression de l'avoir imaginée. Je ne crois pas davantage que c'était à sens unique.

Elle écarquilla les yeux.

— En d'autres termes, vous croyez que… je suis attirée par vous ?

Il opina. Il lui semblait avoir été assez clair. Allie rougit. D'embarras ou de colère ? Sa mâchoire se raidit. « De colère », décida Walker.

— J'ignore ce que vous avez ressenti ce soir-là, Walker. Mais je peux d'ores et déjà vous dire que ce n'est pas réciproque.

— Je ne vous crois pas, lâcha-t-il malgré lui.

— Alors vous êtes encore plus arrogant que je ne le soupçonnais.

« Aïe ! » La gifle. Pourtant, Walker refusait de capituler.

— Wyatt ! On y va ! Tout de suite !

Dans un effort désespéré pour rattraper la situation, Walker tenta de faire marche arrière.

— Je vous prie de m'excuser. De toute évidence, j'ai commis une erreur d'appréciation.

Allie ne lui répondit pas car Wyatt se précipitait vers elle.

— Maman ! Je veux celui-là ! s'écria-t-il en montrant le hors-bord sur lequel il venait de jouer. Je sais déjà le piloter. J'ai appris tout seul.

— Nous verrons, répliqua Allie avec un sourire tendu. Pour l'heure, Wyatt, j'aimerais que tu remercies M. Ford de nous avoir invités ici aujourd'hui. Et Cliff de nous avoir montré tous ces modèles.

— Merci, déclara docilement Wyatt.

— À votre disposition ! promit Walker, furieux contre lui-même. Je vous raccompagne jusqu'à votre voiture.

— C'est inutile, merci, trancha Allie en lui rendant la pile de brochures.

Après leur départ, il les remit en place. Il serait obligé de présenter ses excuses à Cliff. Voilà une vente qui ne se conclurait jamais.

— Merci beaucoup, Reid, grommela-t-il en regagnant son bureau.

Il se rassit et s'efforça de se concentrer sur ses dossiers. Lorsqu'il s'aperçut qu'il venait de relire trois fois la même phrase sans en comprendre le sens, il abandonna la partie. Il déambula jusqu'à la fenêtre.

Il savait qu'il avait raison. Il n'avait pas inventé ces ondes spéciales entre eux l'autre soir. Par conséquent, soit Allie lui avait menti, soit elle était dans le déni. Walker penchait plutôt pour la deuxième hypothèse. Il

130

tripota distraitement le cordon du store vénitien. Cette femme n'était pas malhonnête. Du moins, pas intentionnellement. Faire preuve d'honnêteté envers les autres était une chose. Envers soi, c'en était une autre. Nettement plus difficile.

À présent, le moment était venu pour lui d'être honnête avec lui-même. De toute évidence, il ne se passerait jamais rien entre lui et Allie. « Laisse tomber », s'ordonna-t-il. Sauf qu'il en était incapable. Il avait déjà essayé. Il la connaissait à peine et il l'avait déjà dans la peau.

Certes, il la trouvait désirable. Mais pas seulement. Quand il pensait à elle, ce n'était pas tant à son physique. Non, il la revoyait par exemple couper les pancakes de son fils au comptoir de chez *Pearl*. Curieusement, cette image l'avait frappé. Et elle n'avait rien de sexy, bien au contraire. C'était le côté maternel de cette femme qui l'avait séduit.

Il se figea. Reid avait peut-être raison. Peut-être rêvait-il de mariage et d'enfants. Du grand jeu. Alors, pourquoi avait-il tout raté la première fois ?

Il ruminait encore quand il quitta le chantier naval ce soir-là. Il avait baissé les vitres et mis un disque de Bruce Springsteen à plein volume mais, cette fois, le trajet ne lui apportait aucun plaisir. Il était hanté par les souvenirs de son existence avec Caitlin au cours des mois qui avaient précédé sa fausse couche.

Ils avaient vécu comme deux étrangers. En pire. Entre étrangers, ils auraient fini par se découvrir. Or, leur relation n'avait fait que régresser. De deux êtres qui se connaissaient, ils étaient devenus deux étrangers mariés. Deux étrangers qui envisageaient d'élever un enfant ensemble.

À une époque, ils avaient partagé au moins un point commun : leur désir mutuel. Cela n'avait pas duré. Dès qu'ils s'étaient rendu compte qu'ils ne partageaient rien d'autre, ils avaient commencé à s'éviter. Ce n'était pas bien difficile, vu la taille du chalet de Walker. Il se réfugiait dans son travail. Quant à Caitlin, il n'avait aucune idée de la façon dont elle s'occupait. À Butternut, elle n'avait jamais travaillé. Elle avait tout abandonné en quittant Minneapolis. Elle n'avait pas d'amis non plus. Les autochtones avaient pris sa réserve pour de l'arrogance et Walker n'avait pas cherché à dissiper ce malentendu.

Il savait aujourd'hui (il l'avait soupçonné sur le moment) combien Caitlin avait souffert de sa solitude. À l'époque, lui qui l'avait convaincue de l'épouser et d'emménager avec lui, n'avait rien fait pour l'aider.

Pourquoi ? Parce qu'il refusait d'admettre qu'elle était malheureuse. Qu'ils l'étaient tous les deux. S'il l'avait admis, il aurait été obligé de reconnaître qu'il avait commis une erreur en se mariant avec elle. Accepter que l'on se soit trompé oblige à en prendre la responsabilité et à agir en conséquence. Walker n'en avait pas eu le courage. Il avait donc choisi d'ignorer Caitlin dans le vague espoir qu'un jour elle... disparaîtrait. Le plus incroyable, c'était qu'elle avait failli exaucer ce vœu secret.

Sinon, comment expliquer sa surprise quand, un matin à la fin de l'automne, elle était entrée dans son bureau et lui avait tapoté l'épaule ?

— Caitlin ? s'était-il exclamé, surpris. Qu'y a-t-il ?

— Pardonne-moi de te déranger mais...

— Oui ?

— Ce n'est sans doute rien...

Elle paraissait très perturbée.

— Qu'est-ce qu'il y a, Caitlin ?

— Je n'ai pas senti le bébé bouger depuis que je me suis réveillée ce matin, avait-elle expliqué en posant la main sur son ventre légèrement arrondi.

— Est-ce inhabituel ?

Walker s'en était aussitôt voulu de ne pas connaître la réponse à sa question. Caitlin lui avait prêté plusieurs livres sur la grossesse et la naissance. Il n'avait jamais pris le temps de se pencher dessus.

— Oui. Je suis enceinte de presque six mois. Il remuait depuis deux bonnes semaines, de plus en plus fréquemment et aujourd'hui... rien.

— Pas même un frémissement ?

— Rien, avait-elle chuchoté, pâle comme un linge.

Walker avait réagi au quart de tour.

— Allons-y. J'appelle le cabinet du Dr Novak et je le préviens de notre arrivée.

Caitlin avait hoché la tête, visiblement soulagée que Walker prenne les choses en main.

Bien plus tard, dans la soirée, assise sur son lit dans sa chambre d'hôpital, elle avait affiché une expression impassible. Elle ne paraissait ni terrifiée ni rassurée. Elle avait le regard vide, le teint verdâtre. Walker était à son chevet, la tête tournée vers la fenêtre donnant sur le parking recouvert de la première neige de novembre.

Le Dr Novak était entré.

— Comment allez-vous ? avait-il demandé à sa patiente en parcourant sa fiche.

Caitlin ne lui avait pas répondu.

— Vous êtes en état de choc, avait-il expliqué d'un ton compatissant en s'approchant. C'est compréhensible. Il est très rare de perdre son bébé à ce stade de la grossesse. Ce sont des choses qui arrivent, Caitlin. On ne peut pas toujours les expliquer.

Caitlin était restée murée dans son silence.

— Walker, puis-je vous voir un instant ?

D'un geste, le Dr Novak lui avait indiqué la sortie. Walker avait acquiescé et l'avait suivi dans le couloir.

— Caitlin n'est sans doute pas apte à l'entendre, lui avait alors annoncé le médecin à voix basse. Quand elle le sera, rappelez-lui que vous êtes encore jeunes tous les deux. Vous n'avez eu aucune difficulté à concevoir ce bébé. Rien ne s'oppose à ce que vous en ayez un autre.

Vous pouvez fonder une famille. Ce sera un peu plus long que prévu, voilà tout.

Walker n'avait pas su quoi lui répondre. L'avenir de son couple lui paraissait si sombre. Il avait remercié le Dr Novak puis était retourné dans la chambre. Caitlin semblait s'être assoupie. Mais elle avait ouvert les yeux.

— Walker ?

— Oui ?

— Quand je sortirai d'ici, je m'en irai. Je rentrerai chez moi. À Minneapolis.

— Mais non, avait-il protesté, envahi par un sentiment de culpabilité.

Pas question de la laisser partir toute seule. Elle paraissait si fragile, si vulnérable. Caitlin avait insisté.

— Walker, nous nous sommes mariés pour l'enfant. Il n'y en a plus. Rien ne nous oblige à rester ensemble désormais.

— Ne t'en va pas ! l'avait-il suppliée en toute sincérité. Je ferai des efforts. Je sais que je me suis mal comporté. Je changerai. Je te le promets. Je... Reviens à la maison avec moi, je t'en prie.

Avec le recul, il était conscient qu'il aurait dû la laisser s'en aller. Il avait probablement réagi de la sorte pour apaiser sa conscience. Malheureusement, sur le moment il ne s'en était pas rendu compte.

Sortant alors de ses pensées, Walker regarda par son pare-brise et s'aperçut avec stupéfaction qu'il était stationné devant son chalet, le moteur de son pick-up tournant au ralenti. Comment était-il parvenu jusque-là ? Absorbé par les souvenirs de Caitlin, il avait parcouru une dizaine de kilomètres sans même s'en rendre compte.

15

Deux jours après leur visite au chantier naval, Allie bordait Wyatt dans son lit quand ils entendirent un roulement de tonnerre au loin.

— Enfin ! s'exclama-t-elle en s'asseyant auprès de son fils. Je me demandais quand cet orage allait se décider à éclater.

— Pourquoi ? s'étonna Wyatt.

— Après la pluie, l'atmosphère sera plus respirable.

Toute la journée, ils avaient souffert d'une chaleur humide et suffocante. Le ciel était plombé, le lac devenu un vaste ovale couleur d'étain. Allie avait guetté la pluie, en vain, et elle avait les nerfs en pelote. À cause du temps ? Ou des paroles de Walker Ford lors de leur dernière rencontre ? Difficile à dire. Elle fronça les sourcils en lissant le drap. Décidément, cet homme semblait doté d'un ego colossal. Comment expliquer autrement le fait qu'il ait refusé de la croire quand elle lui avait assuré n'éprouver aucune attirance pour lui ?

Le tonnerre gronda de nouveau, plus près, et Wyatt se raidit.

— Ne t'inquiète pas, mon chéri, murmura Allie en repoussant une boucle tombée sur ses yeux. Nous avions des orages à Eden Prairie. Tu t'en souviens ?

— J'avais peur aussi.

— Je sais, mon trésor.

Dans l'espoir de le distraire, elle décida d'aborder un tout autre sujet.

— Wyatt, est-ce que tu aimerais aller au centre de loisirs ?

— Avec Jade et ses sœurs ?

— Oui. Ce matin, j'ai discuté avec Kathy, la directrice, et elle m'a dit qu'il lui restait une place pour un enfant de ton âge. Elle m'a semblé très gentille. Quand je lui ai parlé de toi, de tout ce que tu aimes faire, elle m'a répondu qu'à son avis, tu t'y plairais beaucoup.

Wyatt réfléchit.

— Tu viendrais avec moi ? s'enquit-il avec une lueur d'espoir.

— Moi ? Non. Il faut avoir entre cinq et douze ans. Mais je t'y déposerais et viendrais te chercher. Entre-temps, si tu avais un souci, Kathy et les autres animateurs seraient là pour t'aider.

Il hocha vaguement la tête et Allie comprit que quelque chose le tracassait. Il changea de position.

— Je crois que ça me plairait, répondit-il enfin. Sauf que... et toi ? Qu'est-ce que tu feras ? Tu resteras ici toute seule ? Tu vas t'ennuyer.

— Wyatt, murmura Allie, à la fois touchée et attristée, tu n'as pas à t'inquiéter pour moi, d'accord ? Occupe-toi de toi et moi, je m'occuperai de nous deux. C'est ainsi que cela doit être entre une maman et son fils. D'ailleurs, figure-toi que je n'aurai sans doute pas le temps de m'ennuyer car je vais avoir du travail...

— Du travail ? répéta-t-il d'un ton si dubitatif qu'Allie faillit éclater de rire.

Il était trop jeune pour se rappeler qu'elle avait eu un emploi au sein de l'entreprise de Gregg.

— Exactement. Dans un endroit qui s'appelle la galerie *Pine Cone*. C'est une boutique où l'on vend les œuvres d'artistes qui vivent dans la région.

Un troisième coup de tonnerre retentit comme un claquement sec et Wyatt sursauta, terrorisé. Allie s'empressa d'enchaîner :

— La propriétaire m'a proposé de tenir le magasin. Ainsi, on aurait chacun des activités qui nous plaisent et, après, tu me raconterais ta journée au centre de loisirs et je te raconterais la mienne à la galerie. Qu'en penses-tu ?

Elle se força à sourire. Cette séparation serait aussi douloureuse pour elle que pour lui.

Avant qu'il ne puisse lui répondre, un éclair zébra le ciel, suivi par un coup de tonnerre si fracassant que Wyatt se jeta dans les bras de sa maman. Les lumières vacillèrent, s'éteignirent, puis se rallumèrent.

— N'aie pas peur, murmura Allie en serrant son petit contre elle.

Avait-on annoncé une tempête ? Elle n'était pas au courant. Ils ne s'étaient pas rendus en ville ce jour-là. Elle n'avait donc ni écouté la radio dans la voiture ni lu le journal. La télévision pourrait peut-être la renseigner, songea-t-elle en s'apprêtant à se lever. L'instant d'après, la foudre frappa une fois de plus et Wyatt se blottit contre elle. L'électricité flancha.

— Tu sais quoi ? s'exclama Allie étreignant fortement Wyatt. Un été à Butternut rime forcément avec au moins une coupure de courant. Allons chercher la lampe torche car d'ici peu, il fera complètement noir.

Tandis qu'elle entraînait Wyatt à la cuisine, elle constata qu'il faisait déjà beaucoup plus sombre que d'habitude. Elle comprit pourquoi en jetant un coup d'œil par la fenêtre.

De l'autre côté du lac, une muraille de nuages s'amassait. Mais, contrairement à un vrai mur, celui-ci se déplaçait. À toute allure. Tellement vite qu'il semblait fondre droit sur le chalet.

Allie sentit les poils de ses bras se hérisser. Elle se positionna entre Wyatt et la fenêtre pour lui cacher cette vision d'horreur.

— Je l'ai ! annonça-t-elle en attrapant la lampe torche.

Malheureusement, le faisceau en était faible. Wyatt s'en était servi pour jouer au « camping » sous le fort qu'il avait improvisé à l'aide d'une couverture dans le salon. La gorge nouée, Allie fouilla le tiroir en quête de piles neuves. Le courant ne serait sans doute pas remis avant plusieurs heures.

Sa recherche s'avéra vaine. De plus en plus inquiète, elle se tourna vers le téléphone. Mais qui appeler ? Et que dire ? Sans chercher de réponses à ses questions, elle décrocha le combiné. Pas de tonalité ! Elle pensa à son portable. Mauvaise pioche aussi, elle n'avait toujours pas modifié son abonnement et n'avait pas de réseau. La masse de nuages se rapprochait dangereusement. Un frisson lui parcourut l'échine.

Puis elle se rappela ce qu'elle venait de dire à Wyatt, quelques instants auparavant. Elle qui avait prétendu être là pour le protéger, elle n'était pas bien fière d'elle. Elle devait à tout prix garder son calme. Réfléchir.

— Wyatt, il me semble avoir aperçu une vieille lanterne dans l'armoire du vestibule, proclama-t-elle en lui confiant la lampe électrique. Tu vas m'aider à la trouver.

Wyatt lui emboîta le pas docilement et l'éclaira tant bien que mal pendant qu'elle fourrageait dans les profondeurs imprégnées d'une odeur d'antimites. À chaque coup de tonnerre, il tressaillait.

Elle était hissée sur la pointe des pieds pour inspecter l'étagère du haut quand, soudain, Wyatt se précipita vers la fenêtre du salon.

— Maman, il y a quelqu'un !

Allie tourna la tête vers lui tout en essayant de repousser le sac de couchage qu'elle avait malencontreusement délogé. Quel être sain d'esprit oserait s'aventurer dehors par un temps pareil ? Justement... se dit-elle en se figeant. Et si le rôdeur était un cinglé ? Et si, comme ce personnage d'un film de série B qu'elle avait vu autrefois, c'était un maniaque venu les terroriser ?

— Wyatt, ne va pas ouvrir ! Tu te souviens de ce que je t'ai expliqué ? Si un inconnu se présente, tu viens me chercher. Tu ne laisses personne entrer sans mon autorisation.

— C'est pas un inconnu. C'est M. Ford. Du chantier naval.

— M. Ford ?

Le sac de couchage s'échappa des mains d'Allie et tomba par terre. Ici ? Maintenant ?

Un tambourinement à la porte l'incita à réagir.

— Je lui ouvre ? demanda Wyatt.

— Non. Reste où tu es. Assieds-toi en attendant, ajouta-t-elle en indiquant l'un des fauteuils. Je vais voir ce qu'il veut.

À peine avait-elle tiré le verrou que Walker se propulsa à l'intérieur.

— Vous avez un sous-sol ?

— Un sous-sol ? répéta-t-elle, sidérée par sa brusquerie.

— Oui. Un sous-sol, une cave, un refuge souterrain quelconque ?

— Non, répliqua-t-elle, tandis qu'une explosion de tonnerre secouait le chalet.

— Où est votre fils ?

— Là.

— Allons-nous en !

Walker rouvrit la porte et Allie nota qu'il avait laissé tourner le moteur de son pick-up, tous phares allumés.

— Où ?

— Chez moi. Je ne veux pas effrayer votre fils mais les services météo ont lancé une vigilance rouge sur tout le comté jusqu'à deux heures du matin. Trois tornades ont déjà touché la région. Il est hors de question que vous restiez ici : ce tas de brindilles s'écroulerait sous l'effet d'une forte brise, alors une tornade…

Allie le fixait, clouée sur place. Walker prit son hésitation pour un refus.

— N'imaginez pas une seconde que cela a un rapport avec mon invitation de l'autre jour. Croyez-moi. Vous devez vous mettre en sécurité le plus vite possible et ma maison est le seul refuge le plus proche à la ronde.

Allie avait d'autres préoccupations. Une tornade ? Ici ? À Minneapolis, ces phénomènes étaient courants. Jamais elle n'avait imaginé qu'ils puissent se produire aussi loin vers le nord. En règle générale, les tornades s'abattaient sur des espaces ouverts, rarement sur les régions boisées du nord du Minnesota. Tout à coup, un souvenir d'enfance lui revint… une année, son père l'avait emmenée voir un chalet au bord du lac de Butternut qui venait d'être rasé par une tornade. Dieu merci, on n'avait déploré aucune victime, les propriétaires étant absents.

— On y va ! décida-t-elle.

Le cœur battant, elle courut vers Wyatt. S'obligeant à adopter un ton calme, elle s'agenouilla près de lui.

— Wyatt, M. Ford va nous emmener chez lui.

— Pourquoi ?

— Parce que…

Mille et un mensonges plausibles lui traversèrent l'esprit mais elle opta pour la vérité.

— Parce que cette tempête est particulièrement violente. M. Ford pense que nous serons plus en sécurité dans sa maison.

Wyatt opina et elle le souleva dans ses bras. Walker trépignait d'impatience sur le seuil. Allie paniqua. Elle portait sa tenue de nuit – un débardeur et un bas de pyjama – mais n'avait pas le temps de se changer. Elle enfila donc la paire de tongs qu'elle avait laissée sur le paillasson et saisit au vol son trousseau de clés.

— C'est bon ?

Elle acquiesça, sortit, verrouilla la porte et fut frappée de constater combien il faisait noir.

Walker lui ouvrit la portière du côté passager. Elle se hissait au côté de Wyatt quand elle sentit les premières gouttes de pluie sur ses épaules. Walker dut lutter contre une rafale pour claquer la portière avant de courir du côté conducteur.

Allie attacha maladroitement la ceinture autour d'elle et de son fils. Walker appuya sur l'accélérateur et le pick-up démarra en trombe. Il fit demi-tour et fonça vers la nationale.

À présent, Allie s'inquiétait de la vitesse à laquelle Walker roulait. Le vent soufflait de plus en plus fort et, déjà, la chaussée était jonchée de branches. Walker était obligé de se faufiler entre elles et Allie n'osa imaginer ce qui se passerait si une voiture déboulait en sens opposé. La pluie redoubla d'intensité. Bientôt, ce fut un véritable déluge.

Walker laissa échapper un juron.

Allie ne lui demanda pas ce qui le tracassait. Elle le savait déjà. La visibilité était quasiment nulle, le macadam glissant. Que Walker parvienne à rester dessus tenait du miracle.

Elle se tourna vers Wyatt. Stoïque, il fixait la route droit devant lui. Elle le serra contre elle tandis que Walter bifurquait brusquement dans ce qu'elle supposa être son allée. Soudain, ils entendirent un craquement sec sur le toit du véhicule, puis un deuxième et un troisième, jusqu'à former un bruit continu, si assourdissant qu'Allie plaqua les mains sur les oreilles de Wyatt.

— Qu'est-ce que c'est, maman ?

— La grêle, lui chuchota-t-elle. Ça ne va pas durer.

Un violent éclair illumina le ciel. Des grêlons gros comme des balles de golf rebondissaient sur le capot.

Clignant les yeux, Allie découvrit avec étonnement les fenêtres éclairées du chalet de Walker.

— Vous n'avez pas subi de coupure de courant ?

— J'ai un générateur, répliqua-t-il en se garant sous l'auvent.

« Naturellement, songea Allie. Il a probablement aussi un tiroir rempli de piles neuves. »

Walker coupa le moteur. Allie détacha sa ceinture et descendit du pick-up, Wyatt dans ses bras. Elle se prépara à piquer un sprint entre l'auvent et la porte d'entrée du chalet.

— Prête ? s'enquit Walker.

— Prête.

Elle le suivit dans un tourbillon de pluie, de vent et de grêle. Les éclairs se succédaient et un coup de foudre retentit. Wyatt cacha la tête dans son épaule.

Enfin, Walker leur ouvrit et les poussa à l'intérieur.

— Ça va ?

— Je crois que oui, répondit Allie, le souffle court, en balançant Wyatt d'une hanche à l'autre... Où devons-nous nous rendre ? Dans votre sous-sol ?

— Non, c'est inutile, expliqua Walker en les conduisant vers le salon... Cette bâtisse est construite pour résister à des vents de deux cent quatre-vingts kilomètres-heure.

— Très... impressionnant, bafouilla Allie.

Elle sentit Wyatt se décontracter légèrement. Comme lui, elle scruta la pièce et comprit son soulagement. Toutes les lumières étaient allumées et l'entrelacs de poutres soutenant le plafond ainsi que l'énorme cheminée en pierre occupant presque tout un mur inspiraient un sentiment de sécurité. Dehors, la tempête continuait de faire rage mais elle semblait lointaine. Irréelle.

— Je vais vous chercher des serviettes, déclara Walker avant de disparaître.

— Maman ! Comme c'est grand ! souffla Wyatt, émerveillé.

— Effectivement, c'est grand, reconnut Allie.

« Trop grand », faillit-elle ajouter. Elle se ravisa juste à temps. Ce jour-là, grandeur rimait avec solidité. Leur chalet était plus petit et plus chaleureux... en admettant qu'il soit encore debout.

Walker reparut et tendit à Allie deux draps de bain.

— Je vais dans mon bureau. Je suis le trajet de la tempête sur un radar Doppler.

— Ce machin qu'utilisent les météorologues ?

— Les pêcheurs aussi. Nous en vendons beaucoup au chantier naval. Voulez-vous que je vous montre comment ça marche ? Vous verrez la puissance de l'ouragan.

— Non, merci, sans façons, murmura Allie. J'en ai déjà une bonne idée.

— Bien, conclut-il avec un petit sourire.

Il s'éclipsa. Allie déposa enfin Wyatt sur le sol et lui essuya les cheveux.

— Là, ça va mieux, non ?

« À mon tour », décida-t-elle. Malheureusement, elle ne pouvait pas grand-chose pour améliorer son apparence. Son débardeur mouillé lui collait à la peau et son bas de pyjama était carrément trempé.

« Comme par hasard, les deux fois où je viens ici, je suis à peine vêtue et dégoulinante. » Elle éprouva un élan d'irritation envers Walker Ford. À tort, bien sûr. Ce n'était pas de sa faute si elle persistait à se mettre dans le pétrin et lui, à l'en sortir. Tout de même, c'était agaçant. Cet homme était si... compétent. Si prévoyant. La preuve, il s'était équipé d'un radar Doppler ! Elle, elle n'avait presque rien. Sauf Wyatt et une foi mal placée en sa capacité à veiller seule sur leur bien-être.

Lorsqu'ils furent à peu près secs, elle poussa Wyatt vers l'un des divans. Elle prit soin d'y étaler une peau de mouton pour protéger le cuir de leurs vêtements humides. Ils s'y installèrent tous les deux, côte à côte, puis elle remit sur eux une deuxième peau de mouton. Visiblement, Wyatt n'avait pas envie de parler. Il était en alerte, aux aguets. Elle lui caressa tendrement le front et, peu à peu, il se détendit jusqu'au moment où il s'assoupit.

Allie s'efforça de rester éveillée mais c'était difficile, d'autant que l'orage s'éloignait. Ces grondements de tonnerre de plus en plus diffus, ces ultimes souffles de vent avaient quelque chose d'apaisant. Pour finir, elle s'endormit aussi. Quand, un moment plus tard, Walker lui tapota l'épaule, elle sursauta.

— Comment allez-vous, tous les deux ?

— Très bien, merci.

Allie se redressa, se recoiffa machinalement, gênée qu'il l'ait découverte ainsi. Mais Walker ne la regardait pas, il contemplait Wyatt.

— Il est drôlement courageux, votre petit bonhomme.

— Oui, convint Allie.

Le pauvre, il n'avait pas le choix.

— Je venais vous prévenir que l'alerte vigilance a été levée. Du moins pour l'instant. Cette tempête faisait partie de tout un système qui va traverser la région dans les heures à venir.

— Ce n'est pas fini ?

— Non. J'ai bien peur que vous ne deviez passer la nuit ici. Je vous reconduirais volontiers chez vous mais la route est impraticable. En revanche, je pourrai vous ramener en bateau dès que le temps le permettra.

— Nous vous aurons beaucoup dérangé, murmura Allie, ennuyée.

Walker haussa les épaules.

— Je vous montre la chambre d'amis ?

Soulevant Wyatt dans ses bras, Allie suivit Walker jusqu'à une chambre meublée de lits jumeaux. Comme ailleurs, le décor était à la fois impersonnel et luxueux. « Un peu comme un grand hôtel », pensa-t-elle.

Elle déposa délicatement Wyatt, qui réagit à peine, puis se tourna vers Walker, resté sur le seuil.

— Merci.

Décidément, face à cet homme, elle manquait singulièrement d'inspiration.

— Avez-vous besoin de quelque chose ? Des vêtements de rechange ?

Elle secoua la tête, mais sentit un flot de chaleur lui monter aux joues.

— Les miens sont presque secs. D'ailleurs, je suis trop fatiguée pour me soucier de ma tenue.

— Vous avez une salle de bains au bout du couloir. Et des couvertures supplémentaires dans l'armoire. Euh... n'hésitez pas à me prévenir s'il vous manque quoi que ce soit.

— Entendu, mentit-elle.

— Bonne nuit.

Il se détourna. Au moment de refermer la porte, il marqua une pause.

— Au fait, vous devriez téléphoner à Caroline demain matin. Elle s'inquiétait pour vous.

— Comment le savez-vous ?

— Elle m'a appelé sur mon portable. Elle m'a expliqué qu'elle avait tenté de vous joindre mais que votre ligne était coupée. Elle craignait que vous ne soyez pas au courant de l'alerte vigilance et voulait que je prenne de vos nouvelles.

— C'est la raison pour laquelle vous êtes venu ?

— Non. Quand elle m'a contacté, j'étais déjà dehors. Je ne voulais pas vous laisser subir une tempête pareille toute seule.

Sur ces mots, il s'en alla.

Allie remonta les couvertures sur Wyatt, se coucha et éteignit la lampe trônant sur la table de chevet commune. Puis elle essaya de dormir. De toutes ses forces. Sans succès. Bientôt, il y eut un deuxième orage, un troisième... et elle finit par perdre le fil tellement ils s'enchaînaient. Par intervalles de quelques minutes, elle s'assoupissait et une foule d'images lui remontait à la mémoire comme les mains de Walker sur le volant de son pick-up ou la façon dont il avait contemplé Wyatt sur le canapé.

Elle essaya de se persuader que c'était le mauvais temps qui la perturbait mais, au fond, ce n'était pas uniquement cela. Quelque chose d'autre la tracassait. Quelque chose d'impalpable s'infiltrait dans sa conscience. Elle devait à tout prix se ressaisir. Car, si elle avait eu peur de l'orage, elle craignait encore plus ses… sentiments.

16

Le lendemain matin, dans sa cuisine inondée de soleil, Walker se versait une tasse de café quand il sentit la présence d'Allie derrière lui.

— Bonjour, murmura-t-elle sur le seuil de la pièce.

Il se retourna et elle le salua d'un vague signe de la main. Elle était visiblement mal à l'aise et il compatissait. Ils ne se connaissaient pas assez pour jouer à fond la scène du « lendemain matin ». Il ne s'était rien passé entre eux la veille, pourtant, ils étaient aussi gênés l'un que l'autre.

— Bonjour... Bien dormi ?

— Pas vraiment, avoua-t-elle en croisant les bras.

Elle portait la même tenue que lorsqu'il était venu la chercher : débardeur, bas de pyjama et tongs. Il s'efforça, sans succès, de ne pas fixer ses épaules quasiment nues. Elle se raidit.

— Voulez-vous une tasse de café ? proposa-t-il dans l'espoir de combler le silence.

— Volontiers, accepta-t-elle en s'avançant d'un pas timide.

— Lait demi-écrémé ?

— Je vais me servir, déclara-t-elle en s'arrêtant près de lui.

Il lui tendit la tasse et elle y ajouta un peu de lait. Puis il lui donna une cuiller et elle lui adressa un sourire reconnaissant en remuant son café.

Il but le sien en l'observant. Ses cheveux couleur de miel foncé, normalement coiffés en queue-de-cheval, cascadaient dans son dos et ses yeux noisette, tirant en général davantage sur le brun, paraissaient étonnamment verts à la lumière du soleil. Ce matin, c'était sa bouche qui le fascinait par-dessus tout, d'un rose très pâle, si vulnérable. Son cœur se serra et il s'aperçut tout à coup qu'il avait du mal à respirer.

— Wyatt dort toujours ? demanda-t-il, cherchant par tous les moyens à ignorer son émoi.

— Comme une marmotte.

— Incroyable.

De son côté, Walker n'avait pas fermé l'œil de la nuit. Il ignorait jusqu'à quel point l'orage en était la cause.

— Oui, renchérit-elle. Quand il était bébé, il sombrait dans un sommeil si profond et pour si longtemps qu'il m'est arrivé de le réveiller juste pour m'assurer qu'il allait bien. Ma voisine, qui avait élevé quatre enfants, m'a assuré que je serais nettement plus « cool » avec un deuxième.

Elle ébaucha un sourire à ce souvenir et secoua la tête.

— Je ne le saurai sans doute jamais, ajouta-t-elle, plus pour elle-même que pour lui.

Puis elle devint écarlate, honteuse de s'être ainsi dévoilée.

Walker demeura songeur. Était-elle sincèrement convaincue qu'elle n'aurait jamais un deuxième enfant ? Elle était si jeune. Il choisit de se taire. Ce n'était pas son domaine de compétence. Loin de là.

— Et vous ? Bien dormi ? demanda-t-elle.

— Pas du tout, confessa-t-il.

— Même pas un tout petit peu ?

— Non. Au bout d'un moment, j'ai fini par accepter que je n'y arriverais pas.

— Vous étiez inquiet ? À propos du chantier naval ?

— Inquiet ? bredouilla-t-il bêtement.

Qu'elle était belle ! Même quand elle fronçait les sourcils.

— Non, se reprit-il, comprenant enfin le sens de sa question. Une fois que vous et Wyatt avez été couchés, j'ai téléphoné à Cliff. Il m'a mis au courant de la situation. En fait, les dommages sont minimes. Nous avions réussi à abriter la plupart des bateaux dans l'après-midi.

— Vous saviez donc qu'une tempête se préparait ?

— Comme tout le monde, sans doute.

— Sauf moi, admit-elle. J'étais complètement à côté de la plaque… Si vous n'étiez pas intervenu, la nuit aurait pu se terminer en catastrophe.

Il commença à lui répondre mais soudain, elle posa sa tasse avec une telle force qu'il en sursauta.

— Quelle idiote, je suis ! Si j'avais pris la peine de réfléchir, je me serais équipée d'un portable qui fonctionne. Ou d'un générateur. Ou…

— Ne soyez pas si dure envers vous-même, l'interrompit-il.

— Pourquoi pas ? riposta-t-elle, cramoisie. C'est moi qui ai eu la brillante idée de venir m'installer ici. De prendre un nouveau départ. De rechercher la paix, la tranquillité et la solitude, vertus dont Wyatt se fiche éperdument. J'avais décidé que l'on se débrouillerait sans l'aide de quiconque. Or, je n'ai rien préparé. Hier soir, je me suis aperçue que je n'avais même plus de piles électriques !… Depuis que je suis réveillée, je rumine, poursuivit-elle d'un ton plus doux mais toujours teinté de colère. Si notre chalet existe toujours, j'insiste sur le « si », le mieux est de renoncer avant qu'il ne soit trop tard. Je vais le vendre et retourner vivre dans les faubourgs de Minneapolis.

— Allie, taisez-vous ! s'exclama Walker en agitant une main. Vous exagérez. Je m'apprêtais à vous l'annoncer il y a une minute, votre chalet n'a rien. Quelques tuiles ont été arrachées du toit et plusieurs arbres sont tombés mais c'est tout. Je regrette d'avoir traité votre maison de « tas de brindilles ». De toute évidence, j'avais tort.

— Comment le savez-vous ?

— J'y suis allé.

— Quand ?

— Ce matin, aux aurores. En bateau. Je me suis amarré à votre ponton et j'ai inspecté les lieux. L'un dans l'autre, les dégâts m'ont paru infimes.

— Vous n'étiez pas obligé.

Ce n'était pas une accusation, loin de là.

— Je ne parvenais pas à dormir. Je voulais m'assurer que vous aviez une maison où rentrer. À moins que vous n'envisagiez sérieusement de vendre votre propriété…

Il ne termina pas sa phrase, craignant la réponse.

Allie se mordit la lèvre.

— En fait, non. Nous ne pouvons pas rebrousser chemin. Nous ne sommes plus chez nous à Eden Prairie et nous ne nous sentons pas encore totalement chez nous ici. Nous sommes… entre deux chaises, Wyatt et moi.

— Ce doit être pénible.

Malgré lui, Walker était soulagé. Une idée lui vint :

— Si vous avez l'intention de rester dans la région, je pourrais vous donner un coup de main pour tout ce qui concerne la préparation aux urgences. Vous devriez commencer par acheter une radio météo. L'appareil est facile à manipuler et on peut le programmer pour sonner l'alerte à l'approche d'une tempête.

— Laissez-moi deviner, le taquina-t-elle. Vous en vendez dans votre boutique ?

— À vrai dire, oui, répliqua-t-il en riant. Mais ce n'était pas mon but.

Il redevint grave. Il avait un autre sujet à aborder.

— Avec le recul, je n'aurais probablement pas dû venir vous chercher hier soir.

— Pourquoi ?

150

— D'une part, votre chalet est beaucoup plus solide que je ne l'imaginais. D'autre part, le trajet était terriblement dangereux, la visibilité nulle. Nous aurions pu avoir un accident.

— Nous sommes arrivés sains et saufs.

— En effet.

Perdait-il la tête ou s'était-elle rapprochée de lui ?

— Walker, pourquoi êtes-vous venu ? Réellement.

Cent prétextes lui vinrent à l'esprit, tous faux.

— N'est-ce pas évident ?

Sans un mot, elle posa sa tasse et fit un pas vers lui. Puis elle effleura sa joue du bout des doigts.

— Vous paraissez épuisé.

Walker demeura immobile comme une statue. S'il parlait, s'il bougeait, cet instant magique se volatiliserait. Elle était comme la biche qu'il avait entrevue dans les bois quelques jours plus tôt. Sur le qui-vive. Tendue. Fébrile. Un geste de nervosité et elle s'enfuirait.

— Je suis désolée de m'être emportée au chantier naval l'autre jour, murmura-t-elle en explorant le contour de son menton.

— Ce n'est pas grave.

« Pourvu qu'elle continue ! » pensa-t-il. Elle continua. Elle se pencha vers lui, se hissa sur la pointe des pieds et réclama ses lèvres. Délicatement. Timidement. Comme si elle testait l'idée de l'embrasser. Sans la toucher, il lui rendit son baiser. Avec tendresse.

Il la désirait si fort qu'il eut un mal fou à se contrôler. Il aurait voulu enfouir les mains dans ses cheveux, l'étreindre avec ferveur, sentir chaque centimètre carré de son corps contre le sien, caresser ses épaules nues. Il n'en fit rien.

Elle chancela et il sentit les pointes de ses seins se durcir sous le fin coton de son débardeur. Incapable de se retenir davantage, mais en prenant toutes ses précautions, il noua les bras autour de sa taille et l'attira imperceptiblement vers lui.

En réponse, elle entrouvrit les lèvres. Quand leurs langues se frôlèrent, il reçut comme une décharge électrique, si puissante qu'il faillit en tomber à la renverse. Il se maîtrisa, se contentant de savourer ce baiser au goût si exquis. Grisée, elle s'accrocha à son cou.

Puis, subitement, il se passa quelque chose. Walker ignorait quoi. L'instant d'avant, elle fondait dans ses bras, et maintenant, elle le repoussait. Avec douceur, certes, mais elle le repoussait.

— Il faut que j'aille réveiller Wyatt, chuchota-t-elle.

— Pourquoi ?

— Parce que ceci est… mal, bredouilla-t-elle.

— Comment ça ? riposta-t-il.

— Je… je n'aurais pas dû. Je dois être fatiguée. J'ai agi sur un coup de tête ou… bref…

— Croyez-moi, j'étais plus que consentant.

Paupières closes, elle secoua la tête.

— Wyatt et moi allons vous laisser. Nous ne pouvons pas rester ici.

Elle alla poser sa tasse vide dans l'évier et il remarqua avec stupéfaction que ses mains tremblaient. Elle avait peur. Pas de lui mais de ce qui s'était passé entre eux.

— Je vous ramène à bord de mon bateau, proposa-t-il, submergé par un élan de compassion envers elle. Allez chercher Wyatt, je prends mes clés.

Elle opina sans un mot et quitta la cuisine.

Walker ouvrit un tiroir et en sortit son trousseau. En le refermant d'un geste brutal, il sentit son portable vibrer dans la poche avant de son jean. Il s'empara de l'appareil et jeta un coup d'œil sur l'écran. C'était Reid. Laissant la communication basculer sur la messagerie vocale, il remit le téléphone en place. Pour l'heure, il ne pouvait penser à rien d'autre qu'à Allie. Il la sentait encore, appuyée contre lui, et se délectait encore du goût de ses lèvres.

Le cellulaire se remit à vibrer presque aussitôt. Cette fois, Walker décrocha.

— Quoi ? aboya-t-il.

— J'ai besoin d'une estimation des dégâts sur le chantier de Butternut.

— Je te rappelle dans un quart d'heure, répondit-il en empochant ses clés et en se versant une troisième tasse de café

— Ça ne peut pas attendre, insista Reid. Nous devons déclarer le sinistre aux assurances le plus vite possible. Le chantier de Butternut n'est pas le seul à avoir souffert. Cette tempête a ravagé tout le nord-est de l'État.

— Je ne peux pas te parler maintenant, rétorqua Walker, soudain envahi par une intense sensation de lassitude. Je te rappelle, d'accord ? J'ai quelque chose à faire d'abord.

— Tu parles ! grogna Reid.

— À plus tard.

Walker coupa la communication, fonça jusqu'à la porte de la cuisine, l'ouvrit et jeta son portable dans le bosquet.

17

— Par chance, aucune de ces tornades n'a touché des zones surpeuplées, déclara Caroline, penchée sur son comptoir.

C'était la fin de l'après-midi. Elle et Allie buvaient un thé glacé chez *Pearl* pendant que Wyatt jouait par terre avec ses petites voitures.

— Oui, répondit Allie en touillant sa boisson avec la paille. Ça aurait pu être bien pire.

— Je n'en reviens pas qu'il leur ait fallu trois jours pour dégager la route du bord du lac. Vous deviez tourner en rond tous les deux, isolés dans votre chalet.

— À vrai dire, Wyatt était au septième ciel. En découvrant tous les arbres tombés sur la propriété, j'ai pensé uniquement à ce que cela allait me coûter pour les déblayer. Wyatt, lui, était enchanté à l'idée de toutes les cabanes qu'il allait pouvoir construire.

— Vous n'avez eu besoin de rien pendant tout ce temps ?

— Non. Nous avons eu une coupure de courant, j'ai donc été obligée de jeter la glace qui avait fondu dans le congélateur mais j'avais de quoi tenir. Et puis, Walker Ford nous a appelés pour savoir si nous avions besoin de quelque chose. Je l'ai rassuré.

Était-ce son imagination ? se demanda Caroline. Ou Allie avait-elle rougi en prononçant le nom de son voisin ?

— À propos, merci de lui avoir suggéré de venir prendre de nos nouvelles la nuit de la tempête.

— Il m'a dit qu'il était déjà en chemin.

— Exact. Il ne s'est pas contenté de prendre de nos nouvelles. Il nous a emmenés passer la nuit chez lui. Le lendemain matin, avant notre réveil, il s'est précipité à mon chalet estimer les dégâts. Il s'est comporté en voisin plus que parfait.

— Ça ne m'étonne pas, asséna Caroline. Je connais des gens par ici qui le trouvent un peu… comment dire… distant. Il ne l'est pas. Réservé, oui. Mais pas indifférent. Il s'occupe beaucoup de cette ville et de ses habitants. Il est solitaire, voilà tout.

Allie opina, pensive.

— Il y a quelque chose dont j'aimerais vous parler.

Elle jeta un coup d'œil derrière elle : Wyatt était totalement absorbé par son jeu.

— Je l'ai embrassé, Caroline, avoua-t-elle en toute simplicité. Dans sa cuisine, à huit heures du matin, je l'ai embrassé. J'ignore ce qui m'a pris.

— Vous en aviez envie, je suppose, suggéra Caroline en retenant un sourire.

— Bien entendu. Mais pourquoi ?

— Parce qu'il vous plaît ?

Allie était une femme intelligente. Concernant les affaires de cœur, en revanche, elle semblait un peu lente à la détente.

— Oh, oui, admit Allie, avec un sourire gêné. D'ailleurs, si Wyatt n'avait pas été endormi dans la chambre d'amis à ce moment-là, qui sait comment cette histoire se serait terminée ?

Caroline, qui n'avait aucun mal à le deviner, garda le silence.

— Toujours est-il que depuis, je suis sens dessus dessous. Le revoir ? L'éviter ? Les deux possibilités me terrifient. Je n'ai pas peur de lui mais de ce que j'ai ressenti dans ses bras.

Caroline pesa soigneusement ses mots.

— Allie, est-ce à ce point surprenant qu'il vous attire ? Walker Ford est un homme fort séduisant.

— Je sais. Enfin, je le savais déjà. Sur un plan purement intellectuel, en tout cas. J'étais loin de me douter que physiquement, je... Caroline, je n'étais pas préparée à un tel événement.

— Allie, Walker est-il le premier homme à vous mettre en émoi depuis... depuis que vous avez perdu Gregg ?

Allie baissa les yeux.

— Oui.

« Elle a honte ! » se dit Caroline, sidérée.

— Il ne vous est jamais venu à l'esprit que vous pourriez un jour refaire votre vie ?

Allie haussa les épaules.

— Peut-être que si j'y avais réfléchi... Seulement, je n'y ai jamais réfléchi. Quand Gregg est mort, j'ai cessé de m'intéresser aux hommes. Du moins, dans cette optique. C'est un peu comme si je ne les voyais plus. Vous comprenez ?

Caroline comprenait parfaitement. Elle avait eu une réaction similaire quand son mari, le père de Daisy, l'avait quittée. Ce n'était pas une volonté de sa part, pas complètement, mais à l'époque, elle était tellement épuisée de devoir élever sa fille et gérer son entreprise toute seule qu'elle avait mis une croix sur les hommes. Plus tard, elle aurait pu changer d'attitude mais elle s'était rendu compte qu'elle ne les considérait plus comme des amoureux potentiels. Au contraire, ils étaient seulement des clients dont elle devait remplir les tasses vides et à qui elle devait servir des œufs au plat accompagnés ou non d'une tranche de bacon.

Cependant, si Caroline avait choisi cette solution, ce n'était pas forcément la meilleure. Allie était encore très jeune – à peine trente ans, et elle avait un fils. Bien sûr, Caroline s'était occupée en solo de Daisy et elle était fière de ce qu'était devenue sa fille. En revanche, les garçons avaient besoin d'un modèle paternel, quelqu'un avec qui taper dans un ballon.

Elle décida donc, elle qui préférait se mêler de ses affaires, de donner son avis. D'après son expérience, si les gens avaient souvent besoin qu'on les écoute, ils n'étaient pas nécessairement prêts à recevoir des conseils. Pour Allie, elle ferait une exception. Le jeu en valait la chandelle.

— Je comprends ce que vous voulez dire. Seulement voilà : que vous les remarquiez ou pas, les hommes sont toujours là. Walker est quelqu'un de bien. Si vous êtes prête à vous jeter à l'eau, vous pourriez tomber plus mal.

— À vous entendre, c'est très simple.

— Parfois, ça l'est.

— Pas pour moi, insista Allie. J'ai l'impression de commettre une infidélité envers Gregg. Ou en tout cas, envers sa mémoire.

Caroline poussa un soupir et serra brièvement le bras d'Allie.

— Ma chère, je ne peux pas ressentir ce que vous éprouvez. Pas exactement. Par contre, je conçois que ce soit perturbant. Et difficile.

— Que dois-je faire ?

— Que voulez-vous faire ?

— Là, tout de suite ?

— Oui.

— L'inviter à dîner chez moi. Pour le remercier, d'une part. Et d'autre part, parce que j'espère avoir fantasmé sur la perfection de notre baiser.

— En somme, vous préféreriez qu'il soit maladroit ?

— Oui. Repoussant, même. Ainsi je pourrais oublier cette première étreinte. À jamais.

— Ce n'aurait donc été qu'un… moment de folie ?

— Absolument, décréta Allie.

Caroline pouffa et Allie se joignit à elle.

— Mon raisonnement ne tient pas debout, admit-elle. Pour l'heure, je n'ai pas d'autre plan.

— Le recevoir pour un repas me paraît une bonne idée. Mais pour le reste, je me méfierais. Walker Ford ne me semble pas du genre à faire les choses à moitié.

— Vous avez raison.

Un silence confortable les enveloppa, ponctué par les onomatopées de Wyatt évoquant des bruits de moteur.

— Merci, Caroline, dit enfin Allie. Merci de m'avoir écoutée.

— Je m'efforce de ne jamais juger les autres.

C'était vrai. Si Caroline avait une devise dans la vie, c'était celle-là : jamais de jugement sur autrui. Dans la mesure du possible.

Le tintement de la porte d'entrée interrompit ses pensées. Elle avait oublié de retourner sa pancarte quand Allie et Wyatt étaient arrivés à quinze heures. Toutefois, en découvrant le nouveau venu, elle afficha un grand sourire. C'était Buster Caine. Elle ne l'avait pas revu depuis sa première visite, un mois auparavant, et s'était demandé s'il avait finalement renoncé à acheter son chalet.

— Monsieur Caine !

— Je vous en prie, appelez-moi Buster, répondit-il, ses yeux bleus toujours aussi pétillants.

— Buster, alors... Buster, voici Allie Beckett. Allie, Buster Caine.

Tous deux se serrèrent la main.

— J'espère que je ne vous dérange pas ? s'enquit-il poliment auprès d'Allie, qui observait Caroline avec amusement.

— Pas du tout ! Wyatt et moi devons rentrer chez nous, ajouta-t-elle en aidant son fils à ramasser ses jouets.

— Vous pouvez rester, intervint Caroline.

Qu'Allie s'en aille uniquement parce que Buster Caine venait d'arriver était ridicule. La mère et l'enfant atteignaient déjà la sortie.

— Merci pour le thé glacé ! Wyatt, remercie Caroline pour le verre de lait et les cookies.

Wyatt s'exécuta solennellement.

— Attendez ! Quand commencez-vous à travailler à la galerie ? lança Caroline derrière elle.

— Lundi ! Souhaitez-moi bonne chance.

— Bonne chance, marmonna Caroline, tandis que la porte se refermait.

— Je tombe mal ? demanda Buster, resté debout. Je peux revenir pendant les heures ouvrables, si vous voulez.

Il ébaucha un petit sourire et Caroline se rendit compte qu'il avait espéré la trouver seule. Le cœur battant, elle s'empara d'un torchon.

— Non, non, protesta-t-elle, faussement nonchalante, en essuyant le comptoir. Sauf que je ne sais pas si j'ai de quoi vous nourrir. Nous avons eu beaucoup de monde aujourd'hui. Il ne me reste plus grand-chose.

— Aucune importance. J'ai déjeuné. En revanche, je prendrais volontiers une boisson fraîche. Si cela ne vous ennuie pas.

— Pas du tout. Que diriez-vous d'un thé glacé ?

— Excellent, répliqua-t-il en se hissant sur un tabouret.

— Si je ne m'abuse, il doit rester une part de tarte aux pommes.

— Comment refuser ?

Caroline s'empressa de le servir.

— Je ne regrette pas d'être venu ! annonça Buster Caine en goûtant la tarte.

Caroline lui sourit et remplit son propre verre de thé glacé.

— Vous êtes bien installé chez vous ?

— Pas mal. J'ai tout déballé.

— Vous étiez là le soir de la tempête ?

Il secoua la tête en avalant un morceau de sa tarte.

— J'étais retourné à Minneapolis régler quelques affaires. Caroline, je ne suis pas venu ici, dans ce charmant café, uniquement pour déguster une pâtisserie. Remarquez qu'elle vaut le déplacement.

Caroline haussa les sourcils.

— Qu'est-ce qui vous amène ?

Il posa sa fourchette.

— Je suis là pour vous demander si vous voulez faire un tour avec moi à bord de mon Cessna. Vous m'avez dit l'autre fois que vous n'aviez jamais pris l'avion. Pourquoi pas aujourd'hui ?

L'espace d'un instant, Caroline fut trop stupéfaite pour s'exprimer.

— M... moi ? bégaya-t-elle. D... dans un avion ?

— Pourquoi pas ?

— Euh... en quel honneur ?

— Eh bien... ce serait une première pour vous. Et je profiterais ainsi de votre compagnie. Sans vouloir me vanter, je suis moi-même d'une compagnie plutôt agréable.

Caroline tergiversa, prise de court.

— Mon jet est à l'aéroport municipal de Butternut. À cinq minutes d'ici. Et rien ne nous oblige à rester longtemps dans les airs. Trente minutes, maximum.

Lorsqu'elle recouvra enfin la voix, elle formula la première pensée qui lui venait à l'esprit.

— Il arrive que ces petits appareils s'écrasent, non ?

— Eh bien... la vie n'est pas totalement sans risque. Sachez simplement que je suis un excellent pilote et que je n'ai jamais eu le moindre problème avec mon avion.

— J'ignore combien vous demandez mais je n'ai sans doute pas les moyens de payer ma place.

— Ce n'est pas une proposition commerciale, Caroline. Je vous invite en tant qu'amie.

— Amie ?

— Oui.

— Mais... ce n'est pas un... un rendez-vous galant ?

— Un rendez-vous galant ? s'exclama-t-il, amusé. Je n'en ai pas eu depuis bien longtemps. Mais pourquoi pas ? Vous y verriez un inconvénient ?

— Pas précisément. Enfin… nous nous connaissons à peine.

— Certes mais n'est-ce pas le but du jeu ? Apprendre à se connaître ?

— Je suppose que oui, marmonna-t-elle, dubitative.

— D'accord. Pour un premier rendez-vous galant, vous emmener faire un tour en avion serait peut-être un peu trop… aventureux. Si nous allions boire un café ? En admettant, bien sûr, que l'on puisse s'en procurer ailleurs qu'ici.

— Eh non, Buster. Il n'y a qu'ici.

— Vous ne me facilitez pas la tâche.

— Ce n'est pas intentionnel. Je ne sors plus, voilà tout.

— Jamais ?

— Plus maintenant.

Bien sûr, depuis que son mari l'avait quittée, Caroline avait eu quelques aventures. Avec un professeur de technologie du lycée. Avec un vétérinaire dont la clinique avait pignon sur rue. Elle les avait énormément appréciés tous les deux mais pas suffisamment pour les intégrer dans son quotidien avec Daisy. Celle-ci n'étant plus là, pouvait-elle changer d'attitude ? Non. Caroline secoua tristement la tête.

— Donc, pas de rendez-vous galant ?

— Pas de rendez-vous galant.

— Dont acte, dit-il en sortant un billet de son portefeuille et en le posant sur le comptoir. Si vous changez d'avis, n'oubliez pas ceci, Caroline : ce serait une rencontre, pas une cérémonie d'engagement.

Une lueur espiègle dansait dans ses prunelles.

— Merci pour la tarte ! conclut-il.

Caroline opina et le regarda partir.

Elle ramassa le billet de vingt dollars, comme la première fois, débarrassa le couvert et entreprit de frotter son comptoir avec plus d'énergie que nécessaire. Elle pensait à ce qu'elle avait expliqué à Allie moins d'un quart d'heure auparavant. Ne lui avait-elle pas tenu le même discours que Buster Caine à l'instant ?

La sonnerie du téléphone interrompit ses réflexions.

— Allô !

— Maman ?

— Bonjour, ma chérie.

— Tu vas bien, maman ?

— Bien sûr, mentit-elle. Pourquoi ?

— Rien, rien. Nous ne nous sommes pas parlé depuis deux jours. Comme je ne réussissais pas à te joindre à l'appartement, j'ai tenté ma chance au restaurant.

— Je ne t'ai pas téléphoné parce que je ne veux pas te harceler.

— Maman ! Tu sais bien que ce n'est pas le cas. Je veux que tu m'appelles. Tu me manques.

Caroline sentit les larmes lui monter aux yeux. « Interdiction de pleurer, s'admonesta-t-elle. Pas question de montrer à Daisy combien tu te sens seule et désemparée. »

— Tu travailles encore ? Il est tard.

— Un ami est passé me voir.

— Un ami ? s'enquit Daisy, intéressée.

— Un client, rectifia Caroline. Il est nouveau dans la région. Un militaire à la retraite. Figure-toi qu'il voulait m'emmener faire un tour en avion.

Il y eut un bref silence puis Daisy émit un sifflement.

— Quand je te conseillais de t'inscrire à un club de lecture, je visais nettement trop bas.

— J'ai refusé, rétorqua Caroline, exaspérée.

— Pourquoi ?

— Parce que… parce qu'il a dit que ce serait un rendez-vous galant.

— Et alors ?

— Je ne sais pas, je… J'ai pensé qu'à mon âge, ce serait ridicule.

— Ah ! C'est vrai ! claironna Daisy en faisant mine de se rappeler quelque chose. Tu as plus de quarante ans.

Non, maman, tu as raison, tu es trop vieille pour sortir avec un homme. Sauf...

Elle marqua un temps pour mieux illustrer son propos.

— ... si tu penses que ton déambulateur tiendra dans son coffre quand il passera te chercher.

Caroline leva les yeux au ciel.

— Ce n'est pas la seule raison. Je... j'ai perdu l'habitude de...

— D'être autre chose que ma mère ? devina Daisy.

— Plus ou moins, convint Caroline. Tu dois me trouver pathétique.

— Absolument pas. Tu finiras par t'en remettre. En attendant, il faut que je te laisse.

— Entendu, ma chérie. Je t'aime.

— Au revoir, maman.

Caroline raccrocha et s'appuya sur le comptoir. Pour une fois, elle n'éprouvait pas le besoin de s'activer. Elle avait eu tort de s'inquiéter pour sa fille. Daisy s'adaptait merveilleusement à sa nouvelle existence. Le problème n'était pas sa fille mais elle-même. Car après toutes ces années passées à élever Daisy et gérer son café, elle avait oublié ce que c'était que de prendre des risques.

Lentement, elle se dirigea vers la caisse. Elle l'ouvrit, souleva le tiroir et en sortit la carte de visite de Buster Caine. Elle la fixa un long moment en se demandant si elle aurait le courage de le contacter. Pour finir, elle la remit à sa place.

— Ma pauvre, tu es nulle ! s'écria-t-elle dans la salle vide.

Cette évidence ne la réconforta en rien.

18

Les deux mains agrippées au ponton, Walker se hissa hors de l'eau d'un mouvement agile. Il s'assit un moment, dégoulinant, puis s'allongea pour contempler le ciel et reprendre son souffle après avoir parcouru presque cinq kilomètres à la nage.

C'était une nuit magnifique. Les étoiles scintillaient par milliers sur un fond de velours noir et il repensa au planétarium, où ses parents l'avaient emmené une fois lorsqu'il était enfant. Il se rappelait clairement cette journée. Comme tant d'autres, elle s'était mal terminée. Il avait adoré la visite mais, ensuite, son père et sa mère s'étaient disputés pour une broutille. La querelle avait dégénéré et, avant d'avoir atteint le parking du Muséum d'histoire naturelle, les cris avaient fusé. Dans la voiture, son père s'était réfugié dans un mutisme obstiné tandis que sa mère sanglotait.

Quant à Walker, recroquevillé sur la banquette arrière, il aurait volontiers réconforté sa mère mais... comment ? Il s'était donc appliqué à ressasser tout ce qu'il avait appris pendant l'après-midi pour en discuter avec Reid au coucher, son moment préféré.

Dans leurs lits jumeaux séparés par une table de chevet, les deux garçons discutaient longuement. Souvent, ils étaient obligés de hausser le ton pour s'entendre, tant les hurlements de leurs parents étaient assourdissants. Walker ne se rappelait plus le contenu exact de ses échanges avec son frère. Sans doute abordaient-ils des sujets en rapport avec leurs activités : baseball, carabines à air comprimé, films d'horreur.

L'un dans l'autre, Reid s'était comporté en aîné responsable. Toujours prêt à rendre service. Patient. À l'écoute. Si Walker l'avait énervé, son frère ne l'avait jamais laissé paraître. Walker se promit de s'en souvenir la prochaine fois que Reid le pousserait à bout. C'est-à-dire, quasiment sans arrêt ces deniers temps.

Il se redressa et contempla d'un air pensif le chalet d'Allie de l'autre côté de la baie. Ni le ponton ni le hangar à bateaux n'étaient éclairés. En revanche, toutes les fenêtres du chalet étaient illuminées. Walker consulta sa montre. Vingt et une heures. Au cours des deux heures suivantes, les lampes s'éteindraient l'une après l'autre jusqu'à la dernière, en général aux alentours de vingt-trois heures.

Ce n'était pas normal de passer tant de temps chaque soir à observer ce manège. Walker en était conscient. Il se rassurait : il n'envahissait en rien l'intimité d'Allie puisqu'il était trop loin pour distinguer ce qui se passait à l'intérieur de la maison. Et puis, c'était plus distrayant que d'occuper ses interminables soirées à relire des magazines de pêche ou répondre au millième mail quotidien de Reid.

Cela tournait à l'obsession. Or Walker ne se considérait pas comme un obsessionnel. Du moins pas vis-à-vis des femmes. Le travail, la pêche, peut-être. Pas les femmes. Il ébaucha un sourire contrit. Il s'était toujours cru au-dessus de cela. L'anxiété. La jalousie. La folie de la passion. Le chaos général de l'amour contre lequel il s'était cru, jusque-là, immunisé.

Non que sa relation avec Caitlin ait été facile. Au contraire, surtout à la fin. Mais ce qu'ils avaient vécu ensemble ne tenait pas de l'amour. C'était autre chose. Quoi ? Il l'ignorait. Comme pour répondre à cette question, le souvenir d'un soir d'hiver lui revint à la mémoire. Caitlin était rentrée de l'hôpital et ils avaient repris leur mode de comportement initial : ils s'évitaient avec politesse et constance.

Walker souffrait déjà d'insomnies à l'époque et il lui arrivait souvent de laisser Caitlin dormir pour redescendre travailler dans son bureau. Ce soir-là, alors qu'il était remonté, il avait eu la surprise de découvrir qu'elle était réveillée, elle aussi. Toutes les lampes de la chambre étaient allumées. Elle avait vidé armoire et tiroirs et jetait ses affaires pêle-mêle dans une valise ouverte sur le lit. Son teint, ordinairement très pâle, était fiévreux.

— Que fais-tu ? lui avait-il demandé.

— N'est-ce pas évident ? avait-elle rétorqué en essayant de refermer sa valise.

— Tu t'en vas ?

La question était stupide, bien sûr.

— Oui, Walker, je m'en vais, avait-elle confirmé en remplissant une deuxième valise. Quelle perspicacité !

Walker avait tressailli. Caitlin se fâchait rarement. Le sarcasme n'était pas son point fort. Cela étant, comment aurait-il pu savoir ce qu'elle ressentait depuis qu'ils vivaient ensemble ? Elle ne s'était jamais confiée à lui et il s'était gardé de l'interroger.

— Caitlin, avait-il murmuré. Il me semblait que nous nous entendions mieux. Depuis que tu...

Les mots étaient restés suspendus sur ses lèvres. Il était incapable de les prononcer.

— Depuis que j'ai perdu le bébé ? Si par « s'entendre mieux » tu veux dire que nous sommes courtois l'un envers l'autre quand, par hasard, nous nous trouvons dans la même pièce, alors oui, Walker, je suis d'accord. C'était le pied.

— Si on en reparlait demain matin ?

Walker s'était approché d'elle et avait tenté de poser une main sur son épaule. Elle l'avait repoussé vivement.

— Non, Walker, pas demain. Car demain, je ne serai plus là. Je partirai dès que j'aurai fini ma valise.

— Tu plaisantes ? Il neige ! Les routes ne sont pas déblayées.

— Je prends le risque.

— Caitlin, non. C'est dangereux. Si tu veux t'en aller dans la matinée, une fois les chaussées dégagées, je ne t'en empêcherai pas.

— Fiche-moi la paix, Walker. D'ailleurs, je serai plus en sécurité dehors qu'ici.

— Que veux-tu dire ? s'était-il exclamé, choqué.

Jamais il ne lui avait crié dessus, encore moins frappée.

— Je veux dire qu'ici, je suis en danger, Walker. Je meurs à petit feu de solitude. C'est possible, figure-toi. Tu te demandes comment je le sais ? Je le sais parce que j'ai effectué une recherche sur Internet. Une des innombrables occupations destinées à remplir mes journées.

— Je suis bien obligé de travailler, s'était indigné Walker. Je dois gagner ma vie. Je ne peux pas passer mon temps à te distraire.

— Me distraire ? Et si tu m'emmenais au restaurant ? Pas tous les soirs. Juste une fois. Ou si tu dînais ici avec moi ? Au lieu de rester au chantier naval de l'aube au crépuscule puis de t'enfermer dans ton bureau ici.

— C'est injuste. Tu connaissais ma situation professionnelle quand tu m'as épousé. Au passage, je ne t'ai jamais interdit de vaquer à tes propres activités.

— Walker ! s'était-elle écriée, les yeux brillants de larmes. C'est toi qui ne comprends rien. J'ai essayé de m'intégrer. Tu ne m'as pas aidée. Tu ne m'as présentée à personne. Chaque fois que nous étions invités, tu as décliné. Que devais-je faire ? M'y rendre toute seule et expliquer à ces gens que mon mari ne tient pas suffisamment à moi, ni à eux, pour m'accompagner ?

— Tu exagères.

168

Cependant, il n'avait pas insisté. Il savait pertinemment qu'il ne l'avait jamais soutenue en ce sens et combien ce pouvait être difficile de s'incorporer dans une ville où la plupart des résidents se connaissent depuis toujours.

Sa dernière valise bouclée, Caitlin avait entrepris de la descendre.

— Ne sois pas ridicule, avait-il marmonné en essayant de la lui prendre des mains.

— Ne me touche pas ! avait-elle vociféré, si enragée qu'elle en tremblait de la tête aux pieds.

Il s'était écarté. Il n'avait pas cherché à la retenir. Désemparé, il l'avait regardée remplir le coffre de sa voiture et le rabattre d'un coup sec.

Puis elle s'était tournée vers lui. Le soleil se levait à peine à l'horizon. Il neigeait toujours.

— Une dernière chose, Walker... Un petit conseil d'adieu. Ne te remarie jamais. Ne songe même pas à devenir père. Tu es beaucoup trop égocentrique. Quand tu m'as demandé ma main, tu espérais avoir tout pour toi : la femme, le bébé, la maison. D'un claquement de doigts. Ça ne marche pas comme ça, Walker. Ce n'est pas une mixture pour pancakes à laquelle on rajoute un verre d'eau. C'est compliqué. Et difficile. Cela exige un certain engagement. De la discipline. De la persévérance. Or, en dehors de ton métier, Walker, tu ne possèdes aucune de ces qualités. Pas une... Par conséquent, si tu rencontres une femme à l'avenir, rends-lui service. Fuis-la. Parce qu'au bout du compte, c'est elle qui souffrira. Pas toi. Tout est si simple quand on ne s'occupe que de soi, n'est-ce pas, Walker ?

Sur ce, elle était montée dans sa voiture et avait démarré en trombe. Walker avait regardé le véhicule disparaître au bout de l'allée. Il s'était inquiété de l'état de la route. Mais il l'avait laissée partir. Que pouvait-il faire d'autre ? Elle le haïssait. Pire, elle en avait le droit. Tout ce qu'elle lui avait dit était vrai. Il n'était qu'un sale égoïste. Pointer du doigt le divorce de ses parents ou une foule d'autres facteurs pour justifier la personne qu'il était devenu ? Cela aurait été lâche. Il en était l'unique responsable et, en toute franchise, cette personne lui déplaisait.

Caitlin ne lui avait jamais téléphoné pour lui dire qu'elle était bien arrivée à Minneapolis. Elle ne lui avait plus donné de nouvelles, point final. Quelques mois plus tard, elle avait entamé une procédure de divorce et tous leurs échanges s'étaient effectués par l'intermédiaire de leurs avocats respectifs. Walker, au grand dam de son conseiller, avait accepté de lui verser une somme considérable. Il s'en moquait. Il voulait en finir avec ce chapitre de son existence. Bien sûr, ce n'était pas si simple. Rien ne l'était.

À présent, il contemplait le chalet d'Allie de l'autre côté de la baie. Il ne restait plus qu'une lampe allumée et il se concentra dessus. Ce faisant, un flot de désir le submergea.

L'envers de la médaille, c'était la frustration. Car il avait beau la désirer, il ne l'aurait pas. Pas maintenant. Probablement même jamais.

La méritait-il seulement ? Au fond, Caitlin avait peut-être raison. Sans doute ferait-il mieux d'éviter les femmes. Allie plus encore que les autres. Et son fils avec. Ils avaient déjà tant souffert. Ils n'avaient pas besoin d'un être comme lui, un pauvre égoïste incapable de s'engager.

Du moins chercha-t-il à s'en convaincre. À son grand désespoir, il ne pouvait s'empêcher de se remémorer ce baiser dans la cuisine, le lendemain de la tempête. Le bonheur de tenir Allie dans ses bras. Le goût sucré de ses lèvres. Le satiné de ses épaules nues, de son cou, de ses bras. À présent, il s'interrogeait : ce baiser avait-il marqué le début d'une histoire ? Ou sa fin ?

La dernière lampe s'éteignit et la rive opposée de la baie sombra dans l'obscurité. Walker s'apprêtait à rentrer dans son chalet mais il se rendit compte qu'il n'était pas encore fatigué. Il glissa dans l'eau et se remit à nager. Encore quelques kilomètres de crawl et il serait trop épuisé pour réfléchir.

19

À peine Allie avait-elle rassemblé suffisamment de courage pour inviter Walker à dîner qu'elle s'en était mordu les doigts. Plus la date se rapprochait, plus elle s'en voulait. Le jour « J », elle était carrément paralysée par les regrets. Les regrets et... la peur.

— Ça ne va pas ? s'enquit Caroline, assise sur le bord du lit d'Allie.

Elle était passée chercher Wyatt pour la soirée mais s'était attardée pour tenter d'apaiser Allie.

— Parce que je vous trouve le teint verdâtre, ajouta-t-elle.

— Ce doit être l'éclairage, marmonna Allie distraitement, en fixant la pile de vêtements devant elle. Je vais très bien.

— Tant mieux ! déclara Caroline sans conviction. Si vous vous habilliez ? Walker va bientôt arriver.

Allie portait encore le tee-shirt et le bas de pyjama qu'elle avait enfilés en sortant de la douche. Ses cheveux humides étaient rassemblés en une queue-de-cheval.

— Je... je n'y arrive pas, bredouilla-t-elle. Rien ne me convient.

Elle avait vidé sa garde-robe et, pour l'heure, aucune tenue ne lui avait plu. Elle commençait à se demander comment elle allait résoudre le problème.

— Oh ! Et puis zut ! explosa-t-elle en repoussant le tas de vêtements pour s'asseoir... Ça ne sert à rien, je ne peux pas.

— Vous habiller ?

— Non, affronter un rendez-vous galant, marmonna Allie en se voûtant, vaincue d'avance. Je pensais en être capable. Je me suis trompée. Je meurs de peur.

Pensive, Caroline la dévisagea.

— Ne considérez pas cela comme un rendez-vous galant mais comme deux amis qui dînent ensemble, suggéra-t-elle enfin.

Allie leva les yeux au ciel.

— N'exagérons rien. Nous nous connaissons à peine.

— Il faut bien commencer par quelque chose, fit remarquer Caroline. Et maintenant, choisissez ce que vous allez mettre. Sinon, je m'en charge moi-même.

Comme Allie demeurait figée, Caroline se pencha pour s'emparer d'une robe courte et légère.

— Pourquoi pas ceci ?

Allie y jeta à peine un coup d'œil.

— Trop décolletée.

— Et ça ? proposa Caroline en brandissant une jupe longue et un chemisier à manches longues.

— Trop sévère, admit Allie en rougissant.

Caroline gloussa.

— Savez-vous comment je faisais, du temps où je fréquentais mon ex-mari, Jack ?

— Non.

— Je me basais sur leur facilité à les enlever, et les remettre, bien sûr.

Allie vira à l'écarlate.

— Pas question. D'ailleurs, vous venez de me conseiller d'aborder cette soirée comme un simple dîner entre amis.

— Assurément, dit Caroline en recommençant à farfouiller. Tiens ! Et ça ? Le jean, c'est passe-partout et ce chemisier blanc mettra en valeur votre bronzage.

Allie les inspecta et poussa un soupir.

— D'accord. Sauf que j'ai un autre souci.

— Lequel ?

Allie leva la main gauche et remua son annulaire. Elle portait toujours son alliance.

— Je l'ai déjà enlevée et remise à trois reprises. Sans ma bague, je suis mal à l'aise.

— Alors gardez-la. À présent, où en êtes-vous de votre repas ?

— Le poulet est en train de rôtir. Le riz sauvage est au chaud et j'ai déjà préparé la salade.

— Parfait ! approuva Caroline avec un sourire éclatant. À propos, ça sent très bon.

Allie ne réagissant pas, elle enchaîna :

— N'ayez aucune crainte. Franchissez une étape à la fois. Un pas devant l'autre.

Allie demeura muette. Wyatt se rua dans la pièce avec son sac à dos et son duvet.

— Ça y est, Caroline ! annonça-t-il fièrement. J'ai tout fait tout seul.

— Bravo, bonhomme ! le félicita-t-elle en lui ébouriffant les cheveux.

— J'ai apporté ma gourde, mon compas et aussi ma lampe de poche.

— Incroyable ! Tu as tout prévu.

— Et ta brosse à dents ? Ton dentifrice ? intervint Allie.

— Ah ! souffla-t-il, vexé. J'ai oublié.

— File les chercher.

Il sortit de la chambre, ployé sous le poids de son sac à dos rempli à craquer.

— Qu'est-ce qu'il trimballe là-dedans ? s'étonna Caroline.

— Aucune idée, répliqua Allie. À part la gourde, le compas et la lampe de poche.

Caroline fronça les sourcils.

— Il ne s'imagine pas que nous allons camper, j'espère ?

— Non. Je lui ai expliqué qu'il dormirait sur votre canapé-lit. Il est très excité. C'est une première pour lui.

— C'est déjà ça. Je lui aurais volontiers donné la chambre de Daisy mais je crains qu'elle ne soit un peu trop rose et froufroutée à son goût.

Allie eut un sourire lointain.

— Caroline, rien ne vous oblige à le garder toute la nuit. Je peux parfaitement venir le chercher après le départ de Walker.

— Pas question. C'est beaucoup plus simple ainsi. Vous boirez un verre de vin, ou deux, sans vous inquiéter d'avoir à prendre le volant ensuite. De notre côté, Wyatt et moi confectionnerons des milk-shakes et des hamburgers au restaurant sans que j'aie à me soucier de le ramener pour l'heure du coucher.

— Il sera au paradis, dit Allie, qui aurait nettement préféré se joindre à eux plutôt que de surmonter l'épreuve à venir.

Inexorablement, le temps s'écoulait. Elle marcha avec Caroline et Wyatt jusqu'à la voiture et les salua, notant avec soulagement que son fils paraissait davantage excité qu'angoissé. Puis elle retourna à l'intérieur se sécher les cheveux et revêtir la tenue que lui avait sélectionnée Caroline. Question accessoires et maquillage, après quelques tergiversations, elle opta pour des anneaux en or pour les oreilles et une touche de rose sur les lèvres.

« Là », songea-t-elle en examinant son reflet dans la glace. Elle était très bien ainsi. Elle n'avait pas du tout l'air d'une jeune femme pomponnée pour un rendez-vous galant.

En gagnant la cuisine pour achever ses préparatifs, elle se rappela le conseil de Caroline : « Aborder cette soirée comme un simple dîner entre amis. Je peux le faire », décida-t-elle en assaisonnant la salade. Alors pourquoi ses mains tremblaient-elles ainsi ?

Par bonheur, le pick-up de Walker surgit peu après. Allie sortit pour l'accueillir en s'efforçant, sans succès, de paraître décontractée.

— Bonsoir. Vous êtes pile à l'heure.

— Le trajet est court, rétorqua-t-il en lui tendant non pas une mais deux bouteilles de vin. J'ignorais ce que vous aviez prévu pour le repas, j'ai donc apporté du rouge et du blanc.

— C'est gentil, souffla-t-elle, momentanément distraite de ses angoisses par autre chose : fraîchement douché, il avait encore les cheveux humides. Et il sentait… délicieusement bon. Le propre, le masculin. Pas la lotion après-rasage ou l'eau de Cologne. La nervosité d'Allie s'amplifia.

— Entrez, entrez !

— Où est Wyatt ? s'enquit-il en lui emboîtant le pas.

— Chez Caroline, répondit-elle d'un ton qu'elle espérait enjoué.

Elle ne jugea ni utile ni sage de lui préciser que son fils y passerait la nuit.

En chemin, Walker s'immobilisa pour admirer le salon tandis qu'elle fouillait les tiroirs de la cuisine en quête d'un tire-bouchon.

— Ce chalet est superbe. Qu'est-ce qui a changé depuis que votre grand-père l'a construit ?

— Peu de choses, avoua-t-elle en sortant deux verres à pied du placard.

— Du bois de cette qualité, on n'en trouve plus de nos jours, s'extasia-t-il en examinant les murs et le plafond lambrissés, couleur de miel à la lueur des lampes. Je le sais car j'en ai cherché désespérément quand j'ai bâti ma propre maison.

— Apparemment, vous ne vous en êtes pas trop mal sorti.

Allie remplit deux verres de blanc et en présenta un à Walker. Elle en but une gorgée, très généreuse. Elle n'y connaissait rien mais celui-ci était bon. Remarquablement bon. Elle but de nouveau, puis se ressaisit. Doucement ! Elle n'avait presque rien mangé de la journée.

— Que s'est-il passé ici ? demanda Walker en désignant l'espace vide dont on devinait qu'il abritait quelque chose au-dessus de la cheminée.

— Ah ! Mon grand-père y avait suspendu une tête d'élan. Wyatt en avait si peur que je l'ai enlevée… Il avait l'impression que son regard nous suivait partout.

— C'est bien possible.

Allie sourit.

— Je ne peux guère plaisanter à ce sujet avec lui. Il est trop impressionnable. Je me dois pour lui d'être la voix de la raison. Bien que, la moitié du temps, je me sente totalement incompétente… Bref, reprit-elle précipitamment, j'ai l'intention d'y accrocher un tableau. Je n'ai pas encore trouvé celui de mes rêves.

— Il faudra qu'il soit grand. Vous avez une idée de ce que vous cherchez ?

— Un paysage des environs, je crois. J'attends le coup de cœur. Grâce à mon travail à la galerie, ce ne devrait pas être trop compliqué : je vois tout ce qui en franchit le seuil.

— Vous avez donc décroché l'emploi ?

— Oui.

— Je m'en doutais. Quand vous m'en avez parlé, le jour où vous êtes venue au chantier naval avec Wyatt, je me suis dit que Sara Gage serait folle de ne pas vous embaucher. Vous êtes contente ?

— J'ai dû m'adapter. À force de passer toutes mes journées avec un enfant de cinq ans, j'ai eu plus de mal que je ne l'imaginais à m'habituer aux exigences d'autres adultes. Tout ce que Wyatt me demande, c'est de savoir cuisiner des macaronis au fromage, rapporter des bâtons glacés du supermarché et de lui lire une histoire avant de dormir. Sara Gage et ses clients mettent la barre un peu plus haut.

Le premier jour, elle était rentrée harassée. Elle était si fatiguée qu'elle s'était contentée de décongeler une pizza pour le dîner. Wyatt, bien sûr, avait applaudi des deux mains.

— Vous allez vous y faire, la rassura Walker. L'important, c'est que cela vous plaise.

— Énormément.

Elle était sincère. Elle adorait discuter avec Sara des pièces exposées, rencontrer les artistes qui les avaient créées et, surtout, aider les clients à arrêter leur choix sur « l'objet idéal » à remporter chez eux ou à offrir à des amis.

Elle commençait à raconter à Walker sa première semaine quand la minuterie du four retentit. Elle se précipita dans la cuisine vérifier la cuisson de son poulet. Il était prêt, croustillant à souhait. Elle saisit une paire de maniques, sortit le plat et transféra la volaille sur une planche à découper.

— Que fait Wyatt pendant ce temps ?

— Il va au centre de loisirs, expliqua-t-elle, en s'efforçant de se concentrer sur sa tâche.

Il le fallait : elle tenait un couteau particulièrement tranchant à la main.

— Le premier matin, il y a eu quelques larmes (pas uniquement celles de son fils)... Il s'est vite repris, d'autant que ce jour-là, le programme prévoyait une visite chez un garde-forestier.

— J'en déduis que Wyatt a été séduit ?

Allie porta le plat jusqu'à la table.

— Disons que, désormais, une future carrière de garde-forestier l'emporte sur celle de coureur automobile.

Walker eut un rire.

— Je... je peux vous aider ? proposa-t-il en la voyant aller et venir avec le riz et la salade.

— Oui. Vous pouvez remplir nos verres.

En avait-elle vraiment besoin ? Pas sûr. Son corps était déjà en ébullition. Sous l'effet de l'alcool ? Ou sous celui de Walker ?

Il s'exécuta et tous deux s'assirent. Allie avait dressé un couvert légèrement plus sophistiqué que de coutume : nappe à carreaux bleus et blancs et bouquet de marguerites dans un bocal à conserves. Elle avait renoncé aux bougies qui risquaient, selon elle, de conférer une note romantique à ce tête-à-tête.

Pendant un moment, ils se limitèrent aux échanges de banalités. Walker la félicita pour ses talents culinaires et se resservit. Allie, de son côté, fit mine de manger mais n'avait aucun appétit.

— Comment vont vos affaires ?

— Elles sont florissantes. À tel point que mon associé, qui est aussi mon frère, m'exhorte à confier la gestion quotidienne à Cliff Donahue et à retourner à Minneapolis.

Contre toute attente, Allie éprouva un élan d'anxiété.

— Qu'avez-vous décidé ?

— Rien encore. J'adore vivre ici. L'ennui, c'est que ma présence à plein temps ne sera bientôt plus justifiée.

Allie changea de position, troublée. Pourquoi l'idée que Walker puisse quitter Butternut la contrariait-elle à ce point, elle qui s'était acharnée à l'éviter ?

— Comment vous et votre frère avez-vous démarré dans ce milieu ? lui demanda-t-elle, franchement intéressée.

Soit elle était pompette, soit les chantiers navals étaient subitement devenus pour elle source de fascination.

— Facile, répliqua Walker en lui versant un troisième verre de vin... Reid et moi avons toujours été obsédés par les bateaux, probablement parce que nous avons grandi tout près d'un chantier naval sur le lac Minnetonka. Quand nous étions petits, le propriétaire nous donnait quelques dollars pour balayer, ramasser des détritus. Nous avons continué à y travailler tous les étés jusqu'à la fin de nos études universitaires et mis de l'argent de côté pour acquérir notre propre entreprise, un chantier en ruine en fait, dont la seule qualité était son prix plancher. À l'époque, notre naïveté a pris le dessus sur la peur.

— Je suppose que vous avez renversé la situation, devina Allie, passionnée.

Jamais elle n'avait vu Walker aussi animé, aussi enflammé. Caroline ne lui avait-elle pas confié qu'elle le soupçonnait de ne pas faire les choses à moitié ? De toute évidence, c'était le cas dans son travail. Et pour le reste ? Une sensation de chaleur inonda Allie. Comme un sentiment d'anticipation. Non, ce n'était pas le vin. C'était lui.

— Oui, nous avons réussi notre pari, continuait-il. Nous étions jeunes et sans expérience mais incroyablement tenaces et bosseurs. Nous avons sauvé ce chantier naval. Puis un autre. Et encore un autre.

— Combien en possédez-vous ?

— Douze. Bientôt plus…

— Vous voulez bâtir un empire ? plaisanta-t-elle.

— Possible, murmura-t-il en haussant les épaules. Pour être franc, je n'en sais rien. Reid, mon frère, est insatiable. Notre père nous a quittés quand nous étions enfants et je pense que Reid l'a très mal vécu, encore plus que moi. Aujourd'hui, on dirait qu'il a quelque chose à prouver alors qu'il devrait se féliciter du parcours accompli. Il n'est jamais satisfait… Je crains qu'il ne le soit jamais.

Allie réfléchit en tripotant le pied de son verre.

— En somme, il a un compte à régler avec votre père. Et vous ? Quelle est votre motivation ?

Walker hésita avant d'esquisser un sourire presque timide.

— Honnêtement ?

Elle opina.

181

— Vous êtes déjà sortie sur l'eau par une belle journée d'été, non ?

— Souvent.

— J'ai une théorie. Peu importe qui vous êtes ou le nombre de problèmes que vous avez. Je vous défie de vous offrir une promenade en bateau par une belle journée d'été et de ne pas en éprouver du bonheur. Un bien-être absolu, irrationnel. Du moins, c'est ce que j'ai toujours ressenti.

Il vida le reste de la bouteille dans le verre d'Allie.

— Si je comprends bien, vous sévissez dans le monde des bateaux à des fins purement altruistes ? le taquina-t-elle.

— Pas exactement. C'est un commerce, un gagne-pain. Mais la cerise sur le gâteau, c'est d'aider quelqu'un à réaliser son rêve de posséder un bateau.

— Justement... je pense que le moment est venu de vous en acheter un.

— Tant mieux car j'ai celui qu'il vous faut.

— Ah, bon ?

— Une occasion à saisir au vol. C'est un Chris-Craft de sept mètres ; la taille et la puissance du moteur sont idéales pour ce lac. J'aimerais beaucoup que vous veniez le voir. Ou bien, je pourrais le remorquer jusqu'ici pour que vous l'essayiez.

— Wyatt serait euphorique.

— Certainement. De surcroît, c'est un bateau multifonctions. On peut même s'en servir pour la pêche.

Allie fronça les sourcils.

— Vous allez apprendre à votre fils à pêcher, j'espère ?

Il était sérieux ! Comme si enseigner à un enfant l'art de la pêche était une obligation morale !

— Je ne vois personne d'autre qui puisse se porter volontaire, railla-t-elle.

Elle se garda d'ajouter qu'elle avait déjà appris à Wyatt comment lacer ses chaussures, faire du vélo,

182

nager. Lui apprendre à pêcher ne serait pas plus difficile. Sauf l'étape au cours de laquelle on décroche le poisson de l'hameçon...

— Je veux bien me porter volontaire ! annonça tout à coup Walker. Pourquoi n'y ai-je pas pensé plus tôt ? J'y vais tous les dimanches matin à cinq heures trente. Je pourrais passer prendre Wyatt au bout de votre ponton, si vous estimez qu'il est prêt, bien sûr. Il faut seulement qu'il puisse se lever aux aurores et rester immobile pendant de longs moments.

— Oui, je crois.

Elle en était même sûre.

— Se réveiller avec le soleil ne lui posera aucun problème s'il est motivé. Et quand il le faut, il sait faire preuve d'une patience incroyable.

— Tant mieux. On pourrait commencer dès dimanche prochain.

— Pourquoi pas ? murmura-t-elle en ravalant une sensation de malaise.

Tout arrivait si vite. Trop vite. Vraiment ? Que se passait-il, au fond ? Walker allait emmener son fils pêcher. Ce n'était pas la mer à boire.

Ils se réfugièrent tous deux dans le silence. Allie finit son vin et posa le verre sur la table. Lorsqu'elle leva les yeux vers lui, Walker la contemplait... la caressait du regard. Comme au cours de la fête du 3 juillet. Et comme ce soir-là, le cœur d'Allie fit un bond. Elle se leva précipitamment, renversant presque sa chaise.

— Je prépare le café, marmonna-t-elle en se ruant vers le comptoir.

Elle ouvrit la boîte en fer-blanc et plongea la doseuse dedans mais ses mains tremblaient si fort que tous les grains de café se répandirent sur le plan de travail.

— Laissez-moi vous aider, proposa Walker en la rejoignant.

Comme il lui prenait l'ustensile, ses doigts effleurè-rent les siens et Allie en ressentit un frémissement digne d'une adolescente.

— Vous voulez vraiment du café ? s'enquit-il.

Elle secoua la tête.

Il remit la petite pelle dans la boîte et lui prit la main. Il la retourna, paume vers le ciel et, avec son index, traça une ligne imaginaire le long de son bras, du poi-gnet jusqu'au coude. Allie ferma les yeux. Le moindre de ses frôlements lui brûlait la peau. Elle eut un long frisson.

Le doigt de Walker s'arrêta au creux de son bras puis, sans lui lâcher la main, il se pencha lentement et frôla ses lèvres d'un baiser si léger qu'Allie se demanda si son imagination lui avait joué un tour.

— Que faites-vous ? chuchota-t-elle en rouvrant les yeux.

— Ce que j'aurais dû faire dès mon arrivée, répon-dit-il d'une voix étreinte par l'émotion. Dès que je vous ai vue apparaître, si incroyablement belle.

Il l'embrassa encore. Et encore. Une pluie de baisers délicats à peine perceptibles qui la bouleversèrent.

— S'il vous plaît... murmura-t-elle sans trop savoir pourquoi.

Walker comprit ce qu'elle voulait dire. Libérant sa main, il noua les bras autour de sa taille et la poussa avec douceur contre le plan de travail. Elle lui fut reconnaissante de lui procurer ainsi un soutien. Car lorsqu'il l'embrassa de nouveau, tout bascula. Cette fois, son baiser fut ardent, comme urgent. Et quand il glissa la langue dans sa bouche, une sensation de cha-leur intense la submergea.

« Respire, s'ordonna-t-elle. Essaie de respirer norma-lement. » Elle avait un mal fou à se concentrer, tant l'étreinte de Walker lui donnait la sensation d'être un diapason vibrant.

Elle explora son dos, savourant la chaleur de sa peau à travers son tee-shirt, se pressant contre lui. Elle avait envie, non, besoin de lui.

Elle sut alors, tout à coup, ce qui devait suivre. Elle allait le débarrasser de son tee-shirt. Elle voulait le voir torse nu. Elle glissa les mains sous le vêtement, les remonta sur son ventre plat, ses pectoraux, puis les redescendit pour s'emparer du bas du tee-shirt. D'un mouvement fluide, elle le glissa par-dessus sa tête et le jeta à terre.

« Nettement mieux », pensa-t-elle tout en se pressant contre sa peau lisse et bronzée, trop absorbée à cet instant pour être surprise par sa propre attitude. Elle fit courir ses mains sur ses épaules qu'il avait larges et musclées.

De toute évidence, Walker appréciait son initiative. Il avait le souffle court. Renversant la tête, elle s'offrit à lui, l'invitant à un nouveau baiser encore plus passionné.

Loin, très loin, dans un coin reculé de son cerveau, une petite voix la mettait en garde. « Ralentis. Tout va trop vite. »

Grisée par les sensations, Allie n'y prêta aucune attention. Elle constatait avec surprise combien une étreinte, un baiser, une peau contre la sienne lui avaient manqué. À quel point elle en avait besoin.

Étrangement, alors que leur passion semblait atteindre un point culminant, Walker parut se rétracter. Ralentir le mouvement. Relâchant son étreinte, il quitta sa bouche pour parcourir de ses lèvres son visage, son cou, finissant sur la base de sa gorge avec une telle subtilité qu'Allie en frémit de désir.

Ce faisant, il commença à détacher les nombreux et minuscules boutons de son chemisier. Avec une patience infinie, l'un après l'autre. Au bout d'un moment, il poussa un soupir de frustration.

— Il y en a trop, murmura-t-il.

« Est-ce un rêve ? s'interrogea Allie. Sommes-nous vraiment en train de nous déshabiller l'un l'autre ? Dans ma cuisine ? Allons-nous faire l'amour ici ? Sur le comptoir ? Sur le carrelage ? » Cela lui paraissait incroyable. Mais aussi incroyablement évident.

Elle avait la sensation de vivre une expérience extra-corporelle. Non qu'elle ne sente son corps jusqu'à la dernière cellule mais c'était un peu comme si quelqu'un d'autre l'habitait provisoirement. Quelqu'un préoccupé d'une seule chose : le plaisir que lui procurait Walker.

Enfin, il écarta les pans de son chemisier, révélant son soutien-gorge beige bordé de dentelle et son décolleté hâlé par le soleil.

— Magnifique, murmura-t-il en la contemplant.

Il fit glisser une moitié de son chemisier, dénudant une épaule qu'il couvrit de baisers d'une tendresse exquise.

Allie frissonna de nouveau, presque violemment, bien que la brise pénétrant dans la pièce par les fenêtres ouvertes fût tiède. Elle s'attendait à ce qu'il la débarrasse totalement de sa blouse mais Walker était revenu vers ses lèvres. La différence était qu'elle pouvait désormais sentir son torse musclé à travers son fin soutien-gorge. À ce contact, ses mamelons se durcirent presque douloureusement et Allie s'accrocha à lui avec une ferveur frénétique.

Walker retint un gémissement sourd et Allie comprit qu'il était sur le point de perdre le contrôle. Ce qui l'effraya, mais l'excita plus encore. Elle devinait d'avance que la conclusion logique de leur désir partagé les transporterait au paradis. « Détends-toi, s'ordonna-t-elle. Lâche-toi, profite. » Elle devait juste décider de ne porter aucune attention à la minuscule sonnette d'alarme prête à tinter dans son cerveau.

Malheureusement, à cet instant précis, un souvenir ressurgit de nulle part. Un souvenir si précis qu'elle se trouva soudain catapultée dans le passé. Un passé tellement douloureux…

C'était une douce nuit de printemps, quelques jours avant que l'unité de Gregg ne soit déployée en Afghanistan. Allie s'était réveillée dans un lit vide. Elle s'était assise, aussitôt inquiète, et avait appelé son mari. Il n'avait pas répondu. Puis elle avait perçu le bruit familier, rythmique, de quelqu'un qui driblait un ballon de basket. Elle s'était levée et approchée de la fenêtre juste à temps pour voir Gregg atteindre le panier d'un geste souple.

Après s'être assurée que Wyatt dormait dans son berceau flambant neuf, elle était descendue et sortie par la porte ouverte du garage. Tapie dans l'ombre, elle avait observé Gregg tandis qu'il marquait encore quelques paniers.

Lorsqu'elle avait émergé de sa cachette, il avait pris un air penaud.

— Je suis désolé. Je t'ai réveillée ? lui avait-il demandé en venant vers elle.

— Non.

Elle lui avait pris le ballon et l'avait balancé d'une main à l'autre. Puis elle l'avait lâché et s'était blottie contre Gregg.

— En revanche, tu risques de réveiller les voisins.

— Je sais. Je vais m'arrêter.

— Ça va ? lui avait-elle demandé en le dévisageant.

— Je n'en sais rien… Je réfléchissais. Une erreur, sans doute. Ce n'est pas le moment de réfléchir, n'est-ce pas ?

Allie avait posé la tête sur son torse, n'osant plus le regarder tant elle craignait la réponse.

Il était resté silencieux plusieurs minutes et elle avait écouté les battements de son cœur, le chant des criquets, le chuchotement de la brise dans les arbres.

— Et si je ne revenais jamais ? S'il ne nous restait plus que les deux nuits à venir ?

Elle s'était raidie dans ses bras.

— Bien sûr que tu vas revenir.

Elle l'avait obligé à se recoucher et ils avaient fait l'amour jusqu'au lever du soleil. Mais ni l'un ni l'autre n'avait pu retrouver le sommeil.

Soudain, Allie sentit Walker s'écarter vivement. Elle revint brutalement au présent.

— Qu'est-ce qui ne va pas ? murmura-t-elle, décontenancée.

— À toi de me le dire.

— Rien… tout va bien, bredouilla-t-elle, profondément troublée.

— Tu étais là, avec moi, et d'un seul coup, tu n'y étais plus, expliqua-t-il en passant une main dans ses cheveux.

— J'ai… j'ai été distraite. Je suis désolée. Je suis de nouveau là.

Il hésita, secoua la tête.

— Tu n'es pas prête.

Il ramassa son tee-shirt et l'enfila.

— Si, si ! protesta-t-elle machinalement.

— Physiquement, peut-être, argua-t-il en tentant de reboutonner son chemisier. Mais ta tête n'est pas là.

— Tu te trompes ! s'exclama-t-elle, les larmes aux yeux.

— Allie… Comment peux-tu le prétendre alors que tu portes toujours ton alliance ?

Elle contempla son annulaire gauche sur lequel scintillait son anneau. Le fait était incontestable. Elle essuya furtivement sa joue. Pourquoi pleurait-elle ?

Haletant, les doigts tremblants, Walker attacha le dernier bouton de sa blouse. Pour lui aussi, c'était difficile. Il aurait volontiers continué.

— Reste, le supplia-t-elle tout bas.

Il refusa d'un signe de tête.

— Dieu sait que j'en ai envie. Malheureusement, je m'en voudrais par la suite. Toi aussi.

Elle opina bêtement. Que répondre ? Il avait raison. Mais elle avait tellement envie de lui que c'en était douloureux.

— Je m'en vais, à présent. Toutefois, je maintiens ma promesse d'emmener Wyatt à la pêche. Je passerai le prendre au bout du ponton dimanche matin. Cinq heures trente précises. D'accord ?

Elle acquiesça. Comme il s'apprêtait à partir, une pensée lui traversa l'esprit.

— Walker ?

Il s'immobilisa, revint sur ses pas.

— Walker… et… et nous ?

— *Nous* ? Je pense que le « nous » devra patienter jusqu'à ce que tu sois prête.

Elle réfléchit. L'argument était cohérent. Sauf qu'il y avait un problème :

— Comment le saurai-je ?

— Je l'ignore, répliqua-t-il en toute sincérité. Je suppose que tu le sauras, tout simplement.

— Tu crois que je viendrai te trouver en t'annonçant : « Ça y est » ?

— Quelque chose comme ça, convint-il avec un demi-sourire.

Il déposa un baiser sur son front et disparut.

Une sensation de faiblesse envahit Allie. Elle s'affaissa sur le sol de la cuisine et y demeura un long moment, ravalant ses larmes et considérant l'absurdité de la situation. Elle était prise au piège. Coincée entre deux mondes. Le premier, son mariage avec Gregg, n'existait plus. Le second, sa relation avec Walker, était sur le point de naître. Elle ne voulait pas, ne pouvait pas s'y résoudre. Elle n'y parviendrait peut-être jamais.

— Un pas devant l'autre, tu parles ! marmonna-t-elle, désespérée, en se rappelant les paroles de Caroline.

20

— Tu as besoin d'aide, bonhomme ?

Wyatt secoua la tête.

— Non, c'est bon, répondit-il, totalement concentré sur sa tâche.

Il tenait un hameçon dans une main et un ver de terre dans l'autre.

En règle générale, Walker préférait la pêche à la mouche mais il s'était dit que l'emploi d'appâts vivants intéresserait davantage un enfant de l'âge de Wyatt. En revanche, il n'avait pas prévu la difficulté que pouvait représenter l'exercice. Loin de s'en plaindre, Wyatt persistait.

— C'est plus compliqué que ça n'en a l'air, l'encouragea Walker.

Une fois de plus, il s'émerveilla de son obstination à se débrouiller tout seul. Wyatt réussit à monter son hameçon.

— Là ! s'exclama-t-il avec satisfaction, prêt à lancer sa ligne.

— N'oublie pas ce que je t'ai expliqué, lui conseilla Walker en se penchant en avant.

Wyatt opina, plaça la canne au-dessus de son épaule droite, vacilla légèrement et prit son élan. Son fil dessina un arc presque gracieux dans les airs et le petit flotteur blanc et rouge que Walker y avait fixé toucha l'eau.

Si un poisson mordait, le bouchon rebondirait et glisserait en surface, permettant à Wyatt de le localiser.

— Et maintenant, on attend, déclara le petit garçon d'un ton solennel en empruntant une phrase de Walker.

— Pas trop longtemps, j'espère, répliqua Walker avec un sourire.

« Ce qu'il est mignon ! » songea-t-il, comme tous les dimanches depuis plus d'un mois.

En sweat-shirt bleu, jean, casquette de baseball au logo des *Minnesota Twins* et baskets *Converse* rouges, Wyatt était assis sur l'une des deux banquettes du bateau de pêche de Walker. Son menton reposait sur le volumineux gilet de sauvetage dont l'avait harnaché Walker et ses pieds se balançaient à plusieurs centimètres du fond.

C'était un des détails qui l'avaient le plus surpris concernant Wyatt. Sa petite taille. Forcément. Comme tous les enfants de son âge. Mais Walker n'avait encore jamais eu l'occasion d'en observer un de si près. Résultat : Wyatt éveillait chez lui un instinct de protection dont il n'avait pas soupçonné l'existence. Il prenait grand soin d'attacher les sangles de son gilet de sauvetage, l'aidait à monter ou sortir du bateau... et freinait ses ardeurs à la barre. Car Walker aimait la vitesse. Mais en présence de Wyatt, il manœuvrait avec précaution. Comme un vieux. Ou comme un père.

À peine cette pensée lui traversa-t-elle l'esprit qu'il l'en chassa. Wyatt méritait mieux. Il avait déjà eu mieux. Il ne serait pas devenu ce qu'il était si son père n'avait pas été un type bien. Un homme qui savait ce que Walker ne pouvait même pas imaginer : comment être papa.

En revanche, si Walker n'avait pas les qualités requises pour être un bon père, il pouvait jouer un autre rôle. Celui de coach, par exemple. Ou d'ami, tout simplement.

Or justement, Walker considérait cet enfant comme un ami dont la compagnie lui était étonnamment agréable.

D'une part, Wyatt ne se plaignait jamais. Il se levait aux aurores sans rechigner. S'il était fatigué, il le cachait (Walker l'avait vu bâiller discrètement et même se frotter les yeux en douce). Il supportait courageusement le froid du petit matin. Il se tenait tranquille, ce qui, aux yeux de Walker, devait être le plus difficile.

Au contraire, il s'imbibait comme une éponge de tout ce que Walker lui enseignait et apprenait incroyablement vite. Walker pensait que tous les enfants posaient des questions sans arrêt alors qu'en fait, Wyatt ne l'interrogeait que de temps en temps, en faisant preuve d'une intelligence et d'une perception exceptionnelles. Certes, Walker n'y connaissait rien. Peut-être Wyatt était-il un garçon de cinq ans comme les autres ? Mais non, sûrement pas.

— Regarde ! s'écria Wyatt en pointant le doigt sur le flotteur qui s'agitait.

— Ça mord ! renchérit Walker.

Il faillit lui donner un coup de main, puis se ravisa. Wyatt n'avait pas besoin de son aide, juste d'être coaché.

— Vas-y doucement. Pas de mouvements brusques.

Wyatt hocha la tête et entreprit de mouliner, lentement, régulièrement.

— Il se rapproche !

— Joli travail, le complimenta Walker.

À présent, ils voyaient les écailles argentées du poisson.

— Et maintenant, c'est le moment le plus difficile.

Walker était tendu. Il ne voulait pas que Wyatt perde sa proie, alors qu'il était si près du but. C'était arrivé une fois et, bien qu'ayant survécu à cette mésaventure, Wyatt avait accusé le coup.

Aujourd'hui, la chance lui souriait. Il se pencha, saisit sa prise des deux mains et la sortit de l'eau.

— Tu as pêché un achigan à petite bouche. Pas facile, dans ce lac, déclara Walker d'un ton approbateur. D'après moi, il mesure environ quinze centimètres.

Wyatt admira le poisson qui frétillait sur son hameçon. Au bout d'un instant, il dévisagea Walker et fronça les sourcils.

— Il est trop petit, hein ?

— Tu as raison. Il doit encore grandir. Il devrait même doubler de longueur.

Le désarroi de Wyatt ne dura pas.

— Je le remets à l'eau, décida-t-il.

— Je vais t'aider. Si tu t'y prends mal, ses branchies sont tranchantes, elles pourraient te blesser. Et ôter le crochet est une opération délicate... Regarde-moi attentivement. La prochaine fois, tu le feras tout seul.

— Tu crois qu'il va bien ? s'enquit Wyatt après qu'ils avaient remis le poisson à l'eau.

Il semblait inquiet et suivait des yeux l'achigan qui s'éloignait à vive allure.

— Absolument. Il vivra sans doute plusieurs années. À moins que tu ne le repêches un jour, ajouta Walker en lui adressant un clin d'œil.

— Tu crois qu'il a une famille ?

— J'en suis sûr. Une grande famille. Avec beaucoup de frères et sœurs. Mais je ne pense pas qu'ils se connaissent les uns les autres. Du moins, pas comme nous connaissons les nôtres.

Au lieu de remettre un appât sur son hameçon, l'enfant fixa l'horizon. Comme il semblait triste ! Ses yeux marron étaient brillants (de larmes ?) et sa lèvre inférieure tremblait d'une manière à la fois tragique et attendrissante. Wyatt allait-il se mettre à pleurer ? Si oui, comment le consoler ? Quoi de plus terrifiant que la perspective de devoir réconforter un enfant ?

Wyatt ne pleura pas mais il conserva une expression d'infinie mélancolie. Désemparé, Walker s'efforça de comprendre ce qui le mettait dans cet état. Craignait-il d'avoir fait du mal au poisson ? Était-il malheureux parce qu'il n'avait ni frère ni sœur ?

Quand Wyatt reprit enfin la parole, ce fut pour aborder un tout autre sujet.

— Tu sais jouer au basket ?

— Au basket ? répéta Walker, pris de court. Euh... oui. J'étais dans l'équipe de mon lycée. Depuis, je ne joue qu'occasionnellement. Je ne suis sans doute plus très bon... Et toi ?

— Oui. Beaucoup moins souvent, maintenant. Moi non plus, je dois plus être très bon.

Walker masqua un sourire.

— Tu regardes les matchs à la télévision ? Bien sûr, ce n'est pas pareil mais ça peut être super.

Le visage de Wyatt s'éclaira furtivement.

— On vient d'avoir le câble. Je pourrai peut-être regarder les matchs... Sauf qu'il faudra que je demande la permission à maman. Elle dit que la télé, c'est mauvais pour mon cerveau.

— Elle a probablement raison. Quand la saison démarrera, tu pourrais venir chez moi de temps en temps.

Il faillit préciser que son poste, contrairement à celui qu'il avait aperçu dans le salon de Wyatt, était un écran plat de soixante-quinze pouces. Il y renonça, de peur d'être accusé de dépasser les limites, d'autant qu'il les avait sans doute déjà largement enfreintes. Allie l'avait autorisé à emmener Wyatt à la pêche, pas à l'inviter chez lui pour s'avachir devant la télé.

— J'aimerais bien retourner chez toi. Quand on y est allés le soir de la tempête, je dormais. Et tu sais quoi ? Je parie que maman me laisserait venir. Elle est sévère pour des trucs comme se brosser les dents ou bien se tenir à table mais elle est pas méchante.

De nouveau, Walker réprima un sourire.

— Tu as raison, elle est même très gentille. Je lui demanderai la permission d'abord, d'accord ? Après tout, c'est elle qui décide.

Wyatt acquiesça, satisfait, et souleva le couvercle de la glacière dans laquelle Walker entreposait ses appâts. Soudain, il se tourna vers Walker.

— Quand il est parti, mon papa m'apprenait à jouer au basket.

— Ah !

Walker était pris au dépourvu. Wyatt ne lui avait jamais parlé de son père. Malgré lui, il se crispa. « Lâche ! » se réprimanda-t-il. Au fait, que savait ou ne savait pas Wyatt sur la mort de son père ?

— Il n'a pas eu le temps de tout m'apprendre, reprit Wyatt, insensible à son malaise. Il m'a montré comment faire un *layout*.

— Un *layup* ? rectifia machinalement Walker.

Aussitôt, il se le reprocha. Quelle importance ? Wyatt ne s'offusqua pas :

— Oui, c'est ça, un *layup*.

— Et tu t'en souviens ? s'étonna Walker.

— Oui ! s'exclama Wyatt en opinant vigoureusement.

Était-ce possible ? Son père était mort plus de deux ans auparavant, Wyatt n'avait donc que trois ans tout au plus lorsqu'il était parti pour l'Afghanistan. Peut-être moins. Pouvait-il avoir des souvenirs aussi lointains ? Walker tenta de ressusciter les siens, mais en vain. Au fond, ce n'était pas plus mal.

Puis il se rendit compte que Wyatt le dévisageait. Comme s'il attendait que Walker lui dise quelque chose. Quoi ? Décidément, il était perdu. C'est alors que Wyatt le surprit une fois de plus.

— Mon papa est mort, annonça-t-il d'un ton neutre. Dans une guerre.

— Je suis au courant. Je suis désolé, murmura-t-il en prenant conscience, pour la première fois de sa vie, de la médiocrité de cette formule.

— C'est pas grave, répliqua Wyatt en lui tapotant la main.

L'espace d'un instant, Walker demeura figé. Que dire ? Que faire ? Ce geste simple et sincère en disait long sur le genre d'enfant qu'était Wyatt. Quelle douceur ! Quelle délicatesse !

La gorgée nouée, Walker réagit instinctivement : il tendit le bras, abaissa la visière de la casquette de Wyatt sur ses yeux, puis la remonta. Wyatt lui sourit avec bonheur et Walker songea tout à coup à l'enfant qu'il aurait pu avoir avec Caitlin. Son cœur se serra. Pour la première fois, il se rendit compte qu'il avait souffert autant qu'elle de cette tragédie.

À cet instant, il sentit un tiraillement au bout de sa ligne.

— Hé ! Mon grand ! Je crois que je vais avoir besoin de ton aide.

Une heure plus tard, Walker dirigeait le bateau vers le ponton d'Allie et de Wyatt. Le soleil avait dispersé les brumes matinales et la surface de l'eau, gris pâle au moment de leur départ, était devenue d'un bleu profond. La journée serait chaude. Pour l'heure, elle était magnifique, ensoleillée et tiède, encore imprégnée de la fraîcheur de la nuit.

— Je parie que tu as faim.

— Une faim de loup ! convint allègrement Wyatt.

Walker scruta la rive. Allie demeurait invisible. La plupart du temps, elle attendait d'entendre le moteur avant d'émerger du chalet. Walker savourait ces moments, trop brefs, lorsqu'il passait chercher ou déposait Wyatt, seuls moments au cours desquels il la croisait chaque semaine. À lui de s'en satisfaire. Ils étaient tout ce qu'il avait d'elle et l'aidaient à survivre les sept jours suivants. Il carburait à l'espoir. L'espoir que bientôt leurs échanges évolueraient vers d'autres horizons que les commentaires sur la météo ou les conditions de pêche.

Comme il ralentissait au bout du ponton, Allie apparut en s'essuyant les mains avec un torchon. Il la salua d'une main et elle lui répondit. Il coupa le moteur.

— Salut, maman ! s'écria Wyatt tandis que Walker amarrait l'embarcation.

— Bonjour, mon chéri !

Wyatt se hissa sur le ponton et, pour une fois, Walker oublia de lui recommander la prudence. L'enfant se précipita vers sa mère, qui le prit dans ses bras et l'étreignit avec fougue. Très vite, elle fronça le nez.

— Wyatt ! s'esclaffa-t-elle en le déposant à terre, tu as attrapé des poissons ou tu t'es roulé dedans ?

— On les a attrapés, proclama-t-il fièrement.

Elle lui ébouriffa les cheveux.

— Formidable ! Mais il vaudrait mieux que tu prennes une douche avant de te mettre à table pour le petit déjeuner. Jette tes vêtements dans le panier à linge sale. Je te rejoins tout de suite pour régler la température de l'eau.

— D'accord !

— Bonjour, dit-elle à Walker, en le rejoignant.

— Bonjour.

Au prix d'un effort surhumain, Walker se retint de la fixer d'un air extasié. Elle portait un débardeur et un short en jean révélant une quantité exquise de peau nue et hâlée. Contrairement à son habitude, ses cheveux cascadaient sur ses épaules.

— Wyatt ne t'a pas remercié, regretta-t-elle en s'immobilisant devant le bateau, les genoux à la hauteur des yeux de Walker.

— Si, si, assura-t-il.

— J'aimerais t'exprimer ma reconnaissance, moi aussi.

— Ce n'est pas nécessaire, marmonna-t-il, se préparant à repartir.

Il aurait volontiers prolongé la conversation si Wyatt n'avait pas attendu sa mère dans la salle de bains.

— Au contraire. Si tu as le temps ce matin, j'aimerais t'inviter à prendre le petit déjeuner avec nous.

Il s'agrippa au ponton.

— Tu en es certaine ?

Elle lui sourit.

— Absolument. C'est la moindre des choses. J'ai entendu dire en ville qu'un bon guide de pêche pouvait coûter jusqu'à cent dollars de l'heure.

— Je n'ai jamais prétendu être un professionnel. Cela étant, je boirais volontiers un café.

Ils remontèrent tous les deux vers le chalet.

— Tu n'as qu'à te laver les mains dans l'évier de la cuisine, suggéra-t-elle lorsqu'ils atteignirent les marches de la véranda.

— D'accord.

Il la suivit dans la cuisine ensoleillée.

— Tiens… dit-elle lorsqu'il eut terminé.

Elle lui tendit un café fumant et un énorme muffin aux myrtilles enrobé d'une serviette en papier.

— Voilà qui devrait te caler l'estomac, le temps que je prépare le reste. Si tu t'installais sur la véranda ? Tu pourras inaugurer la balancelle que je viens d'acheter à la quincaillerie. Je veux m'assurer que Wyatt pense à se savonner. Je reviens tout de suite.

— Ça lui arrive d'oublier ? s'enquit Walker, amusé.

— C'est tout à fait possible, rétorqua-t-elle en lui adressant un sourire furtif avant de s'éclipser.

La timidité de cette femme l'enchantait, songea Walker en se rendant sur la véranda. Étrangement, loin de le refroidir, sa réserve lui donnait envie de l'embrasser. Ou, plus précisément, de la dévorer de baisers. Malheureusement, Allie n'était pas au menu du petit déjeuner ce matin.

Il s'assit sur la balancelle et but son café, délicieusement corsé et arrosé de quelques gouttes de crème allégée. Il se délecta du muffin encore chaud et généreusement rempli de myrtilles. Il se demanda si Allie et

Wyatt les avaient cueillies ensemble. Il les imagina à l'œuvre et regretta de ne pas avoir été de la partie.

Il pensait encore à eux quand Allie apparut sur le seuil.

— C'est prêt ! claironna-t-elle.

Il la suivit dans la cuisine avec sa tasse vide. Son débardeur éclaboussé d'eau moulait joliment sa silhouette. Les pointes de ses cheveux, humides elles aussi, bouclaient légèrement.

— Je te ressers du café ? proposa-t-elle en s'emparant de la cafetière. Il y a un pot de crème sur la table.

— Merci.

Elle avait dressé le couvert sur une nappe ancienne sur laquelle trônait un petit bouquet d'asters dans un joli bocal. Les fleurs, qui paraissaient avoir été cueillies le matin même, étaient tachetées par la lumière du soleil.

— J'espère que tu as faim, déclara Allie en apportant une carafe de jus d'orange et un panier débordant de muffins.

— Oh, oui ! affirma-t-il.

Elle saisit une paire de maniques, ouvrit la porte du four et en sortit un plat en fonte qu'elle déposa sur un trépied miniature. Une odeur appétissante inonda la cuisine.

— Je vous ai confectionné une *frittata*.

— Une quoi ? demanda Wyatt en déboulant dans la pièce.

Il était propre comme un sou neuf, la chevelure mouillée lissée avec soin.

— Une *frittata*, répéta Allie en les invitant d'un geste à prendre place.

Wyatt se glissa sur son siège et examina d'un air soupçonneux le plat d'œufs devant lui.

— Ne t'inquiète pas, le rassura Allie en lui découpant sa part. Tu vas aimer.

L'enfant goûta, mâcha et avala.

— C'est des œufs, constata-t-il, visiblement soulagé.

Walker et Allie rirent aux éclats.

— Au fait, dit Walker entre deux bouchées, Cliff Donahue m'a signalé que vous aviez apprécié le bateau que vous avez testé.

Au début de la semaine, Cliff avait remorqué le bateau jusqu'au lac de Butternut et retrouvé Allie et Wyatt à la rampe publique de mise à l'eau. Puis il les avait emmenés faire un tour, donnant aussi l'occasion à Allie de piloter. Walker s'était délibérément exclu de l'équation. Il ne voulait pas qu'Allie se sente poussée dans ses retranchements.

— Nous l'avons adoré. Il marche à merveille. Son prix me sidère : il me semble plus que raisonnable.

— Il l'est, convint Walker.

Walker et Allie continuèrent à manger en silence tandis que Wyatt babillait gaiement sans solliciter ni avoir besoin de leur contribution. D'ailleurs, Walker ne l'écoutait que d'une oreille distraite, tant il se régalait de ce moment, à la fois banal et extraordinaire. Ils étaient comme n'importe quelle famille. Sauf qu'ils n'en formaient pas une.

— Je peux quitter la table ? s'enquit Wyatt après avoir englouti deux portions de *frittata* et un énorme muffin.

Une fois de plus, il avait surpris Walker. Comment un être aussi minuscule pouvait-il dévorer autant de nourriture ?

— Oui, mon chéri. Mets ton assiette dans l'évier, s'il te plaît.

Wyatt s'exécuta puis disparut dans le salon où il s'attaqua immédiatement à la construction d'une nouvelle voie pour son circuit ferroviaire.

Ensemble, Walker et Allie débarrassèrent le couvert. Allie lava la vaisselle et Walker l'essuya. Il n'avait jamais conféré à cette activité la moindre sensualité. Pourtant, à observer les bras nus et bronzés d'Allie, submergés jusqu'aux coudes dans l'eau savonneuse, il décida qu'il était grand temps pour lui de réviser sa position. Encore plus quand elle l'effleura accidentellement en voulant remettre les verres dans le placard. À tel point qu'un sentiment de regret l'envahit quand ils eurent accompli la corvée.

— J'imagine que tu as beaucoup à faire, murmura-t-elle.

« Juste du boulot. Et depuis que je t'ai rencontrée, ça m'intéresse de moins en moins », songea-t-il.

Il haussa les épaules.

— Pas spécialement.

— Ah ? s'étonna-t-elle.

À cet instant, il faillit la supplier de le laisser rester pour passer toute la journée avec eux. Il se retint. La balle était dans le camp d'Allie. Le pacte qu'ils avaient conclu ce fameux soir dans sa cuisine lui avait paru judicieux. Le problème était qu'il commençait à se demander quand, exactement, elle se déclarerait enfin « prête ». Et combien de temps encore il pourrait patienter sans devenir fou.

— Tu nous as déjà consacré un bon moment de ta journée, lui dit-elle en souriant. Je te raccompagne jusqu'à ton bateau.

Il salua Wyatt qui jouait, couché à plat ventre sur le tapis, et suivit Allie dehors. Et là, il eut un geste inattendu. Il la prit dans ses bras, la poussa contre le mur et l'embrassa.

Avec douceur, au début. Puis avec davantage de ferveur. Allie se raidit, prise de court, mais très vite il la sentit se décontracter. Après une imperceptible hésitation, elle entrouvrit les lèvres.

« Du calme ! » lui intima la petite voix de sa conscience. Il l'ignora. Il n'en pouvait plus. Il avait passé tant d'heures à fantasmer sur ce moment. Et plus. Maintenant qu'il la sentait contre lui, qu'il la touchait, il perdait tout contrôle. Il savait qu'il la serrait un peu trop fort et que son baiser était un peu trop fiévreux. S'il avait pu s'arrêter assez longtemps pour le lui dire, il se serait confondu en excuses.

À supposer, bien sûr, qu'elle veuille mettre un terme à leur étreinte. Ce qui, de toute évidence, n'était pas le cas. Car une fois remise de sa confusion initiale, elle avait fondu littéralement. Sur ce plan, elle ne cesserait de l'étonner. Derrière cette façade de réticence et de timidité se cachaient une passion et une ardeur dont il avait à peine égratigné la surface. Quand ils feraient l'amour, car ils le feraient, ils en seraient changés à jamais. Ce ne serait pas un simple épisode à éluder ou à oublier. L'empreinte émotionnelle et physique resterait gravée à jamais dans leur mémoire.

Il glissa les mains dans les poches arrière de son short et la tira vers lui. Avec force. Un gémissement lui échappa et elle s'écarta, le souffle court.

— Que fais-tu ? souffla-t-elle, les yeux écarquillés.

Elle ne semblait pas fâchée. Elle avait seulement l'air de quelqu'un sur le point de perdre la tête.

— Je t'embrasse, murmura-t-il en recommençant de plus belle.

Elle le repoussa, gentiment mais fermement, réussissant à articuler :

— Ce n'était pas un baiser.

Il sourit et répondit, tout en caressant son cou de ses lèvres.

— C'était quoi, alors ?

— C'était faire l'amour tout habillés.

Ce fut au tour de Walker de pousser un gémissement. Ces simples mots avaient ravivé son excitation, si besoin en était.

— J'ignore si c'est possible, chuchota-t-il en continuant de l'embrasser dans le cou. Mais je suis prêt à essayer.

Elle émit un soupir. Walker s'écarta pour la contempler. Elle avait les cheveux en désordre, le regard liquide, la bouche entrouverte. Il s'imagina la soulevant dans ses bras et la transportant jusqu'à son lit pour lui faire l'amour. Encore et encore et encore. Rien ne l'en empêchait, sinon ce petit garçon qui jouait au train dans le salon.

Il recula d'un pas pour aménager une petite plage de sécurité entre eux.

— Désolé, réussit-il à prononcer. Je me suis laissé emporter.

— Nous sommes deux, lui fit-elle remarquer.

Il voyait bien qu'elle s'efforçait de retrouver une respiration normale. Se penchant vers elle, il frôla ses lèvres d'un ultime baiser. Puis il tourna les talons, parcourut le ponton, sauta dans son bateau et démarra pour traverser la baie.

Pendant tout ce temps, il savait qu'elle devait être adossée contre le mur pour ne pas flancher, et qu'elle le suivait des yeux. D'où lui venait cette certitude ? Mystère. Mais il en avait l'intime conviction et n'aurait pas hésité à le parier sur sa vie.

21

Par un samedi soir anormalement frais de la mi-août, Allie se retrouva dans une situation inhabituelle pour la maman d'un petit garçon de cinq ans : elle était seule, n'avait rien à faire et personne avec qui passer le temps.

Les vingt-quatre heures que Wyatt avait passées la dernière fois chez Caroline avaient tellement enchanté cette dernière qu'elle avait renouvelé son invitation. Bien entendu, Wyatt avait sauté de joie. Allie, un peu moins. Elle se réjouissait des liens qui s'étaient tissés entre Caroline et son fils au cours de l'été, mais la perspective de rester une soirée en tête à tête avec elle-même à la maison la déprimait. Autrefois, elle n'avait eu aucun mal à assumer sa solitude. Mais depuis un certain temps, ce mot rimait pour elle avec une chose. Ou plutôt, deux. Penser à Walker Ford et… tenter sans succès de l'oublier.

Elle ne songeait pas à lui uniquement lorsqu'elle était seule. Bien sûr, en présence d'autres personnes, un client à la galerie ou Wyatt, par exemple, elle ne pouvait guère se permettre de gamberger. Heureusement, d'ailleurs, sans quoi elle serait devenue folle.

Assise sur un transat au bout du ponton, elle frissonna. Ce froid soudain était-il un phénomène passager ? Ou le signe avant-coureur d'un automne précoce ? À son retour, après avoir déposé Wyatt chez Caroline, elle avait enfilé un pull en laine. Elle s'était versé un verre de vin blanc et avait décidé de le savourer dehors, sous le prétexte d'admirer le coucher du soleil… en réalité, pour contempler la demeure de Walker de l'autre côté de la baie.

Elle se trouvait pathétique, une vraie ado de seize ans. Mais elle ne pouvait s'en empêcher. Ou alors, elle ne *voulait* pas s'en empêcher.

Bref… à divers moments du jour ou même de la nuit, elle se surprenait à fixer le ponton de Walker, son hangar à bateaux et sa maison perchée sur le promontoire. En général, elle essayait de se justifier en accomplissant simultanément une tâche quelconque. Étendre maillots et serviettes mouillés sur la corde à linge tout en observant à la dérobée. Lire une histoire à Wyatt et, chaque fois qu'elle tournait une page, jeter un coup d'œil par la fenêtre…

Malgré une vision parfaite, elle ne parvenait jamais à apercevoir Walker. La distance était trop grande. Un jour, elle avait failli sortir la paire de jumelles rangée sur l'étagère du haut dans l'armoire du vestibule. Mais elle y avait renoncé par crainte de franchir la ligne entre rêverie et espionnage.

Était-il là ? s'interrogeait-elle. Si oui, que faisait-il ? Était-il seul ou accompagné ? Chaque fois qu'elle se posait cette question, elle s'en voulait. S'il lui avait promis de l'attendre, il s'était bien gardé de lui assurer qu'il ne verrait pas d'autres femmes.

Pourquoi s'en priverait-il ? se demandait-elle dans les rares instants où elle parvenait à raisonner logiquement. Après tout, elle n'avait rien exigé de sa part. Elle ignorait si elle serait disponible un jour. Que souhaitait-elle ? Qu'il fasse vœu de chasteté ?

« Oui », lui chuchota une petite voix. Irrationnelle, certes. Car il aurait été normal qu'il cherche ailleurs. Mais l'idée même de le savoir avec une autre la submergeait d'un élan de jalousie maladive. Suivi d'une tristesse infinie. Comment pouvait-elle désirer à ce point quelque chose et s'en priver sciemment ?

Elle frissonna de nouveau et envisagea d'aller chercher un plaid dans la maison. Ou tout simplement de rentrer. Elle traînait là depuis déjà deux heures. Le soleil avait disparu, la nuit était tombée et la température avait chuté. Une personne sensée aurait regagné son intérieur et pris un bain chaud ou se serait couchée avec un bon livre. Mais Allie avait largement dépassé son seuil de discernement. Elle resta donc où elle était, le regard rivé sur la lumière au bout du ponton de Walker.

Comme presque tous les soirs, la lampe s'était allumée à vingt et une heures. Walker l'avait-il branchée à un programmateur ? Elle n'en aurait pas été surprise. Elle-même n'en aurait jamais eu l'idée alors que pour un homme comme Walker, cela allait de soi. Il était pragmatique. Organisé. Il était aussi beau, attirant et incroyablement, odieusement sexy.

Se remémorant leur dernier baiser sur sa véranda le dimanche précédent, elle sentit son désir pour lui l'envahir. Palpable. Puis elle imagina ce désir traversant l'étendue d'eau noire, débusquant Walker et l'absorbant à son tour, avec force et délicatesse.

« Ma pauvre, tu perds la tête ! s'admonesta-t-elle, furieuse. Remonte chez toi et mets-toi au lit. » Elle demeura pourtant immobile. Au bout de quelques minutes, elle comprit pourquoi elle était incapable de bouger. Ce soir, tout allait changer. Ce soir, elle allait répondre à la question qu'elle ne cessait de se poser. Pourquoi ne se décidait-elle pas à foncer ? À se lever et courir chez lui ? Rien ne l'en empêchait. Ils étaient tous deux adultes. Disponibles. Libres d'entamer une relation amoureuse. D'accord, elle avait Wyatt… Mais, justement, Wyatt adorait Walker. Il lui faisait confiance. Il réclamait sa compagnie.

Que faisait-elle encore là, à grelotter, alors qu'elle pouvait passer les douze heures à venir dans les bras de Walker ?

Pas la peine de chercher bien loin pour trouver la réponse : c'était son alliance. Un mince anneau en or qu'elle portait depuis huit ans. Les six années pendant lesquelles elle et Gregg avaient été mariés, et deux de plus, exactement deux ans, quatre mois et dix jours, depuis lesquels elle était veuve.

Elle avait déjà essayé de l'enlever. Récemment, elle s'y était efforcée à plusieurs reprises. Elle finissait toujours par la remettre. Sans cette bague, son annulaire gauche était comme nu. Cela la faisait souffrir. Comme si elle avait perdu un membre au lieu d'une bague.

Pire, si elle retirait son alliance suffisamment long-temps, elle revivait les sensations qu'avaient suscitées les baisers de Walker. Cette impression d'être infidèle à Gregg, ou du moins à sa mémoire.

Qu'aurait voulu son mari ? Qu'elle reste seule jusqu'à la fin de ses jours ? Certainement pas. Gregg n'était pas égoïste. Au contraire. Il l'aurait poussée à aller de l'avant. À rechercher l'amour et le bonheur.

Allie tripota son doigt, agacée contre elle-même. Ôter l'anneau une bonne fois pour toutes serait difficile. Et même l'une des épreuves les plus douloureuses qu'elle ait eues à surmonter. Elle en avait pourtant dominé d'autres : expliquer à Wyatt que son papa ne revien-drait plus, assister aux funérailles de son mari, trier ses affaires...

Soudain, un souvenir lui revint. Elle n'en avait jamais parlé à personne mais, même après avoir vendu la mai-son et déménagé, elle avait conservé tout ce qui avait appartenu à Gregg, jusqu'aux objets les plus banals comme des sachets non ouverts de rasoirs jetables ou des chaussettes de sport blanches fraîchement javelli-sées et pliées. Elle avait tout rangé, avec un soin méticu-leux, dans des cartons qui reposaient maintenant au garde-meubles. Elle ne s'était jamais demandé pourquoi. Avant ce soir.

Elle se mordit la lèvre inférieure, se concentrant. Pourquoi ? Pourquoi conserver ces biens, à moins que... à moins que... Elle se figea. Elle osait à peine respirer. Elle était sur le point de faire une découverte. Tout était à la fois si simple et si compliqué.

Tout à coup, elle comprit. Si elle n'avait pas pu se débarrasser des affaires de Gregg, c'était parce que au fond, elle n'avait jamais vraiment cru à sa disparition.

« Il est mort, se dit-elle. Il ne reviendra pas. Ni maintenant ni jamais. Notre vie ensemble est finie. Pour toujours. Tout ce qu'il nous reste, à Wyatt et à moi, ce sont des souvenirs de lui. »

Elle attendit qu'il se passe quelque chose. Un drame. Un cataclysme. Elle attendit qu'un éclair zèbre le ciel ou qu'un coup de tonnerre retentisse dans le silence. Il ne se passa rien. Ou plutôt, si... mais dans sa tête et dans son cœur. Elle avait beau être en état de choc, le monde continuait de tourner comme avant.

Brusquement, elle se leva et regagna le chalet. Elle se précipita dans sa chambre et sortit une boîte remplie de photos du dernier tiroir de sa commode.

Elle s'assit sur le bord du lit et s'obligea à examiner un par un tous les objets dont elle n'avait jamais pu se séparer. La photo d'elle et de Gregg prise au cours de leur première année à l'université, si jeunes, si joyeux. Une invitation à leur mariage, cinq ans plus tard. La lettre que Gregg lui avait écrite après l'avoir laissée à l'hôpital avec Wyatt, le soir de sa naissance. Il y exprimait l'intensité de son amour et leur promettait d'être le meilleur papa possible. Une autre photo : Wyatt, deux ans et demi, perché sur les épaules de Gregg juste avant leur départ pour le match des *Minnesota Twins*. Le premier auquel ils avaient assisté ensemble. Le dernier, aussi.

Il y avait une autre lettre, rédigée après le décès de Gregg, par un camarade de son unité de la *National Guard*. Il expliquait à Allie combien Gregg avait été courageux et attentif au bien-être de ses hommes. *Ce fut un honneur pour moi de servir avec lui*, concluait-il.

Allie poursuivit méthodiquement, examinant chaque photo, chaque document, des plus risibles (une serviette en papier au logo du pub où Gregg l'avait invitée pour leur première sortie) aux plus graves (ses plaques d'identification militaire).

Lorsqu'elle eut terminé, elle était épuisée. Elle remit tout dans la boîte et rangea cette dernière. Elle en avait cependant retiré la photo de Wyatt sur les épaules de Gregg, qu'elle disposa sur sa commode. Demain, elle achèterait un cadre. Elle le placerait à un endroit où elle et Wyatt la verraient souvent.

Puis Allie retira son alliance et la nicha dans son coffre à bijoux. Désormais, elle l'y laisserait. Ce faisant, elle aperçut son reflet dans la glace et constata avec stupéfaction que son visage était ravagé par les larmes. Elle ne s'était pas rendu compte qu'elle sanglotait.

Elle alla dans la salle de bains s'asperger la figure d'eau froide. Elle s'empara d'une brosse et démêla ses cheveux. Ensuite, elle ramassa son sac qu'elle avait abandonné sur la table de la cuisine. Il contenait tout ce dont elle avait besoin : portefeuille, clés, portable flambant neuf. Elle vérifia qu'il était bien chargé. Il l'était. Elle le mit en mode « sonnerie », au cas où Caroline aurait besoin de la joindre.

Elle éteignit les lumières du chalet et verrouilla la porte d'entrée, monta dans sa voiture et démarra. Elle était parfaitement calme. Pas la moindre trace d'anxiété. Pas le moindre signe de nervosité. Lorsqu'elle bifurqua dans l'allée de Walker, un flot d'excitation l'envahit. Elle se gara à côté du pick-up, se dirigea vers l'entrée et appuya sur la sonnette.

Silence. Un bruit de pas. Et enfin, après une éternité, Walker lui ouvrit.

— Allie ?

Il était en jean et en tee-shirt. Les haut-parleurs diffusaient de la musique rock et Allie repéra un verre de vin rouge à moitié vide sur un guéridon. De toute évidence, il s'offrait une soirée décontractée chez lui, tout seul. Mais il ne semblait pas du tout mécontent de la voir. Au contraire.

— Je suis prête, murmura-t-elle.

Il aurait pu réagir de mille et une manières. Il se contenta de lui sourire, de la prendre dans ses bras et de refermer la porte derrière elle.

22

— Où est Wyatt ?

— Chez Caroline, répondit-elle en nouant les bras autour de son cou et en lui offrant ses lèvres.

Il la récompensa d'un baiser exquis. Ensuite, il la repoussa à bout de bras et la dévisagea d'un air perplexe. Comme s'il ne l'avait encore jamais vue.

— Qu'est-ce qui ne va pas ? s'enquit-elle, prise de panique.

Son initiative lui avait paru naturelle. Et si Walker la rejetait ?

— Rien, murmura-t-il en lui caressant la joue. Je n'en reviens pas que tu sois là.

— Ça ne t'ennuie pas, j'espère ?

— Tu plaisantes ? J'ai l'impression d'avoir gagné au Loto.

Elle rit aux éclats.

— Puis-je te poser une question, Allie ?

Elle opina et s'efforça de prêter attention à ce qui allait suivre. Elle avait tellement envie de lui qu'elle avait du mal à se concentrer.

— Que s'est-il passé ? Entre la dernière fois et ce soir ?

— Rien, avoua-t-elle en toute simplicité. Rien et tout à la fois.

Il haussa les sourcils.

— J'ai compris que j'étais prête, ajouta-t-elle.

Il lui prit la main gauche.

— Plus d'alliance, constata-t-il tout bas, en effleurant son annulaire nu.

Un frémissement lui parcourut l'échine. Dès qu'il la touchait, elle s'embrasait.

— Plus d'alliance, confirma-t-elle. Je l'ai ôtée ce soir. Pour de bon.

— Tu es sûre de toi ? insista-t-il en plongeant son regard dans le sien.

— Absolument. Je te raconterai plus tard, je te le promets. Je ne suis pas là pour discuter... Du moins, pas tout de suite. J'ai quelque chose à faire d'abord.

Sur ce, elle réclama sa bouche, au cas où il aurait le moindre doute sur ses intentions.

Il s'écarta de nouveau.

— À présent, j'ai vraiment l'impression d'avoir gagné le gros lot, déclara-t-il avant de l'étreindre.

— Alors, tu m'invites à entrer ? demanda-t-elle d'un ton rieur.

Ils étaient toujours sur le seuil du chalet.

— Ah, oui ! Bien sûr. Excuse-moi... Où sont mes bonnes manières ?

La tenant par la main, il l'entraîna dans le salon. Un feu brûlait dans la cheminée.

— Je peux t'offrir une boisson ?

— Avec plaisir. La même chose que toi.

Il déposa un baiser sur son front et quitta la pièce. Allie avança jusqu'à la cheminée. Walker lui manquait déjà. Lorsqu'il revint, il lui tendit un verre de vin rouge. Elle en but une gorgée. Il était délicieux mais elle n'était pas d'humeur à le boire. Ce soir, elle n'avait pas besoin de recourir à l'alcool pour se donner du courage.

Elle posa son verre sur le manteau de la cheminée et il la serra dans ses bras.

— Cette flambée est bien romantique.

— Je ne t'attendais pas, lui rappela-t-il.

214

Elle sourit et ils s'embrassèrent sur fond de Bruce Springsteen, ponctué de temps en temps par le craquement d'une bûche.

Plus les minutes s'écoulaient, plus elle avait envie de lui. Et réciproquement. Car soudain, Walker la saisit par les hanches et la souleva. Elle enroula les jambes autour de sa taille, s'accrocha de plus belle à son cou et s'abandonna.

Tous ses complexes s'étaient envolés. Ces longues semaines de déni inébranlable cédaient devant un désir si fiévreux qu'elle l'aurait volontiers aspiré tout entier en elle.

D'un geste impatient, elle s'attaqua à son tee-shirt, à la ceinture de son jean. Pourquoi ses vêtements ne tombaient-ils pas tout seuls ?

— Allie, chuchota-t-il. Allie... dois-je aller chercher une... euh... une protection ?

Une protection ? Ah, oui, bien sûr ! Se protéger. Elle n'avait pas eu à s'en inquiéter depuis des lustres.

— Je n'y avais pas pensé, admit-elle. Tu peux, euh... t'en occuper ?

— Oui.

— Tant mieux, approuva-t-elle en lui arrachant son tee-shirt pour caresser son torse nu.

« Pourvu qu'il ait des préservatifs dans les parages, songea-t-elle. Je n'en peux plus d'attendre ! »

— En ce qui concerne mon passé... poursuivit-il, visiblement distrait par ces paumes qui exploraient ses pectoraux avec avidité, je n'ai personne dans ma vie depuis un certain temps. J'ai vu mon médecin au début de l'été et il m'a déclaré sain de corps et d'esprit. Au fond, quand je l'ai consulté, j'espérais qu'il se passerait quelque chose entre nous. Je voulais être prêt... Avec le recul, je me dis que j'étais peut-être un peu trop confiant.

— Pas du tout. Quant à moi, Walker, c'est très simple. Je n'ai eu que Gregg. Personne avant lui, personne après.

Il la fixa avec stupéfaction.

— En d'autres termes, ton mari est le seul homme avec lequel tu aies couché ?

— Jusqu'à maintenant. S'il n'est pas présomptueux de ma part de supposer que nous allons faire l'amour ce soir.

— Oh, non ! En revanche, je mentirais si je feignais de ne pas être intimidé par cet aveu. Prendre la suite de celui que tu as tant aimé est un sacré défi.

— N'y pense pas.

Walker parut soudain indécis. Il n'était pourtant pas du genre à manquer d'assurance, ni à douter de ses capacités. Allie ne connaissait qu'un moyen de le distraire. Par chance, c'était une excellente méthode.

Elle resserra les jambes autour de sa taille et happa sa bouche. Avec convoitise. Il laissa échapper un gémissement et glissa les mains dans les poches arrière de son jean, lui massant les fesses. Ce fut au tour d'Allie de gémir.

S'agenouillant, il l'allongea sur le tapis moelleux, insérant les mains sous son pull.

— J'avais l'intention de te monter dans ma chambre. Je me rends compte que nous ne l'atteindrons jamais.

23

— Comme tu es belle, s'émerveilla Walker, hissé sur un coude pour mieux la contempler.

Ils étaient toujours allongés sur le tapis du salon, devant la cheminée, et il admirait la façon dont les ombres des flammes dansaient sur sa chair dénudée.

Allie s'apprêtait à le contredire. Il lui coupa la parole d'un baiser.

— Comment fais-tu pour avoir une peau aussi magnifique ? Tu te baignes chaque matin dans de l'or liquide ?

— Exactement ! répliqua-t-elle d'un ton taquin. Tous les matins sans exception, juste après m'être brossé les dents.

Elle chercha à tâtons la peau de mouton qu'elle avait arrachée du canapé durant leurs ébats et s'enveloppa dedans.

Walker l'observa, amusé.

— Il est un peu tard pour jouer les saintes-nitouches, non ? D'autant que depuis deux heures, tu m'as offert... une exploration approfondie de ton corps. Crois-moi, Allie, ce corps ne devrait plus jamais être recouvert. Dans la mesure du possible.

Allie ébaucha un sourire tout en refusant de repousser la peau de mouton.

— Si je comprends bien, tu voudrais que je cesse de m'habiller ?

— Uniquement quand tu seras seule avec moi, précisa-t-il en laissant courir les doigts dans sa chevelure blonde, si soyeuse. Les habitants de Butternut seraient sûrement enchantés de profiter du spectacle mais je suis trop égoïste pour le partager avec eux.

Allie entrouvrit les lèvres. Son regard s'assombrit et Walker sut, instinctivement, qu'il allait finir par gagner sa cause. Pour l'heure, aussi improbable que cela pût paraître, il avait surtout envie de parler.

— Allie… était-ce différent de ce que tu avais imaginé ? En admettant que tu nous aies imaginés ensemble.

— Oh, oui, lui confia-t-elle en esquissant un sourire. Ces derniers temps, j'étais littéralement obsédée.

Il secoua la tête, ahuri. Ainsi, il n'était pas le seul ?

— Et toi ? s'enquit-elle. Tu avais fantasmé sur ce moment ?

— Si tu savais ! soupira-t-il.

— Et alors ?

— Oh ! J'étais loin du compte.

Il déposa un baiser dans le creux de sa gorge et elle tressaillit.

— Je savais que ce serait fantastique, reprit-il. Je n'avais pas prévu à quel point.

Elle lui caressa la joue avec le dos de la main.

— Je ne saurais mieux dire.

— Je ne changerais qu'une chose…

Du bout de l'index, il traça une ligne entre ses seins, jusqu'à son bas-ventre. Elle se tortilla, partagée entre le désir et l'impatience. Elle se maîtrisa. À présent, c'était elle qui voulait parler.

— Quoi ?

— Eh bien… dans mes rêves, je te transportais jusque dans ma chambre et je te faisais l'amour dans mon lit. Comme tu le mérites.

— Je ne regrette rien, assura-t-elle en tapotant le tapis. Notre impatience nous a emportés… D'ailleurs, n'importe qui peut faire l'amour dans un lit. Au risque de manquer de fantaisie.

Il sourit. Elle n'avait pas tort. Ce soir, ils avaient fait preuve d'une invention débridée.

— Et puis, enchaîna-t-elle. Cette pièce est tellement romantique avec son côté chalet perdu au fond des bois. Un décor à la fois masculin et séducteur.

Il plissa le front.

— Comme une garçonnière, tu veux dire ?

— Non, non...

— Allie, tu ne m'as pas posé la question mais je tiens à ce que tu le saches : à l'exception de mon ex-épouse qui a vécu ici pendant quatre mois et demi, je n'ai jamais amené une femme ici. À une époque, j'avais une amie que je rencontrais de temps en temps à Minneapolis. Je ne l'ai pas revue depuis le jour où je t'ai rencontrée chez *Pearl*. Le lendemain, je lui ai téléphoné pour lui annoncer que tout était fini entre nous.

— Ne t'inquiète pas. Je sais que tu n'es pas un coureur de jupons. Si tu l'étais, le moulin à commérages de Butternut tournerait à plein régime. Tu ne me dois aucune explication sur ton passé. Pardonne-moi. Je ne voulais pas te mettre sur la défensive.

Il se décontracta.

— Je ne le suis pas. Je voulais simplement t'expliquer que l'épisode de ce soir est exceptionnel. Différent. Tu es différente.

— Je m'en suis rendu compte à la manière dont tu m'as aimée.

— Je l'espère.

Il l'embrassa. Au bout d'un moment, Allie le repoussa et lui demanda, avec un sourire espiègle :

— Tu te rappelles ton rêve de me faire l'amour dans un lit ?

Il opina.

— Il n'est pas trop tard. Tu peux me porter jusqu'à ta chambre.

Elle repoussa la peau de mouton.

Walker eut un pincement au cœur. Elle était si belle que la regarder en devenait presque douloureux.

D'une main, il captura son sein, nimbé d'or à la lueur du feu, sauf pour le mamelon rose qui durcit immédiatement sous son toucher.

— Le problème, déclara-t-il en savourant d'avance son plaisir, c'est que nous mettrions au moins soixante secondes pour l'atteindre. Ce serait trop long. Je ne peux plus attendre.

— Rien ne t'y oblige, chuchota-t-elle en se blottissant contre lui, initiant de nouveaux ébats qui les laissèrent pantelants et assouvis.

Ils finirent par monter. La flambée s'était réduite à un monticule de braises incandescentes et, à l'horizon, le ciel commençait à se strier de rose.

— Quel calme ! s'exclama Allie en découvrant la vue depuis la fenêtre.

Les brumes matinales auréolaient le lac. Allie s'était à nouveau enroulée dans la peau de mouton et ses cheveux emmêlés tombaient sur ses épaules.

— Viens te coucher, l'encouragea-t-il en se plaçant derrière elle.

Il l'enlaça et l'embrassa dans le cou. Poussant un soupir de contentement mêlé de désir, elle se retourna et le suivit jusqu'au lit. Ils refirent l'amour en s'émerveillant de la douceur des draps frais sur leur peau nue.

Le soleil pointait à l'horizon quand Allie s'endormit. Sachant qu'il ne trouverait jamais le sommeil, Walker se contenta de la contempler. Elle paraissait si jeune, les traits détendus, sa chevelure éparpillée sur l'oreiller.

À sa façon, elle était très mûre. Beaucoup plus que lui. Elle avait subi un grand malheur et assumé de lourdes responsabilités. Gérer une entreprise florissante, comme il l'avait fait, était une chose. Élever seule un enfant en était une autre.

Il éprouva un brusque élan de culpabilité. La pauvre ! Elle avait devant elle une journée harassante auprès d'un enfant de cinq ans plein d'énergie alors que lui pourrait se recoucher après son départ.

Il résista donc à la tentation de laisser courir un doigt le long de l'intérieur de sa cuisse. Ce geste la réveillerait aussitôt et engendrerait de nouveaux ébats. Jamais Walker n'avait connu une femme aussi réceptive à ses caresses. C'était incroyablement flatteur. Et profondément excitant.

Il s'efforça de contenir son propre désir. Ils avaient fait l'amour quatre fois et il aurait volontiers recommencé. Allie avait ressuscité ses pulsions d'adolescent, le renvoyant à l'époque des besoins sexuels inépuisables et infatigables.

Mais Allie devait se reposer. Il se rallongea, la tête calée dans ses oreillers. Fermant les yeux, il écouta le rythme régulier de sa respiration et se délecta de la chaleur émanant de son corps.

Il demeura ainsi jusqu'à ce qu'une nouvelle sensation le submerge. Une sensation inconnue. Une accélération du pouls suivie d'un poids sur le sternum. L'espace d'un instant, il s'affola. Souffrait-il d'un problème physique ? Une crise cardiaque, par exemple ? Une hémorragie cérébrale ? Ridicule. Il avait trente-cinq ans et, à sa connaissance, une santé de fer.

Non, ce devait être psychosomatique. La manifestation physiologique d'un sentiment qu'il avait pris l'habitude d'ignorer. Ou de nier.

La peur.

Ce n'était pas la première fois, bien sûr. On ne pouvait pas vivre pendant trente-cinq ans sans avoir eu quelques frayeurs. Sauf que cette fois, c'était différent.

Il pensa au mari défunt d'Allie. Gregg avait combattu à l'autre bout du monde. Lui aussi avait dû connaître l'angoisse, une angoisse d'une autre sorte, celle réservée aux gens assez courageux pour affronter des situations terriblement dangereuses.

Walker avait expérimenté des moments de panique d'un tout autre genre. Un jour, quand ils étaient jeunes, son frère et lui avaient décidé de s'offrir un tour à bord d'un canoë en aluminium. Ils avaient été surpris par un orage et Walker avait cru son dernier jour arrivé. Plus récemment, par une soirée d'hiver, son pick-up avait dérapé sur une plaque de verglas et il avait failli heurter un arbre. Et puis, au printemps dernier, il se promenait dans les bois au crépuscule quand il s'était retrouvé par accident entre une maman ours et ses deux oursons. Pendant une seconde, il avait cru qu'elle allait se ruer sur lui.

La foudre, les routes glissantes, un animal sauvage irritable, rien de tout cela ne lui avait inspiré la terreur qui le rongeait maintenant. Car maintenant, pour la première fois de sa vie, il était amoureux. Et ça, c'était terrifiant.

Et pourtant, pour la première fois depuis longtemps, il réfléchissait en toute lucidité. Il savait exactement ce qu'il devait faire. En aurait-il seulement le courage ?

24

— Allie, vous me paraissez changée, déclara Sara Gage, l'air songeur.

Toutes deux se trouvaient dans son bureau de la galerie *Pine Cone*. Sara était devant son ordinateur et Allie attendait ses instructions pour l'accrochage d'une nouvelle collection d'aquarelles, œuvres d'une artiste locale que Sara avait découverte récemment.

— En quoi ? demanda Allie, sur ses gardes.

Ce lundi matin, vingt-quatre heures après avoir quitté le chalet de Walker, elle se sentait toujours transportée et marquée par le moment qu'ils avaient passé ensemble. Aussi bien intérieurement qu'extérieurement.

— Je ne sais pas, murmura Sara. Vous êtes radieuse. Comme si vous vous étiez offert une séance chez l'esthéticienne, ou quelque chose du genre.

Quelque chose du genre ou douze heures ininterrompues d'ébats hallucinants avec Walker Ford.

— Je me serais volontiers offert une séance chez l'esthéticienne, répliqua Allie d'un ton léger. Malheureusement, nous n'en avons pas à Butternut... Dommage, ajouta-t-elle sans conviction.

Ce qu'elle regrettait surtout, c'était la difficulté qu'elle éprouvait à fonctionner normalement. Les activités les plus simples, comme étaler du beurre sur du pain grillé, faire son lit, se brosser les dents, lui paraissaient insurmontables.

Son problème ? Elle n'avait de cesse de revivre cette nuit merveilleuse, jusque dans ses moindres détails. Et ils étaient nombreux, tous plus délectables les uns que les autres.

Une image lui revint en mémoire mais elle se rendit compte que Sara la dévisageait attentivement, sans prendre la peine de masquer sa curiosité. Allie la fixa en retour, prise au dépourvu. Sara lui avait-elle posé une question ? Elle n'en avait aucune idée. Elle décida qu'il était grand temps de chasser Walker Ford de ses pensées. Elle en était capable, non ? Elle commencerait en douceur en essayant de l'oublier une minute. Peine perdue. Une minute, c'était beaucoup trop. Une période de trente secondes lui semblait plus réaliste.

— Vous vouliez que nous discutions de l'accrochage ? demanda-t-elle à Sara dans l'espoir d'atteindre le délai fatidique des trente secondes.

— L'accrochage ? répéta distraitement Sara.

Allie songea que son inaptitude à mobiliser son énergie mentale devait être contagieuse.

— Les nouvelles aquarelles.

— Ah, oui ! Bien sûr. Il nous reste encore un quart d'heure avant l'ouverture de la boutique. Comme vous travaillez ici depuis six semaines, je me suis dit qu'un entretien s'imposait.

— Maintenant ? s'inquiéta Allie, craignant de ne pas être à la hauteur d'une telle conversation.

— Oh, Allie ! s'exclama Sara devant son expression de consternation. Soyez tranquille, je suis très contente de vous. Les recettes ont augmenté de vingt pour cent ce mois-ci et c'est à vous que je le dois.

Allie voulut protester mais Sara agita une main.

— Si, si, c'est vrai, insista-t-elle. Cela me coûte de l'admettre : vous êtes une bien meilleure vendeuse que moi. Nos clients vous apprécient. Et surtout, ils ont confiance en vous. Ils n'ont pas l'impression que vous cherchez à ce qu'ils achètent à tout prix n'importe quoi.

Ils ont la sensation que vous vous intéressez réellement à eux.

— C'est la vérité, rétorqua Allie sans réfléchir.

— Je sais. Ce genre de sincérité ne peut être feinte. Dans une boutique comme celle-ci, où l'essentiel de nos bénéfices provient de clients fidèles, c'est un plus. Donc, je vous le répète : je suis ravie de vous avoir engagée. Et vous ? Êtes-vous contente ?

Ouf ! Question facile.

— Oh, oui ! souffla Allie, soulagée.

— Tant mieux. Le salaire est modeste, j'en suis consciente. Sachez que je compte vous donner une prime de fin de saison basée sur nos profits. Mis à part l'argent, j'aimerais que vous envisagiez votre poste comme un investissement sur votre avenir. Ne vous méprenez pas : je suis ravie de posséder cette galerie. Seulement, je ne veux pas la conserver indéfiniment.

Elle poussa un soupir et but une gorgée de thé.

— Cela représente beaucoup d'efforts et mon mari en a assez des hivers du Minnesota. Pour être franche, Allie, j'envisagerais volontiers de revendre mon affaire, à condition de trouver l'acheteur idéal. Quelqu'un qui prend autant que moi ce projet à cœur et les artistes qui y exposent leurs œuvres. Quelqu'un comme vous, conclut-elle d'un ton catégorique.

— Moi ? bredouilla Allie, stupéfaite.

— Pourquoi pas ? Vous aimez l'art. Vous avez l'œil. Vous êtes une excellente vendeuse. De surcroît, vous avez le don de cultiver des relations avec nos créateurs. C'est l'aspect le plus complexe. Le plus gratifiant, aussi.

Allie hocha la tête, intriguée.

— Je manque d'expérience.

— Qu'à cela ne tienne ! Demain, je vais rencontrer une femme à Ely qui fabrique de superbes bijoux en or martelé à la main. Je l'ai découverte lors d'un salon des artisans au printemps dernier. Voulez-vous m'accompagner ?

— Avec grand plaisir. Merci de songer à mon avenir. Parfois, j'ai du mal à le faire, avoua Allie.

— Parfait. Bien… avons-nous autre chose à discuter avant d'ouvrir la boutique ?

— Non, répondit Allie en se levant. Enfin, si, se reprit-elle en se rasseyant. Je me demandais…

Comment formuler sa requête sans manquer de professionnalisme ?

— Je… pourriez-vous m'accorder un congé mercredi ? S'il est trop tard, si vous avez déjà d'autres plans, aucun souci. Je m'y prends à la toute dernière minute.

Sara haussa les épaules.

— Aucun problème. Si vous avez besoin d'une journée pour régler des affaires, prenez-la.

— En fait, j'ai un… rendez-vous, avoua Allie.

— Vraiment ? s'étonna Sara. J'ignorais que vous aviez un amoureux.

— Moi aussi, confessa Allie. C'est très récent.

Sara lui adressa un sourire indulgent.

— Prenez votre mercredi et profitez-en. Dieu sait que vous le méritez… Si ce n'est pas trop indiscret, puis-je vous demander qui est l'heureux élu ?

Allie trouvait cela un peu osé mais elle se raisonna : si Walker et elle sortaient ensemble, elle devrait s'habituer à ce que cela se sache. Elle regarda Sara droit dans les yeux.

— Il s'agit de Walker Ford… du chantier naval, ajouta-t-elle sans trop savoir pourquoi, car si elle avait appris une chose depuis cet été, c'était qu'à Butternut, tout le monde connaissait tout le monde.

— Walker Ford ? répéta Sara, visiblement stupéfaite. Excusez-moi, s'empressa-t-elle d'enchaîner. Je suis assez surprise. Je le croyais inaccessible.

— Comme je vous le disais, c'est très récent, éluda Allie. Pas de quoi en faire une montagne.

« Menteuse. »

— Si je veux prendre ma journée, c'est parce que Wyatt sera au centre de loisirs. C'est plus commode ainsi.

Elle hésitait encore à aborder le sujet de sa nouvelle relation avec son fils. Wyatt considérait Walker comme son copain de pêche, pas comme l'amoureux de sa maman.

— Bien sûr, acquiesça Sara. La curiosité me démange cependant : puis-je vous demander où vous comptez aller ?

— Pique-niquer sur une île du lac. L'île Red Rock, il me semble.

— Quelle bonne idée, murmura Sara avec une pointe de mélancolie. Je ne me rappelle même plus la dernière fois où j'ai pique-niqué avec mon mari.

Ne sachant que répondre, Allie se contenta de sourire poliment et de s'éclipser pour ouvrir la boutique. « Alors tu vois ? Ça n'a pas été si difficile que ça », songea-t-elle en repensant à sa conversation avec Sara. Le plus dur restait à venir. Car si la perspective de revoir Walker la rendait nerveuse, elle se demandait comment elle allait pouvoir patienter encore deux jours. Ce serait une véritable torture. Un pur et délicieux supplice.

Quarante-huit heures plus tard, postée au bout de son ponton, elle observait le bateau de Walker glisser vers elle. Elle était assise, ses pieds nus effleurant à peine la surface de l'eau. Elle serait obligée de se lever pour qu'il puisse accoster ; pour l'heure, elle n'osait pas : ses jambes tremblaient si fort qu'elles ne supporteraient pas son poids.

Était-elle nerveuse ? Excitée ? Folle à lier ? Elle n'avait qu'une certitude : depuis le matin, elle vivait dans un état second. Par exemple, en rentrant après avoir déposé Wyatt au centre de loisirs, elle avait ignoré les lits défaits, la pile de vaisselle dans l'évier et la pile de linge à laver. Elle avait pris un bain moussant, un luxe qu'elle s'accordait rarement le soir, alors encore moins au beau milieu de la matinée. Puis, après s'être séché les cheveux, elle avait tergiversé devant sa garde-robe. Ce qui était parfaitement ridicule puisqu'un short, un tee-shirt et une paire de baskets composaient la seule tenue sensée pour l'expédition prévue.

L'ennui, c'était qu'elle n'avait pas envie d'opter pour une tenue sensée. Au diable, le pragmatisme ! Elle avait fini par jeter son dévolu sur une robe bain de soleil en coton jaune pâle et décidé de se passer de chaussures.

À présent, le bateau de Walker n'était plus qu'à une centaine de mètres. La main en visière, son cœur se contracta tandis qu'elle le revoyait pour la première fois depuis qu'ils s'étaient quittés l'autre matin après avoir fait l'amour. *Il est magnifique !* songea-t-elle. Ses genoux s'entrechoquèrent.

Il agita le bras en guise de salut et elle lui répondit. Puis elle se mit debout, péniblement, pour l'aider à accoster.

— Bonjour ! lança-t-il presque timidement en manœuvrant le hors-bord parallèlement au ponton et en le stabilisant contre le pare-battage.

— Bonjour ! répondit-elle d'une voix un peu trop aiguë, les genoux flageolants.

Il l'aida à descendre et la contempla d'un air perplexe.

— Tu as tout ce dont tu as besoin ?

Allie s'empourpra. Forcément, il s'étonnait de la voir si mal préparée. Pas de chapeau ni de lunettes de soleil. Pas de maillot ni de serviette. Pas de bouteille d'eau, de flacon de crème solaire ni de bombe anti-moustiques. Elle n'y avait tout simplement pas pensé. Elle n'avait pensé qu'à sa petite robe jaune.

Si Walker trouvait cela étrange, il se garda de l'exprimer. Il démarra et fonça vers le milieu du lac.

— Belle journée pour un pique-nique, n'est-ce pas ? s'exclama-t-il.

— Parfaite ! renchérit Allie en savourant la chaleur du soleil sur ses épaules.

Elle avait craint d'avoir froid. Tous les autochtones affirmaient que l'automne serait précoce. La veille, elle avait aperçu de l'autre côté de la baie un arbre dont les branches du haut viraient déjà au rouge. Mais aujourd'hui ? Aujourd'hui, le temps était merveilleux : chaud, ensoleillé, le ciel légèrement voilé avec une délicieuse brise caressante.

— À propos, dit Walker en posant une main sur son bras. Tu es belle comme l'été.

— Merci, souffla Allie en repoussant une mèche de cheveux échappée de sa tresse africaine.

— Tu... tu reconnais ce bateau ? s'enquit-il, les yeux brillants.

Allie l'examina, fronça les sourcils.

— N'est-ce pas celui... que j'ai acheté ?

Walker hocha la tête, l'air enchanté.

— Qu'en penses-tu ?

— Qu'il est très différent de celui que j'ai testé avec Cliff, déclara-t-elle lentement, en poursuivant son inspection.

— Je l'avoue, j'y ai apporté quelques améliorations.

— Quelques-unes ?

— Oui. J'ai remplacé le moteur. L'autre ne me semblait pas assez puissant. Et j'ai refait les banquettes. Le skaï orange ne me plaisait guère. Ce tissu rayé bleu et blanc te ressemble davantage, je trouve.

— C'est superbe, admit-elle. Walker, réponds-moi franchement. J'ai du mal à croire que tu aies pu gagner de l'argent sur ce bateau après avoir effectué tous ces aménagements.

— Oh ! Je suis largement bénéficiaire, assura-t-il en la serrant contre lui.

— Mmm, murmura-t-elle, grisée par son odeur masculine. J'espère que vous ne traitez pas toutes vos affaires de cette manière, monsieur Ford, le taquina-t-elle. Car à ce rythme-là, vous finirez par ruiner votre entreprise.

— Ne t'inquiète pas.

Il enclencha l'embrayage en mode neutre et se tourna vers elle pour l'enlacer.

— Ma liste de clients ayant droit à un traitement préférentiel est très courte.

Ils s'embrassèrent un moment jusqu'à ce qu'Allie sente, à travers l'épais brouillard de leur désir mutuel, qu'il était temps de s'arrêter avant que la situation ne dégénère. Elle s'écarta, le souffle court.

— Qu'y a-t-il ?

— Nous sommes en plein milieu du lac. N'importe qui pourrait nous voir, expliqua-t-elle en déposant un baiser conciliateur sur sa joue.

— N'importe qui pourrait nous voir, reconnut-il en tripotant le décolleté de sa robe. À condition qu'il y ait quelqu'un.

Il n'avait pas tort. Hormis quelques huards nageant aux abords, la baie était déserte.

Walker se pencha pour couper le moteur. Puis il appuya sur une touche du tableau de bord. Allie perçut une sorte de coulissement suivi d'un bruit sourd.

— Que fais-tu ? demanda-t-elle alors qu'elle le savait pertinemment.

Les battements de son cœur s'accélérèrent, si c'était encore possible.

— J'ai jeté l'ancre.

Walker se détourna pour ramasser un plaid posé sur l'une des banquettes, auprès d'une énorme glacière.

— Pourquoi ? chuchota-t-elle.

— Parce que, pour l'instant, nous allons rester ici, annonça-t-il avant d'étaler la couverture sur le fond du bateau.

— Oui, ça, j'ai compris. Pourquoi ?

— Parce que, rétorqua-t-il en encadrant son visage des deux mains. Parce que je ne peux pas patienter une seconde de plus. J'ai envie de toi.

Il réclama ses lèvres en un baiser si fiévreux qu'Allie eut l'impression d'en perdre sa robe.

— Walker, bredouilla-t-elle enfin en se ressaisissant… Tu es fou ? Nous ne pouvons pas faire l'amour ici, en plein jour, au beau milieu du lac.

— Pourquoi pas ? riposta-t-il, imperturbable, en s'asseyant et en l'attirant vers lui.

— Je pourrais te donner des centaines de raisons, marmonna-t-elle en se laissant entraîner malgré elle. Primo, nous sommes dans un lieu public. Secundo, s'il n'y a personne pour le moment, rien ne dit que ce sera encore le cas d'ici cinq minutes. Tertio…

Elle se tut. À quoi bon insister ?

Se redressant, Walker s'agenouilla devant elle et glissa les mains sous sa robe.

— D'abord, nous sommes en pleine semaine, argua-t-il. Le trafic sur le lac est réduit. Ensuite, si un bateau s'approche, nous entendrons le moteur.

— Et si c'est un canoë ? objecta-t-elle.

Sans grande conviction car il lui caressait l'intérieur des cuisses et elle avait du mal à ne pas succomber à son excitation.

— Les canoës ont tendance à rester près des rives, soutint-il en insérant un doigt dans l'élastique de son slip.

Retenant son souffle, fascinée, elle le laissa faire tandis qu'il baissait sa culotte avec une lenteur aguicheuse.

— C'est de la folie, murmura-t-elle.

— Pas plus que tout ce j'ai pu faire depuis que je te connais, répliqua-t-il.

Allie s'obligea à respirer pendant qu'il la débarrassait de son sous-vêtement et le jetait de côté.

— Au fait… quand je t'ai vue dans cette robe, j'ai pensé que c'était une tenue peu pratique pour la journée que nous avions envisagée. À la réflexion, j'ai compris. En choisissant cette tenue, tu anticipais les

événements. Car maintenant, je vais pouvoir te déshabiller en un clin d'œil.

Après une lutte intérieure qui dura moins d'une
seconde, Allie ferma les yeux et s'abandonna à l'instant.

Plus tard dans la soirée, debout devant la glace de sa
salle de bains, sa métamorphose la choqua. Ses cheveux étaient emmêlés, le bout de son nez brûlé par le
soleil et sa bouche, qu'elle examina soigneusement,
paraissait enflée. Était-il possible de s'embrasser si fort
et si longtemps au point que les lèvres gonflent ainsi ?
Apparemment.

Tant pis, elle n'y pouvait pas grand-chose, décida-t-elle
en lâchant sa serviette pour pénétrer dans la cabine de
douche. Elle avait une demi-heure devant elle avant que
Wyatt ne revienne de chez Jax et Jeremy, qui l'avaient
accueilli après le centre de loisirs. Trente minutes pour se
rendre au moins à moitié présentable. Elle grimaça
quand le jet d'eau éclaboussa ses épaules rougies puis
shampouina ses cheveux en s'obligeant à penser à des
choses banales. Ne pas oublier d'acheter des timbres, par
exemple. Ou de nettoyer le réfrigérateur.

Elle ne voulait surtout pas repenser à ce moment
passé avec Walker. Un moment merveilleux. Après
avoir fait l'amour dans le bateau, ils avaient bavardé,
dérivé, recommencé. Plus tard, la chaleur devenant difficile à supporter, ils s'étaient rendus sur la plage d'une
crique isolée et baignés tous nus… ce qui avait évidemment ravivé leur excitation. Après quoi, ils avaient de
nouveau discuté… et recommencé.

Allie ferma les robinets et émergea sur le tapis de bain
pour se sécher. Elle enfila un jean et un tee-shirt, pei-
gna ses cheveux mouillés et les rassembla en une
queue-de-cheval. Puis elle s'empressa d'effectuer toutes
les tâches domestiques délaissées ce matin-là, laver la
vaisselle, faire les lits, lancer une machine de linge.
Enfin, elle se prépara une tasse de camomille, dans le

but de se calmer, et s'installa sur la véranda pour la boire en attendant Jeremy et Wyatt.

Bientôt, elle entendit un crissement de pneus sur le gravier et aperçut un pick-up remontant l'allée. Il s'arrêta devant le chalet et Allie constata avec surprise que ce n'était pas Jeremy, au volant, mais Jax. Elle fronça les sourcils tandis que son amie fortement enceinte en descendait.

— Jax ! protesta-t-elle en se précipitant vers elle. Tu m'avais dit que Jeremy ramènerait Wyatt. Sans quoi, je serais allée le chercher.

Jax posa l'index sur ses lèvres et ouvrit la portière arrière. Wyatt, attaché dans son siège enfant, dormait profondément.

— Je suis désolée. J'ai tenté de le garder éveillé sur le chemin. Je crains qu'une journée entière à jouer le meilleur ami de Jade l'ait achevé.

Allie rit malgré elle.

— Pauvre chou !

— En plus, il est très sale, ajouta Jax d'un air chagrin, en soulevant le petit garçon. Je l'ai obligé à se laver les mains avant notre départ. Ils ont joué au ballon prisonnier et…

— Jax ! Tu es cinglée ! Il est hors de question que tu portes Wyatt jusqu'à la maison. Il est beaucoup trop lourd pour toi.

Jax haussa les épaules avec indifférence mais laissa Allie prendre le relais. Allie l'emmena directement dans sa chambre, abaissa les couvertures et le déposa sur son lit. Ôtant ses chaussures et ses chaussettes, elle s'efforça d'ignorer son état de saleté. Aucune importance. Demain matin, il irait directement dans le bain et ses draps dans la machine.

Elle remonta la couette, l'embrassa sur la joue et éteignit la lampe de chevet. Lorsqu'elle revint dans le salon, elle y trouva Jax, assise sur le canapé, minuscule en dépit de son ventre énorme.

— Jax, tu n'aurais pas dû...

— Ne t'inquiète pas pour moi, Allie, l'interrompit-elle en levant une main. J'en avais envie. J'avais besoin de réfléchir et, curieusement, le fait de conduire m'aide à y voir plus clair.

Examinant son amie de plus près, Allie se rendit compte à quel point elle paraissait fatiguée. Fatiguée et... anxieuse.

— Est-ce que tout va bien ? lui demanda-t-elle en s'installant auprès d'elle.

— Bien sûr ! la rassura Jax avec un bref sourire. J'en suis juste à ce point de la grossesse où l'on se sent comme une baleine échouée.

Allie lui sourit à son tour, à contrecœur. Elle n'était pas rassurée. D'habitude, même enceinte, Jax respirait la santé. L'épanouissement. Or ce soir, elle avait les traits tirés.

— Je me souviens des dernières semaines de ma propre grossesse. Détestables. Jax, promets-moi de ne plus conduire seule la nuit, d'accord ? Tu en es à combien ? Huit mois et demi ? Tu pourrais accoucher d'un jour à l'autre.

De nouveau, Jax éluda le problème.

— Avec moi, le travail dure toujours des heures. Même avec Jade, mon troisième enfant, j'ai eu des contractions pendant quarante-huit heures avant la naissance. Crois-moi, quand je ressentirai les premières, j'aurai tout le temps de me rendre à l'hôpital.

Allie opina, à peine rassurée. Sans être une experte en la matière, elle savait que chaque accouchement était unique. Jax pouvait-elle vraiment prédire comment celui-ci allait se dérouler ?

— Alors ? Ce pique-nique ?

— Le pique-nique ? répéta Allie, histoire de gagner quelques secondes.

— Tu as bien pique-niqué avec Walter, aujourd'hui ? insista Jax, amusée.

234

— Oui, oui, marmonna Allie, écarlate.

En un éclair, elle se revit avec lui... nus sur la couverture qu'ils avaient étalée sur un matelas d'aiguilles de pin, dans une petite clairière près de la crique où ils avaient ancré le bateau. Elle sentait encore la chaleur du soleil sur sa peau, l'odeur des conifères...

— Et... c'était bien ? Le pique-nique, j'entends.

— Très bien, assura Allie en examinant ses ongles avec grand intérêt.

Jax s'esclaffa.

— Allie Beckett, tu mens très mal.

— Je sais... C'était... fantastique.

— J'imagine que tu ne fais pas uniquement allusion à la salade de pommes de terre de Caroline ? riposta Jax, une lueur espiègle dans ses yeux bleus.

Allie secoua la tête, honteuse. Elle savait que Caroline avait insisté pour préparer le repas que Walker avait apporté. Ils y avaient à peine touché. Ils en avaient même totalement oublié l'existence.

— Sérieusement..., Allie, reprit Jax d'une voix douce. Toute taquinerie mise à part, tu as l'air... transformée.

— Comme après un soin de beauté du visage ?

— Non. Pas exactement. Tu sembles... heureuse.

Allie, qui s'était une fois de plus concentrée sur ses ongles, releva les yeux. Jax lui souriait. « Elle se réjouit de mon bonheur », songea Allie. Soudain, elle eut envie de pleurer. Quelle chance d'avoir Jax pour amie ! Comment avait-elle pu s'en passer pendant toutes ces années ?

— Allie... tu es amoureuse de lui ?

— Amoureuse ? Je n'en sais rien. Mes sentiments tiennent davantage du désir.

— N'est-ce pas par là que débute l'amour ?

Allie y réfléchit. Était-ce vrai ? Entre elle et Gregg, certainement. Avant l'amour, il y avait eu l'alchimie. En ce qui concernait Walker... comment le savoir ?

Peut-être leur attirance mutuelle évoluerait-elle vers l'amour. Peut-être était-ce déjà le cas pour elle. Ridicule, non ?

Jax poussa un soupir las, interrompant les pensées d'Allie.

— Oh, Jax ! Pardonne-moi. Je ne t'ai même pas proposé à boire. Tu veux un verre d'eau ? Une camomille ?

Jax secoua la tête.

— Non, merci. Je ferais mieux de rentrer, sans quoi Jeremy risque de s'inquiéter.

Elle se hissa hors du canapé et Allie l'accompagna jusqu'à son pick-up.

— Tu es sûre que tout va bien ?

— Absolument.

Jax commença à ouvrir la portière, s'arrêta et se tourna vers Allie.

— C'est juste que... j'ai un truc à faire qui m'ennuie tout particulièrement.

— Laisse tomber, lui conseilla machinalement Allie. Tu n'as qu'à prétexter ton état. Demande à Jeremy de s'en occuper à ta place.

— Impossible.

Allie fronça les sourcils. Le ton de Jax l'inquiétait.

— Tu es sûre que je ne peux pas t'aider ? Je peux au moins t'écouter, si tu veux en parler.

Jax hésita.

— C'est tentant. Mais tu m'as déjà aidée, Allie, rien qu'en étant ici ce soir.

— Tu me préviendras si tu changes d'avis ?

Jax se glissa derrière le volant et mit le moteur en marche.

— Promis.

Elle appuya sur la pédale de démarrage, freina, se pencha par la fenêtre.

— Au fait, Allie... De toi à moi... ta peau est resplendissante.

Allie rit aux éclats et regarda son amie s'éloigner. Cependant, elle ne rentra pas tout de suite, préférant s'asseoir sur les marches, songeuse. Aurait-elle dû insister ? Certes, rien ne garantissait qu'elle aurait pu venir en aide à Jax. Alors comment expliquer cette sensation de malaise qui la rongeait ?

Le lendemain matin, lorsqu'elle et Wyatt croisèrent Jax au supermarché, Allie se dit qu'elle avait eu tort de s'angoisser. Jax paraissait en pleine forme. Allie mit donc son air préoccupé de la veille sur le compte de la fatigue. Ou d'une peur passagère. Jax avait quelque chose à faire qui l'ennuyait particulièrement. N'était-ce pas le cas de chacun, à un moment ou à un autre ? N'était-ce pas la vie ? Et celle de Jax ne frisait-elle pas la perfection ? Si. Du moins, du point de vue d'Allie.

25

— Miss Jax ?

— Frankie ? s'exclama Jax, surprise et un peu vexée.

Elle n'avait pas imaginé croiser quelqu'un de sa connaissance au *Mosquito* ce soir-là. Sauf Bobby, bien sûr. Et il accusait déjà quinze minutes de retard. Elle était là depuis un quart d'heure, dissimulée dans une alcôve, le regard rivé sur l'entrée et s'efforçant de passer inaperçue. Si tant est qu'une femme enceinte de huit mois et demi ait pu passer inaperçue dans un bouge infâme, à vingt et une heures un jeudi soir.

— Miss Jax, que faites-vous ici ?

— Comme vous, Frankie, éluda-t-elle en sirotant son coca.

— Je joue au billard, répliqua-t-il, sourcils froncés, en indiquant la queue qu'il tenait dans sa main droite.

— Et moi, je retrouve un vieux copain pour boire un verre.

« Un vieux copain qui me fait chanter. Un vieux copain que j'assassinerais volontiers. »

— L'endroit est mal choisi, marmonna Frankie.

— Vous êtes là, non ?

Il haussa ses épaules gigantesques.

— Je viens parfois jouer au billard. Ce n'est pas un endroit pour une dame comme vous, Miss Jax. Surtout que vous êtes… vous savez bien…

— Enceinte ? proposa-t-elle, amusée malgré elle.

Il opina, gêné. En dépit de ses airs de dur à cuire, Frankie était un grand timide.

— Ne vous inquiétez pas, Frankie, le rassura-t-elle en jetant un coup d'œil nerveux vers l'entrée. Je ne m'attarderai pas.

Frankie resta cloué sur place.

— Où est Jeremy ?

Elle but une gorgée de son soda en s'efforçant de garder son calme. Voilà un problème qu'elle n'avait pas prévu.

— Jeremy est à sa partie de poker hebdomadaire. Et Caroline, Dieu la bénisse ! a accepté de garder les filles quelques heures.

« Contrairement à vous, elle ne m'a posé aucune question », se dit-elle avec une pointe d'irritation. Aussitôt, elle s'en voulut. Frankie n'agissait pas par indiscrétion mais par instinct de protection.

— Bon, d'accord, je vous laisse. Quand votre ami arrivera, vous devriez aller autre part. Pour l'instant, c'est calme, expliqua-t-il en scrutant la salle. Plus tard, ça risque de devenir... plus agité.

— Ne vous en faites pas pour moi. Croyez-le ou non, j'ai déjà fréquenté ce genre d'établissement. Je sais comment m'y comporter.

Sur ce point, au moins, elle disait la vérité. D'où son dégoût quasiment viscéral pour cette atmosphère aux odeurs de bière rance sur un fond sonore de tintements de verres et de claquements de boules de billard. Elle avait beaucoup trop traîné dans ce genre de lieu au cours de son enfance. À l'époque où elle était une gamine assumant la responsabilité de deux parents alcooliques.

— À plus tard, Frankie, conclut-elle.

Il hocha la tête à contrecœur et se retira dans le fond du bar. Jax se réjouit, pour une fois, du retard de Bobby. Elle aurait été terriblement gênée de devoir le présenter à Frankie. Encore qu'elle aurait adoré voir l'expression de Bobby face à un type aussi baraqué. Car Bobby avait beau rouler des mécaniques, il n'en était pas moins lâche.

Elle plongea une main dans son sac, en extirpa une enveloppe vierge et la posa sur la table. Ce qu'elle contenait pouvait lui coûter son mariage, voire sa famille. Jax l'ouvrit et en sortit le chèque d'un montant de dix mille dollars.

Elle avait effectué un virement ce matin-là. Cette somme ne provenait ni de leur compte courant ni de leur compte épargne. Elle était issue d'un troisième compte, celui que Jeremy et elle avaient ouvert à la naissance de Joy alors qu'ils tiraient le diable par la queue. Ils avaient un rêve, celui de pouvoir un jour envoyer leur fille et ses éventuels frères et sœurs à l'université.

Jax n'avait pas eu cette chance. Jeremy avait suivi des études supérieures tout en travaillant et en accumulant des emprunts d'étudiant qu'ils venaient tout récemment de rembourser. Tous deux tenaient à ce que leurs enfants puissent sans soucis suivre leurs cours à plein temps.

L'idée était simple. Malheureusement, mettre de côté de l'argent pour l'éducation de leurs filles s'était avéré beaucoup plus difficile que prévu. Ils n'avaient pas tardé à découvrir combien la vie était truffée d'urgences, petites et grandes. Une nouvelle toiture pour la quincaillerie. Un nouvel embrayage pour la camionnette de Jeremy. Une nouvelle chaudière pour la maison. La liste ne s'arrêtait pas là.

Cependant, bon gré mal gré, le compte « études » avait grossi. Progressivement. Au printemps dernier, il avait atteint le jalon symbolique des dix mille dollars. Ils étaient conscients que cela ne suffirait pas à financer leurs projets mais c'était un début. Ils poursuivraient leurs efforts. Jax était championne en matière d'économies. Elle y avait consacré toute son existence.

C'est pourquoi elle avait eu tant de mal à se décider avant de procéder à ce transfert et rédiger ce chèque. Elle détestait l'idée de donner cet argent durement gagné à un minable comme Bobby. Elle détestait encore plus l'idée que Jeremy l'apprenne.

Avec un peu de chance, il ne s'en apercevrait pas tout de suite car c'était Jax qui assurait la gestion de leurs finances personnelles ainsi que celles de la quincaillerie. Elle payait les factures, les impôts, se chargeait de tous les dépôts, retraits et autres virements. Si Jeremy n'y mettait pratiquement jamais le nez, il avait accès à toutes les informations : il finirait fatalement par découvrir le pot aux roses.

Jax envisageait de combler le trou avant cela. Comment ? Elle ne disposait pas de dix mille dollars et ne connaissait personne qui puisse l'aider. Non... en contrôlant scrupuleusement leurs dépenses, elle espérait renflouer ce fameux compte avant que Jeremy ne détecte l'opération. Ce plan n'était pas très réaliste mais, pour l'heure, elle n'en avait pas d'autre.

— Coucou, bébé !

Elle sursauta tandis que Bobby se glissait sur la banquette en face d'elle. Absorbée par ses pensées, elle avait négligé de surveiller l'entrée.

Elle le contempla avec méfiance et fut surprise de constater à quel point la prison l'avait changé. Pas pour le mieux. Physiquement, il était plus ou moins le même. Il avait légèrement minci. Ses cheveux étaient plus longs. S'il avait souffert, c'était sur le plan psychologique. Cela se voyait à sa façon de se ployer sur la bière qu'il avait rapportée à la table et de scruter constamment la salle comme pour en jauger le potentiel hostile.

— Bonsoir, Bobby. Tu sembles en forme, mentit-elle.

— Et toi, tu es énorme, riposta-t-il après l'avoir examinée de bas en haut.

Elle serra les dents.

— Je suis enceinte.

— Mince ! souffla-t-il avant de boire une longue goulée de bière… ça te fera combien de mioches ?

— Quatre.

Cette réponse le laissa indifférent. Il se fichait de savoir combien elle avait d'enfants. Il inspecta de nouveau les alentours et Jax se surprit à en faire autant. Personne ne leur prêtait attention. Ouf ! Elle dévisagea Bobby, qui vida sa bouteille et la reposa brutalement.

— Qu'est-ce que tu bois ?

— Un coca, murmura-t-elle distraitement en lui indiquant son verre.

— Avec du whisky ?

— Pour l'amour du ciel, Bobby, pas dans mon état !

Il haussa les épaules.

— Comme tu voudras.

— Je veux bien un autre coca, si tu vas renouveler les commandes, grogna-t-elle.

— D'accord.

Il se leva, se balança d'un pied sur l'autre.

— Euh… je vais avoir besoin de fric.

Poussant un soupir, Jax s'empara de son portefeuille et lui tendit une poignée de billets. Il revint quelques instants plus tard.

— C'est pour moi ? demanda-t-il en lorgnant l'enveloppe.

Jax acquiesça et la poussa vers lui.

— Tu y trouveras le chèque du montant convenu, annonça-t-elle d'un ton aussi détaché que possible.

Bobby but, jeta un coup d'œil autour de lui. Puis il ramassa l'enveloppe, l'ouvrit et émit un sifflement.

Jax l'observait en se demandant comment il était possible de haïr quelqu'un autant qu'elle haïssait cet homme.

— Voilà qui devrait me permettre de m'installer confortablement dans la région, déclara-t-il en empochant le chèque.

Jax le fixa.

— Quoi ? vociféra Bobby en plissant les yeux.

Elle se secoua mentalement. Elle avait dû mal comprendre.

— Rien. À t'entendre, on croirait que tu as l'intention de rester à Butternut.

Il vida sa bouteille et la gratifia d'un sourire cruel.

— C'est le cas. Ça te pose un problème ?

— Bien entendu, répondit-elle, paniquée. Cela me pose un problème car il était convenu que tu quitterais Butternut dès réception de cet argent. Tu t'en souviens ?

— J'ai dit que je partirais, moi ? Parce que si c'est le cas, j'ai changé d'avis. Maintenant que j'ai un peu d'oseille, j'ai envie de prendre racine un moment. Histoire de veiller sur ma fille. De m'assurer que tu l'élèves convenablement.

Jax se sentit blêmir.

— Eh oui ! Je veux rencontrer ma fille.

— C'est impossible, rétorqua Jax, de plus en plus affolée. Elle n'est pas là. Nous l'avons envoyée en vacances. Elle ne rentrera pas avant… longtemps.

— Je ne te crois pas, Jax, rétorqua Bobby, visiblement agacé. Tu mens. Tu essaies de me priver de ma fille. Tu ne peux pas faire ça.

« Je peux au moins essayer », pensa-t-elle, avec ressentiment. Cet élan de colère la rassura. Elle retrouvait sa lucidité.

— Tu m'avais promis de ne pas intervenir dans sa vie, lui rappela-t-elle.

— Les promesses n'engagent que ceux qui y croient. D'ailleurs, il se pourrait qu'un de ces jours, je sois à court de fric. Et tu as beau m'affirmer que tu es pauvre, je suis sûr que ce n'est pas le cas.

Avant même qu'il n'ait prononcé ces paroles, Jax sentit le bébé bouger en elle, d'un mouvement si brutal, si douloureux qu'elle faillit pousser un cri. Elle se retint, préférant se cramponner à la table. La salle semblait pencher dangereusement d'un côté. Le bruit ambiant, conversations, juke-box, claquements de portes, s'estompa tout à coup et elle se mit à transpirer abondamment. Puis une vague de nausées la submergea. Soit elle allait s'évanouir, soit elle allait vomir. Dans un cas comme dans l'autre, ce ne serait pas joli, joli.

Dans le lointain, elle perçut une voix familière.

— Miss Jax ? Vous ne vous sentez pas bien ? Qu'est-ce qui vous arrive ?… Qu'est-ce que tu lui as fait, toi ?

« Frankie ! » pensa-t-elle avec soulagement tandis que son imposant physique surgissait devant elle. Il s'agenouilla auprès d'elle, la secoua légèrement.

— Miss Jax ? Qu'est-ce qui ne va pas ? Voulez-vous que j'appelle une ambulance ?

— Non, non, marmonna-t-elle. Je vais bien, je vous assure.

— Vous n'en avez pas l'air… Quant à toi, enchaîna Frankie en se tournant à nouveau vers Bobby, va lui chercher un verre d'eau et une pile de serviettes en papier. *Illico !*

Bobby dut s'exécuter aussitôt car lorsqu'il reprit la parole, Frankie ne s'adressa plus qu'à Jax.

— Miss Jax, vous n'êtes pas bien. Votre teint est… grisâtre. Laissez-moi appeler les secours ou vous emmener à l'hôpital.

— Non. Je vous en prie, Frankie, n'insistez pas. Je vais bien, répéta-t-elle.

Elle reprit son souffle. Elle se sentait déjà un peu mieux. Elle n'avait plus mal au cœur, elle ne tomberait pas dans les pommes. En revanche, la peur s'était emparée de tout son être.

Bobby reparut. Il posa un verre d'eau glacée et une pile de serviettes en papier sur la table. Puis il reprit sa place et fixa Frankie d'un regard hostile.

— Je lui ai rien fait, grogna-t-il tout bas.

Frankie l'ignora. Il trempa plusieurs serviettes dans l'eau et les tendit à Jax.

— Mettez-les sur votre front, ordonna-t-il.

Elle obéit et le résultat ne se fit pas attendre.

— Merci, Frankie.

Il se releva et pivota vers Bobby.

— Je te conseille de décamper, annonça-t-il d'un ton menaçant.

— On n'a pas fini, gronda Bobby. Jax et moi, on a encore des trucs à discuter.

— Oh, si, vous avez fini. Soit tu sors de ton plein gré, soit je te raccompagne. À toi de choisir.

— Mêle-toi de tes affaires ! geignit Bobby.

— Miss Jax est une amie. De toute évidence, tu l'as bouleversée. Dehors !

Jax dévisagea Bobby. Allait-il résister à Frankie ? Elle l'espérait vaguement. En cas de bagarre, elle savait d'avance qui l'emporterait.

Mais Bobby était méchant, pas stupide. Il se pencha vers elle.

— On se reverra, cracha-t-il.

Sur ces mots, il se mit debout et s'éclipsa.

— Je reviens tout de suite, dit Frankie à Jax avant de se lancer à la poursuite de Bobby.

Jax aurait volontiers pris ses jambes à son cou, elle aussi. Malheureusement, elle n'était pas certaine d'en avoir la force. Quelle sotte elle était ! Elle avait mis en péril son mariage et perdu dix mille dollars... pour rien. Bobby ne respecterait pas ses engagements. Il n'en avait jamais eu l'intention. Désormais, elle se trouvait dans une impasse. Il ne quitterait pas Butternut. Pourquoi s'en aller alors qu'il pouvait lui soutirer encore de l'argent ?

Elle se mit à pleurer, tout doucement d'abord, puis de plus en plus fort. Tant pis si elle se faisait remarquer. Quelle importance ? Sa vie était fichue. Plus rien ne serait comme avant.

Elle sanglotait encore lorsque Frankie la rejoignit cinq minutes plus tard.

— Bon débarras, déclara-t-il en prenant place sur la banquette en face d'elle.

Elle hocha la tête et s'essuya les joues.

— Miss Jax, autant que vous le sachiez. Je lui ai dit de ne plus jamais remettre les pieds à Butternut.

Elle releva la tête, sidérée.

— Vraiment ?

— Oui. Il vous a menacée, n'est-ce pas ?

— Absolument.

À quoi bon mentir, à présent ?

— Je m'en doutais. Bref, j'ai eu une petite conversation avec lui. Je peux être très persuasif quand je m'y mets, ajouta-t-il avec un petit sourire.

Jax poussa un soupir et se moucha bruyamment.

— Merci pour votre aide, Frankie. Malheureusement, Bobby ne s'en ira pas. Il a d'autres… projets.

À cette pensée, elle laissa échapper une plainte.

— Non, non, Miss Jax. Croyez-moi. Il ne se représentera plus ici.

Elle hocha tristement la tête.

— J'ignore ce que Bobby vous a raconté. Il n'en restera pas là.

— Que si ! Faites-moi confiance.

Jax était si fatiguée qu'elle se serait volontiers endormie sur place. Elle voulut expliquer à Frankie qu'il se trompait. Elle en fut incapable. Elle n'avait plus d'énergie.

— Miss Jax, je lui ai dit que si jamais je le revoyais à Butternut, je le tuerais. Purement et simplement.

— Frankie ! Quelle idée ! s'exclama-t-elle, sincèrement étonnée.

Certes, de nombreuses personnes se laissaient intimider par la carrure de Frankie. Pas elle. Elle avait toujours su, instinctivement et quel que soit son passé, qu'il était le plus doux des hommes.

— C'était pas une blague.

— Frankie... vous n'iriez pas jusqu'à le tuer, tout de même ?

— Si. Ce ne serait pas la première fois. Bobby le sait. On a purgé une peine dans la même prison, lui et moi. Je lui ai dit que je n'hésiterais pas à le descendre s'il ne vous fichait pas la paix. Il m'a cru. Croyez-moi, Miss Jax. Je l'ai lu dans son regard.

— Vous avez commis un meurtre ?

— Exact.

— Pourquoi ?

— Le « pourquoi » ne compte pas.

— Pour moi, si.

Il fronça les sourcils, réfléchit.

— D'accord. Je vais vous raconter ce qui s'est passé. À condition que ça reste entre nous. Personne n'est au courant, même pas Miss Caroline.

Elle acquiesça, mais fut saisie d'un hoquet. Il repoussa le verre de coca vers elle et elle en but une gorgée, docilement.

— J'ai grandi dans une famille de... de cinglés. Mon père nous a abandonnés. Ma mère a fait de son mieux mais, en toute franchise, Miss Jax, c'était pas génial. Elle collectionnait les amants. Et pas des gars du genre à jouer au ballon avec moi, si vous voyez ce que je veux dire.

Jax comprenait parfaitement.

— Toujours est-il, reprit Frankie, que l'un d'entre eux se plaisait à nous cogner, ma petite sœur et moi. Quand j'ai grandi, ça ne m'a plus posé de problème sauf que le mal était fait. Ma sœur s'est mariée beaucoup trop jeune, avec un type qui ressemblait à ce salaud. Une tête brûlée. Pour peu qu'il ait passé une mauvaise journée, qu'il ait eu une contrariété, il rentrait à la maison et se défoulait sur elle.

Jax se pencha vers lui et tenta de lui prendre la main, énorme, dans la sienne, minuscule.

— Je comprends, Frankie.

— Ça me rendait malade. J'aimais pas grand-chose en ce bas monde. Elle, je l'*adorais*. Elle était si mignonne. Elle était aussi menue que vous, Miss Jax. Je… Je supportais plus de la voir souffrir alors un soir, je suis allé trouver son mari. Il avait bu. On s'est battus. J'étais plus fort que lui mais il était armé d'un couteau. Je m'en suis rendu compte trop tard. Il allait me poignarder, donc j'ai…

Les mots restèrent suspendus sur ses lèvres.

— Vous étiez en état de légitime défense, non ? Pourquoi vous a-t-on envoyé en prison ?

— Le procureur n'a pas vu les choses comme ça, je suppose.

— Oh, Frankie ! Je suis désolée. C'est injuste. Enfin… de là à menacer Bobby de le tuer…

Il marqua une pause et elle sentit qu'il cherchait comment formuler ses pensées. Frankie n'était pas un bavard. Du moins ne l'avait-il jamais été jusque-là.

— Je le ferai pour vous protéger, avoua-t-il après un long silence. Vous et Jeremy. Et les filles, bien sûr. Vous m'avez aidé. Je suis arrivé à Butternut en sortant de prison. Miss Caroline et votre famille, vous avez pris un risque en m'accueillant. Je l'ai jamais oublié. Je l'oublierai jamais.

— N'exagérons rien, protesta Jax.

— Vous m'avez sauvé. Quand Miss Caroline m'a embauché, j'étais à la rue. Personne voulait louer un logement à un ex-détenu. Jeremy m'a déniché cet appartement au-dessus du *Lavomatic*. Il a même cosigné le contrat.

Jax opina, songeuse. Elle s'en souvenait. Elle ne s'en était pas étonnée. Jeremy était ainsi. Spontané et généreux.

— Ensuite, quand j'ai emménagé, enchaîna Frankie, j'ai vu qu'il y avait des travaux à faire. J'avais pas d'économies. Là encore, Jeremy m'a filé un coup de main. Il m'a ouvert un compte à la quincaillerie. J'ai pu acheter de quoi retaper la baraque. Vous êtes jamais venue chez moi, Miss Jax... Eh bien, aujourd'hui, c'est vraiment chouette. Douillet, on pourrait dire.

Ce choix de vocabulaire fit sourire Jax.

— Vous avez tout remboursé, Frankie. Vous ne nous devez plus rien.

— C'est pas que je vous doive quelque chose. C'est que vous êtes des gens bien. Peut-être que vous en avez l'habitude ; moi, non. Du coup, j'ai envie de protéger des personnes comme vous et vos proches. Vous êtes bonne. Douce. Innocente. J'aimerais que vous le restiez.

— Innocente, je crains que non. La vérité est beaucoup plus complexe.

— Je dis pas que vous êtes parfaite, Miss Jax. Tout le monde peut faire des bêtises. En même temps, comme le dit Miss Caroline, tout le monde mérite une seconde chance. La plupart des gens, en tout cas, rectifia-t-il et, à la lueur dans ses prunelles, Jax comprit qu'il faisait allusion à Bobby.

Elle poussa un soupir, but une gorgée de soda. Elle ne pleurait plus mais elle demeurait préoccupée.

— Frankie, croyez-vous que Bobby nous fichera la paix ?

— J'en suis sûr.

— Et sinon ?

— Je m'en charge. En attendant, Miss Jax, je vous escorte jusqu'à votre voiture. Ici, ça commence à chauffer.

Jax scruta la salle et s'aperçut tout à coup que le bar s'était rempli.

— On va passer par les cuisines. Le propriétaire est un copain.

Frankie lui fraya un chemin et Jax le suivit jusqu'au parking.

— Merci, Frankie, murmura-t-elle en se hissant sur la pointe des pieds pour lui faire la bise.

Il lui tapota le dos, maladroitement.

— Frankie ? s'enquit-elle brusquement. Qu'est devenue votre sœur ?

— Je n'en sais rien. Après cet épisode, elle ne m'a plus jamais adressé la parole. Soi-disant qu'elle aimait son mari. Bizarre, non ?

Il tenta de sourire. Jax en fut incapable. Elle ferma les yeux, l'espace d'un éclair. Décidément, le monde était parfois cruel.

— Hé ! Vous en faites pas. Je m'en sors plutôt pas mal. J'ai payé ma dette et j'en ai profité pour apprendre à cuisiner. Quant à ma sœur... qui sait ? Elle a peut-être retrouvé la raison. Elle a peut-être même rencontré un type sympa.

— Je le lui souhaite, dit-elle en donnant l'accolade à Frankie.

Au même instant, elle sentit une de ces fausses contractions dont elle était la proie depuis quelques jours. Cette fois, elle fut plus forte que les précédentes. Au point qu'elle en eut le souffle coupé. Frankie la dévisagea d'un air inquiet.

— C'est le bébé, expliqua-t-elle en se caressant le ventre. Elle se manifeste.

Frankie opina, dubitatif. Il lui ouvrit la portière du pick-up et l'aida à grimper sur son siège.

— Et maintenant, allez vite retrouver vos magnifiques petites filles. Embrassez-les de ma part !

— Je n'y manquerai pas.

26

Le lendemain soir, moins de vingt-quatre heures après avoir quitté le *Mosquito Inn*, Jax remontait dans son pick-up. Cette fois, elle fonça en direction du chalet d'Allie.

« Jax ? » s'étonna cette dernière devant la fenêtre de sa cuisine, un torchon à la main. Elle plaça une assiette sur l'égouttoir, s'essuya les mains et se précipita dehors.

— Jax ! s'exclama-t-elle.

Elle se serait volontiers répandue en reproches mais l'attitude de son amie l'en empêcha. Épaules crispées, mâchoires serrées… Jax semblait déterminée. Elle n'était pas là pour papoter. Elle était en mission.

— Jax ? Qu'y a-t-il ? s'écria Allie en ravalant son sermon au sujet de l'imprudence qu'elle commettait à rouler seule la nuit à ce stade de sa grossesse.

— J'ai essayé de te joindre toute la journée. Ça sonnait toujours occupé et…

— Mon téléphone était décroché. Je viens de m'en apercevoir. Wyatt a dû bousculer l'appareil en jouant.

— J'ai tenté de t'appeler sur ton portable aussi. Je suis tombée directement sur la messagerie vocale.

Allie fronça les sourcils. Avait-elle oublié, une fois de plus, de le recharger ?

— Wyatt est encore debout ?

— Non. Je le couche à vingt heures trente, sans quoi je deviendrais folle.

Jax hocha la tête. Elle semblait mal à l'aise. Plus que cela... elle semblait souffrir.

— Tu veux un verre d'eau ?

— D'accord.

— Entre ! l'encouragea Allie de plus en plus inquiète.

Jax la suivit. En bas des marches de la véranda, elle s'immobilisa.

— Si ça ne t'ennuie pas, je préfère t'attendre ici.

Elle s'assit péniblement, au grand dam d'Allie. Jax, même très enceinte, était en général si souple, si agile. Elle donnait l'impression, même en plein été, que la grossesse était un état facile à vivre. Mais pas ce soir. Ce soir, elle paraissait exténuée.

— Je reviens tout de suite.

En remplissant un verre dans la cuisine, Allie tenta de se rassurer. Jax était fatiguée. Normal. Et mal dans sa peau. Logique : la date de son accouchement approchait à grands pas. Après tout, c'était un être humain.

— Tiens ! Bois !

Allie s'installa auprès de son amie et l'observa attentivement. C'est alors, à la lueur du lampadaire de la véranda, qu'elle constata à quel point le teint de Jax était pâle, son front brillant de transpiration.

— Jax ? Tu veux me dire ce que tu fabriques ici ? s'enquit Allie, l'esprit en alerte.

Jax opina sombrement.

— Quand as-tu parlé avec Walker pour la dernière fois ?

— Walker ? s'exclama-t-elle, prise de court. Pas depuis notre pique-nique, mercredi. Nous sommes vendredi, donc cela fait deux jours. Pourquoi ?

Jax demeura muette. Elle but une gorgée d'eau.

— Pourquoi ? insista Allie. Tu trouves étrange qu'il ne m'ait pas appelée ?

Jax répondit à sa question par une autre question.

— T'a-t-il annoncé qu'il attendait de la visite ?

D'une main tremblante, Jax posa le verre entre elles sur la marche.

— De la visite ? Non, je ne crois pas. Pourquoi ? De quoi s'agit-il ?

Elle commençait à s'impatienter mais l'apparence de Jax tempéra son agacement. La pauvre, elle n'avait vraiment pas l'air en forme.

Jax reprit son souffle.

— Ce matin, après avoir déposé les filles au centre de loisirs, je suis allée chez *Pearl*. Caroline était occupée. Je me suis donc assise au comptoir. Je buvais une tasse de thé quand une femme est entrée et a pris le tabouret voisin du mien. Allie, je te jure, quand je me suis tournée vers elle et que je l'ai reconnue, j'ai failli m'étrangler.

— Qui était-ce ?

Allie était perplexe. Jax avait-elle parcouru tout ce chemin pour ça ?

— Caitlin. L'ex-épouse de Walker.

Allie la fixa d'un air ahuri.

— Je sais. Moi non plus, je n'y comprends rien, reprit Jax. Personne ne l'a jamais revue depuis qu'elle et Walker se sont séparés. Au début, j'ai pensé qu'elle était juste de passage. Ou qu'elle avait rendez-vous avec Walker pour un café. Tu sais bien, les ex qui s'efforcent d'entretenir des relations cordiales et blablabla. Quand j'ai entamé une conversation avec elle, elle m'a annoncé qu'elle allait lui rendre visite. Je lui ai demandé combien de temps elle comptait rester et elle a déclaré que c'était un séjour, je cite, « open ».

— Bizarre, murmura Allie.

« Quoi ? s'interrogea-t-elle. Que son ex vienne le voir ? Ou qu'il ait omis de m'en parler ? »

— Je trouve aussi, renchérit Jax. Pourtant, c'est la vérité. Elle est chez lui en ce moment même. Sa voiture est garée dans l'allée.

Allie plissa le front. Elle avait du mal à enregistrer l'information.

— Jax... comment le sais-tu ?

Jax afficha un air coupable, puis gêné.

— En venant, j'ai effectué un petit détour. J'ai remonté le chemin, pas jusqu'au bout, juste assez loin pour apercevoir sa voiture.

— Tu espionnais Walker ? s'écria Allie, incrédule.

— Plus ou moins, chuchota Jax.

— Pourquoi ?

— J'avais besoin de savoir. Parce que si elle était là et que tu n'étais pas au courant, je tenais à ce que tu l'apprennes par moi. Imagine que tu appelles Walker et que tu tombes sur elle. Ou que tu y ailles et qu'elle t'ouvre la porte.

Allie demeurant muette, Jax poursuivit :

— Tu étais si heureuse mercredi soir après votre pique-nique. Je ne t'avais jamais vue ainsi. Tu semblais si... éprise de lui. Je voulais t'épargner une blessure. Ou, du moins, la minimiser.

Allie hocha distraitement la tête.

— Jax, ne tirons pas de conclusions trop hâtives. Il y a peut-être une explication à tout cela.

Tout en prononçant ces mots, Allie se rendit compte qu'elle n'y croyait guère. Si Walker n'avait rien à lui cacher, pourquoi ne lui en avait-il pas parlé ?

— Tu as raison, approuva Jax. Je suis sûre que tout va pour le mieux.

Elle serra brièvement le bras d'Allie et celle-ci s'étonna de la moiteur froide de sa main.

— Jax, qu'y a-t-il ? s'affola-t-elle tandis qu'un spasme de douleur déformait le visage de son amie.

Jax émit un gémissement et plaqua les mains sur son ventre.

— C'est le bébé, souffla-t-elle.

— Elle... elle va bien ?

— Oh, oui, assura Jax en se redressant légèrement pour se masser les reins. Elle me prévient qu'elle est en route, voilà tout.

256

— En route ? répéta Allie, hébétée.

— Le travail a commencé, Allie... Ce bébé va bientôt naître.

Allie la contempla avec ahurissement. Elle avait bien entendu. Elle refusait d'y croire.

— Ne t'inquiète pas, Allie. Je suis déjà passée par là, rappelle-toi. Trois fois.

— C'était une contraction ?

— Absolument. Hier soir, j'étais dans un bar avec Frankie et j'ai ressenti ce que j'ai pris sur le moment pour une contraction précoce. Apparemment, je me trompais.

— Tu étais dans un bar avec Frankie ?

— Pas pour boire. On discutait. Je sais, ça peut paraître curieux mais...

— Peu importe, coupa Allie d'un ton impatient. Ce qui me préoccupe, c'est que tu viens d'avoir ta première contraction. C'est bien cela ?

— En fait, admit Jax, penaude, ce n'était pas la première. J'en ai depuis un moment.

— Un moment ? C'est-à-dire ?

— Eh bien... avant que je ne décide de venir ici. Je... elles étaient assez espacées et je... je m'inquiétais pour toi.

— Jax, tu es venue jusque chez moi dans ton état parce que tu t'inquiétais pour moi ? demanda Allie, éberluée.

— Oui. J'étais sûre que j'aurais le temps de rentrer avant que...

Elle se tut, saisie par un nouveau spasme. Une fois celui-ci passé, elle continua :

— Tous mes accouchements ont duré des heures. Cette fois, j'ai l'impression que ça va... nettement plus vite.

— Oh, Jax ! murmura Allie en tendant le bras pour lui masser le bas du dos. Ton geste me touche. C'est le plus gentil et... sans doute le plus stupide que l'on ait jamais commis pour moi.

— Merci... balbutia Jax avec un petit rire.

— J'appelle Jeremy, décida Allie. Il conduit vite, n'est-ce pas ? Plus vite que moi, en tout cas. Il te transportera à l'hôpital.

— Impossible. Jeremy est à St. Paul. Il est parti ce matin. Son cousin a eu un accident de moto hier.

— Jeremy t'a laissée alors que tu es sur le point d'accoucher ?

— Juste pour une nuit. Nous étions tous deux persuadés qu'il aurait tout le temps de revenir si le travail commençait.

— D'accord, marmonna Allie en s'efforçant de conserver son calme. Jeremy n'est pas là. Moi, si. Je vais réveiller Wyatt, l'installer dans la voiture et t'emmener aux urgences.

— Allie, ce n'est pas prudent. L'hôpital est à trente minutes de trajet. Et j'ai l'impression que...

— Tu viens de me dire que tes accouchements étaient interminables.

— Apparemment, la donne a changé. Cette fois, c'est différent, Allie. Le bébé arrive. Beaucoup plus vite que prévu. Les contractions sont de plus en plus rapprochées.

— Mon Dieu ! Tu n'aurais jamais dû venir ! se lamenta Allie.

— Trop tard. Je suis là. La situation pourrait être pire.

Allie la dévisagea sans comprendre.

— Je suis navrée. Si j'avais su... jamais je ne t'aurais mise dans une telle situation. J'étais tellement persuadée que...

— Jax, ne me dis pas que tu vas mettre ton enfant au monde ici !

— Je crains de ne pas avoir le choix. Tâchons de positiver. Les femmes qui accouchent à domicile sont nombreuses. D'autres mamans viennent à la rescousse. Tu pourrais m'aider. Tu as eu un bébé, toi aussi, non ?

— À l'hôpital, Jax, riposta Allie, au bord de l'hystérie. Pas dans un chalet isolé.

— Oui, bon, tu sais comment ça se déroule. Ce n'est pas si compliqué.

— Jax, est-ce qu'on parle de la même chose ? s'enquit Allie, sidérée. Parce que, crois-moi, accoucher fut une des épreuves les plus pénibles de mon existence. Et j'avais demandé une péridurale, en plus.

Jax s'esclaffa. Comment pouvait-elle rire en un moment pareil ?

— D'accord, ce n'est pas une sinécure, c'est sûr. Nous ne sommes pas obligées d'affronter le problème toutes seules. Appelle le 911. Ils te connecteront aux pompiers de Butternut. Ils sont bénévoles mais ils possèdent une ambulance et ils ont tous leur diplôme de secouristes. Ce sont des gars bien. Fais-moi confiance. J'ai été au lycée avec la plupart d'entre eux.

— Je m'en occupe tout de suite.

Allie se précipita dans la cuisine, heureuse d'avoir une tâche concrète à accomplir. Elle composa le numéro et exposa la situation à la standardiste. Puis elle raccrocha et courut retrouver Jax.

— Ils arrivent. Tu crois que tu vas pouvoir attendre ?

Jax hocha la tête, le visage déformé par la douleur.

— On va chronométrer les contractions, décréta Allie. Tu serais mieux à l'intérieur, non ?

— Non. Je suis bien ici, sur la véranda. Je peux voir les étoiles.

— Les étoiles ?

Allie scruta le ciel. Il était noir comme l'encre et constellé de millions de points lumineux.

— Comme tu voudras, murmura Allie en s'asseyant auprès de son amie et en recommençant à lui masser les reins… Que puis-je faire en attendant les secours ?… Tu veux un autre verre d'eau ?

Le corps de Jax se figea brusquement. Allie consulta sa montre. Trois minutes. Paupières closes, elle prononça une prière silencieuse. « Mon Dieu, je vous en supplie, faites que l'ambulance arrive à temps ! Je suis capable de toutes sortes de choses mais pas de mettre un bébé au monde. »

— Tu sais ce que tu pourrais faire pour moi, Allie ? Appeler Jeremy sur son portable. Je vais te donner son numéro. Tâche de ne pas l'effrayer, je t'en supplie. Il a un long parcours à effectuer. Je ne voudrais pas qu'il ait un accident. D'autre part, ma voisine, Sally Ann, garde les filles. Il faudrait que tu la préviennes que je vais rentrer en retard.

« Un euphémisme », pensa Allie. Néanmoins, elle contacta Jeremy et Sally Ann en faisant de son mieux pour paraître maîtresse de la situation. Jeremy, en revanche, sauta au plafond. Il était furieux de se trouver aussi loin et fou d'angoisse pour sa femme.

Allie le rassura et lui passa rapidement Jax. La pauvre avait du mal à s'exprimer normalement.

Après avoir dit au revoir à son mari et raccrocher, Jax se mit à arpenter la véranda de long en large, s'arrêtant de temps à autre pour s'adosser contre le mur du chalet, les yeux fermés. Allie continua à chronométrer les contractions. L'ambulance surgit au bout de vingt minutes. Pour Allie, une éternité. Trois pompiers en descendirent.

— Salut, Jax ! lança l'un d'entre eux. Il paraît que tu vas avoir un bébé !

— Il semble que oui, souffla-t-elle en s'affaissant.

— Bonsoir, je suis Jed, annonça-t-il en serrant la main d'Allie.

Il était grand, doté de larges épaules et très musclé. S'il avait été au lycée à la même époque que Jax, il avait dû faire partie de l'équipe de football.

— Vous avez minuté les contractions ? demanda-t-il à Allie, tout en jetant un coup d'œil sur Jax.

— Toutes les deux minutes. Voire moins.

— Bien, déclara-t-il, impassible. L'hôpital est trop loin. Je pense que ce bébé va naître ici.

— C'est précisément ce que je craignais, avoua Allie.

— Pas de quoi vous affoler. Croyez-moi, nous avons accouché des tas de mamans. Il faut qu'on s'installe. Vous avez une chambre libre ?

— Bien sûr. Mon fils dort dans la sienne. Vous n'avez qu'à prendre la mienne. Je vous montre le chemin.

— Parfait. Nous aurons besoin de draps et de serviettes de bain propres.

— Tout de suite.

Elle conduisit Jed à sa chambre puis lui apporta les draps, les serviettes, et une chemise de nuit en coton.

Jax semblait réticente à rentrer dans la maison mais Jed réussit à l'amadouer en lui expliquant qu'il devait l'examiner afin de savoir où en était le travail.

Pendant ce temps, le cœur battant, Allie alla voir son fils. Et si ça se passait mal ? Si le bébé n'allait pas bien ? paniqua-t-elle. Elle se ressaisit et rajusta les couvertures de Wyatt tout en s'émerveillant, pour la millième fois, de sa capacité à dormir en toute circonstance.

En ressortant, elle chercha désespérément comment s'occuper. Elle avait beau vouloir aider Jax, elle rechignait à la rejoindre. En quoi pouvait-elle l'aider ? Elle frôlait la crise de nerfs.

Pour finir, une idée lui vint. De la glace pilée. Pendant son accouchement, on lui en avait donné à sucer. Elle se rendit dans la cuisine, vida tous ses glaçons dans un sac en plastique. Puis elle le posa sur le plan de travail et entreprit de taper dessus avec un attendrisseur à viande.

Quand Jed apparut, elle avait préparé au moins un demi-kilo de glace pilée.

— Que faites-vous ?

— De la glace pilée, répondit Allie sans s'interrompre.

— Jax n'en a pas demandé. En revanche, elle vous réclame.

— Je suis désolée. Je sais que c'est lâche de ma part mais je ne peux pas. Je ne peux pas.

Sa voix se brisa et elle dut ravaler un sanglot.

— Hé ? Qu'est-ce qui se passe ?

— Comment ça, qu'est-ce qui se passe ? s'emporta-t-elle en posant enfin son instrument. Jax est en train d'accoucher dans la pièce d'à côté, voilà ce qui se passe !

— Exactement. Et tout se déroulera à merveille. Alors pourquoi êtes-vous ici et pas auprès d'elle ?

Elle marqua une pause, à court de souffle.

— Je suis terrifiée.

— Par quoi ?

— Je... J'ai peur qu'il arrive un malheur à Jax. Ou au bébé. Ou aux deux. Je ne le supporterais pas. J'ai déjà perdu un être cher. Je n'aurais jamais la force de...

— Du calme ! Tout va bien. Jax est solide comme un bœuf. Un petit bœuf, d'accord, mais tout de même. Et le bébé va bien. Nous l'avons branché sur le moniteur fœtal et...

— Vous êtes équipé d'un moniteur fœtal ? s'exclama Allie.

— Bien sûr. Nous ne sommes pas complètement des amateurs, répondit Jed avec bonhomie. À propos, le bébé a le cœur solide. Jax, si vaillante soit-elle, souffre terriblement. À mon grand regret, nous ne sommes pas en mesure de lui faire une péridurale. Alors oubliez votre glace pilée et... venez avec moi.

Allie hésita, rassembla tout son courage.

— Entendu. Allons-y.

Jed lui sourit et l'entraîna vers la chambre. Flanquée des deux autres secouristes, Jax était assise sur le lit et se balançait d'avant en arrière.

— Jax ? murmura Allie en lui prenant la main.

— Tu es là...

Jax poussa un sourire, visiblement soulagée.

— Oui, je suis là.

27

— Comme elle est jolie ! s'émerveilla Allie en essuyant le coin de son œil avec un mouchoir en papier détrempé.

Jamais elle n'avait autant pleuré. Enfin, si. Mais ce soir, les circonstances étaient bien différentes. Ce soir, elle avait versé des larmes de joie. Et de soulagement.

— N'est-ce pas ? renchérit Jax, lumineuse de fierté.

Elle était assise sur le lit d'Allie, confortablement calée contre une pile d'oreillers, vêtue d'une chemise de nuit propre que son amie l'avait aidée à enfiler après que Jed eut réussi à la convaincre de lui laisser le bébé, le temps de l'examiner.

À présent, le nourrisson était de nouveau dans ses bras, emmailloté dans une serviette de bain d'un bleu délavé. Elle s'appelait Jenna et elle était âgée d'à peine une heure. Quand bien même, Allie la trouvait étonnamment alerte. Et exceptionnellement belle.

— En général, j'ai tendance à comparer les nouveau-nés à des tomates trop mûres, confessa Allie. Ils sont tout rouges et fripés.

Jax rit et serra sa fille contre elle.

— Forcément, je manque d'objectivité. Pour moi, elle est parfaite. Et tu sais quoi d'autre, Allie ? J'ai l'impression qu'elle sera la première à avoir hérité davantage de Jeremy que de moi. Qu'en penses-tu ?

— C'est vrai qu'elle lui ressemble, convint-elle en l'examinant. Tant mieux. Les trois autres sont ton portrait craché.

— Je suis ravie qu'enfin une lui ressemble ! assura Jax avec ferveur. Absolument enchantée.

Allie eut un mouvement de recul, stupéfiée par l'intensité de son émotion. Puis elle songea que Jax devait être épuisée. Ne l'était-elle pas elle-même alors qu'elle s'était contentée de l'assister dans son accouchement ?

À y regarder de plus près, Jax n'avait pas l'air si fatiguée que cela. Au contraire, elle était radieuse. Rayonnante et détendue… comme si elle venait de passer sa journée dans un institut de beauté.

On frappa à la porte et Jed passa la tête dans la chambre.

— Comment va tout ce petit monde ?

— Très bien, affirma Jax avec un sourire. Il est temps de partir ?

— Oui. La civière est approchée. J'ai contacté l'hôpital. Nous y sommes attendus.

Jeremy les rejoindrait sur place.

— On peut éviter la civière ? demanda Jax avec une pointe d'espoir. Je me sens tout à fait capable de marcher.

— Désolé, Jax, c'est la règle, décréta Jed avant de s'éclipser.

Jax leva les yeux au ciel puis accorda toute son attention à Jenna, resserrant la serviette autour d'elle. Son expression était empreinte d'un tel amour qu'Allie sentit de nouveau les larmes lui monter aux yeux. Elle poussa un soupir et se pencha avec résignation vers la table de chevet pour cueillir quelques mouchoirs en papier supplémentaires.

Quelques minutes plus tard, Jed et les deux autres secouristes apparaissaient sur le seuil.

— On y va, Jax… Allie, on tâchera de ne pas réveiller votre fils en partant.

Allie rit entre deux hoquets.

— Wyatt n'a rien entendu jusqu'ici, fit-elle remarquer.

— Incroyable ! souffla Jed en hochant la tête.

— J'ai bien peur qu'il ne soit déçu demain matin en découvrant ce qu'il a raté, murmura Allie.

Elle ne croyait pas si bien dire.

Elle attendit qu'ils fussent tous deux attablés devant leur petit déjeuner pour lui relater les événements. Elle tenait à ce qu'il ait déjà avalé au moins un demi-bol de céréales avant de lâcher sa bombe. Comme prévu, Wyatt la dévisagea, incrédule.

— Le bébé de Jax est né ici cette nuit ? Dans notre chalet ?

— Exactement, confirma Allie avec un sourire las.

Après le départ de Jax pour l'hôpital, elle n'avait même pas essayé de dormir tant elle était sur les nerfs. Elle s'était installée sur le canapé et avait feuilleté distraitement un livre. Puis, à l'aube, elle s'était préparé un café et l'avait emporté sur la véranda pour admirer le lever du soleil.

— Tu aurais dû me réveiller ! protesta Wyatt, dépité. Je t'aurais aidée.

Allie ravala un sourire.

— Les pompiers géraient la situation.

— Les pompiers ? s'écria-t-il, les yeux ronds.

Aïe ! Maintenant, Wyatt ne lui pardonnerait jamais. Rater la naissance d'un bébé, passe encore. Mais rater la visite de vrais pompiers…

— C'étaient des bénévoles, s'empressa-t-elle d'expliquer. La ville de Butternut est trop petite pour accueillir une équipe de professionnels. Ceux-ci ont tous un métier. Ils se libèrent en cas d'urgence.

— Ils avaient un camion ? s'enquit Wyatt juste avant d'engloutir une énorme cuillerée de céréales.

— Non, pas hier soir, répliqua Allie, soulagée de pouvoir éviter un mensonge.

Elle jugea inutile de lui parler de l'ambulance qui, selon Wyatt, arrivait en deuxième position après les camions de pompiers.

— En fait, si je ne t'ai pas réveillé, enchaîna-t-elle, c'est parce que je voulais que tu sois bien reposé aujourd'hui. Tu vas avoir de la visite en fin de matinée.

Il vida son verre de jus d'orange.

— Qui ?

— Caroline. Elle a téléphoné tout à l'heure et m'a proposé de venir jouer avec toi un moment pendant que je me reposerais.

Le visage de Wyatt s'illumina. Puis une pensée lui traversa l'esprit.

— Frankie vient aussi ?

— Non. Il faut bien que quelqu'un reste chez *Pearl* nourrir tous les clients affamés.

Wyatt hocha la tête, l'air songeur. L'argument semblait l'avoir convaincu. Il se remit à manger, puis se rappela soudain quelque chose.

— Tu sais quoi ? Frankie, il est capable d'écraser une cannette de soda contre sa tête.

— Sans blague ! riposta-t-elle en esquissant un sourire. Remarque, je te crois volontiers. On ne parle pas la bouche pleine, mon chéri.

Quand Caroline arriva, Wyatt était au comble de l'excitation.

— Caroline ! hurla-t-il en se propulsant dans ses bras dès qu'elle fut descendue de sa voiture. Le bébé de Jax est né ici cette nuit. Dans la chambre de maman ! Et je me suis même pas réveillé !

Caroline s'esclaffa, l'étreignit affectueusement.

— Je suis au courant. Au *Pearl*, ce matin, on ne parlait que de cela.

— Les pompiers sont venus. Des vrais. Enfin, presque, rectifia Wyatt. Ils avaient pas de camion.

— Même pas un presque-camion ? lança Caroline en échangeant un coup d'œil amusé avec Allie.

266

Wyatt ignora sa question.

— Je vais mettre mon maillot ! claironna-t-il avant de disparaître dans le chalet.

— Son maillot ? On va se baigner ? demanda Caroline en s'asseyant avec Allie sur la première marche de la véranda.

Au fil des semaines, une véritable amitié était née entre elles.

— Oh, non. Wyatt a un autre projet, nettement plus passionnant. Vous allez attraper des têtards.

Caroline haussa un sourcil interrogateur.

— C'est sa toute nouvelle vocation. En plus de déterrer les vers de terre. Entre ces deux activités, il est occupé du matin au soir. Tu n'es pas obligée de l'aider si cela t'ennuie. Il sera tout aussi content que tu l'observes.

— Tu plaisantes ? Je ne raterais cela pour rien au monde ! assura Caroline en se débarrassant de ses sandales et en remontant le bas de son jean.

Lorsqu'elle releva la tête vers Allie, elle arborait une expression grave.

— Je peux te poser une question ? murmura-t-elle d'une voix tendue.

— Bien sûr !

— Qu'est-ce qui a poussé Jax à venir ici hier soir, toute seule, alors qu'elle était sur le point d'accoucher ?

Allie se sentit vaguement coupable.

— Elle est venue sur un coup de tête. Pour moi. Elle s'inquiétait de savoir si j'avais ou non appris…

Les mots moururent sur ses lèvres et Caroline poussa un soupir.

— Je la reconnais bien là, marmonna-t-elle enfin avec un mélange d'indulgence et d'exaspération.

— Je m'en veux terriblement, Caroline. Imagine qu'on ait eu un problème ? Je ne me le serais jamais pardonné.

— Allie, quand bien même tu aurais su que Jax avait l'intention de te rendre visite malgré son état, tu n'aurais pas pu l'en empêcher. Elle est têtue comme une mule. Elle l'a toujours été et le sera toujours. Par ailleurs, ajouta Caroline en posant un bras réconfortant sur les épaules d'Allie, tout s'est bien passé, grâce à toi. Une fois que tu t'es rendu compte que le travail avait commencé, tu as su faire face à la situation.

— Tu parles ! J'ai été nulle. Sans le sermon de l'un des secouristes, je serais restée cachée dans ma cuisine toute la nuit.

— Bon, d'accord, il a fallu t'encourager. Quoi de plus normal ? L'essentiel, c'est que tu as su être là quand il le fallait. C'est tout ce qui compte.

— Possible.

La loyauté de Caroline à son égard était infaillible. Quoi qu'elle fasse, Caroline et Jax ne verraient que ses côtés positifs.

— Allez ! Je prends le relais. Quant à toi, j'espère que tu vas t'offrir une longue sieste.

— Je vais essayer.

Comme Allie se levait, Caroline lui saisit la main.

— Allie ? Une dernière chose. Ne crois pas tout ce que l'on te raconte. Au sujet de Walker, j'entends. Je suis sûre que Caitlin est ici pour une raison. Une raison valable. Je fais confiance à Walker. À force de lui servir son café tous les matins depuis trois ans, j'ai appris à le connaître.

— J'avoue ne pas m'être attardée sur le problème, répondit Allie en toute sincérité.

Face à son amie en plein travail, elle s'était efforcée de chasser Walker et son ex-épouse de son esprit. L'important, c'était que Jax et son bébé aillent bien. Le reste pouvait attendre.

Après le départ de l'ambulance pour l'hôpital, elle avait continué sur cette même voie. Ses soucis personnels lui semblaient si futiles, comparés à la naissance d'un enfant.

À présent, ce serait plus difficile. Jax et le bébé étaient entre de bonnes mains, Caroline s'occupait de Wyatt. Ne pas songer à Walker, ni à son invitée, allait lui demander un effort.

Caroline s'apprêtait à reprendre la parole quand Wyatt surgit devant elle, vêtu de son maillot de bain préféré, le rouge vif.

— On y va, Caroline ? s'enquit-il en bondissant comme un ressort.

— Avec plaisir.

Elle adressa un clin d'œil à Allie tandis que Wyatt lui prenait la main et l'entraînait.

— T'inquiète pas, Caroline. Je vais t'apprendre à attraper les têtards. C'est facile. Tu auras même un seau rien que pour toi, si tu veux. Comme ça, tu pourras les emporter chez toi.

— Excellente idée, approuva-t-elle.

Allie ébaucha un sourire et rentra dans le chalet. Un instant plus tard, Caroline l'interpellait à travers la porte moustiquaire.

— Allie, je crois que tu vas devoir remettre ta sieste à plus tard. Tu as de la visite.

Ressortant, Allie aperçut le pick-up de Walker au bout de l'allée. En un éclair, sa fatigue se volatilisa, aussitôt remplacée par de l'angoisse. Tout à coup, elle sut exactement pourquoi Walker venait la voir. Au prix d'un effort considérable, elle s'obligea à descendre les marches pour l'accueillir.

Caroline voulut éloigner Wyatt mais celui-ci, ayant reconnu Walker, avait fait demi-tour.

— Walker ! Tu es là, toi aussi ! s'exclama-t-il.

Il porta son regard de Walker à Caroline, comme s'il n'en revenait pas d'une telle chance.

— Salut, mon bonhomme, déclara-t-il, visiblement content de voir Wyatt.

Allie lui coula un regard de mise en garde. S'il était ici pour rompre avec elle, ce dont elle avait la certitude, elle ne tenait pas à ce qu'il fasse à son fils des promesses qu'il ne pourrait respecter.

— Tu veux venir attraper des têtards avec nous ? proposa Wyatt.

— Un autre jour, peut-être. Aujourd'hui, j'ai à parler avec ta maman.

— D'accord. Mais elle est très fatiguée. Elle a aidé Jax à avoir un bébé cette nuit. Caroline m'a dit qu'elle allait faire une sieste.

— Bonjour, Walker, intervint Caroline d'un ton froid malgré ses conseils à Allie quelques instants auparavant.

— Bonjour, Caroline… Wyatt, les têtards ne vont pas t'attendre toute la journée, tu sais. Ne t'inquiète pas pour ta maman. Je sais qu'elle est épuisée. Je ne la retiendrai pas longtemps.

Wyatt opina allègrement et s'éloigna en compagnie de Caroline.

— Allie, murmura Walker, le regard sérieux. On peut bavarder maintenant ? J'ai tenté de te joindre hier, en vain. Ta ligne était toujours occupée. Quant à ton porta…

— Je sais, coupa-t-elle, furieuse contre elle-même.

Une fois de plus, elle avait oublié de le recharger.

— Bref… à en juger par ce que j'ai entendu ce matin en ville, tu étais débordée. Si tu veux que je revienne plus tard, quand tu te seras reposée, aucun problème.

— Non. Autant discuter maintenant, marmonna-t-elle en se dirigeant vers le chalet.

À quoi bon retarder l'échéance ?

— Je t'offre un thé glacé ?

— Volontiers.

Il la suivit dans la cuisine et s'assit à la table. Elle sortit une grande carafe du réfrigérateur, remplit leurs verres et s'installa en face de lui. Elle avait du mal à ne pas penser à une certaine soirée qu'ils avaient passée dans cette pièce, à s'embrasser fiévreusement.

Il versa du sucre dans sa boisson. Elle tripota la rondelle de citron dans la sienne. Walker demeurait muet. Pour finir, elle s'énerva.

— Écoute, Walker, nous savons tous les deux ce qui t'amène.

— Ah, bon ?

— Évidemment. Et puisque tu sembles incapable de me le dire, je vais te faciliter la tâche. Tu es là parce que tu… parce que tu ne veux plus me voir.

— Quoi ? Pourquoi ne voudrais-je plus te voir ?

— Parce que ton ex-femme a ressurgi dans ta vie.

Il fronça les sourcils. Elle haussa légèrement les épaules.

— Allie, tu as tout faux. Ce n'est pas la raison de ma visite. Mon ex-femme et moi sommes séparés depuis plus de deux ans et divorcés depuis des mois. Nous ne nous réconcilierons pas. Ce n'est pas pour cela qu'elle est venue… Tu sais, Allie, au lieu de prêter l'oreille aux potins de Butternut, j'aurais préféré que tu décroches ton téléphone pour me demander une explication.

Allie devint écarlate de colère.

— Et moi, j'aurais préféré que tu me préviennes de son arrivée. Au lieu de me laisser tributaire des potins de Butternut.

— Dont acte, concéda-t-il avec calme. Je t'aurais prévenue si j'avais moi-même été au courant.

— Tu veux dire qu'elle a débarqué à l'improviste ?

— Absolument. Crois-moi, j'étais aussi surpris que toi… Au passage, elle loge à l'auberge *White Pines*, pas chez moi. Elle s'y est rendue hier soir après le dîner.

Donc, après que Jax eut aperçu sa voiture dans son allée, conclut Allie en traçant un dessin du bout du doigt sur la nappe.

— Mon ex, elle s'appelle Caitlin, n'est pas ici pour renouer avec moi. Nous avons quelques affaires à régler, voilà tout.

— Quelques affaires à régler ?

— C'est compliqué, admit-il. Il s'avère que nous n'avons pas tout à fait achevé ce que nous avions commencé.

— En somme, tu tiens toujours à elle, dit Allie en s'étonnant de la difficulté qu'elle avait à prononcer ces paroles.

— Pas comme tu l'imagines. Seulement, je me rends compte que je ne peux rien démarrer avec toi tant que je n'ai pas clôturé le chapitre avec elle.

— Je croyais que c'était le but du divorce.

— Divorce ne rime pas forcément avec deuil. En tout cas, pas pour nous.

Un sentiment d'agacement s'empara d'elle. Elle avait besoin qu'il s'exprime clairement.

— Pourquoi es-tu ici, précisément ?

— Je suis venu te demander un peu de temps, murmura-t-il. Je suis venu te demander si... si l'on pouvait marquer une pause. Il n'y a pas si longtemps, c'est toi qui formulais cette requête, Allie.

Elle ferma les yeux. D'accord, mais c'était différent, non ? Tout à coup, elle sut ce qu'il lui restait à faire. À dire.

— Non, répliqua-t-elle en rouvrant les yeux.

— Non, quoi ?

— Je regrette, Walker, je ne peux pas accepter. Parce qu'entre nous, c'est fini.

Il parut stupéfait.

— Allie, ce n'est pas ce que je veux.

— Figure-toi qu'il ne s'agit peut-être pas uniquement de toi, Walker, rétorqua-t-elle en fixant la nappe avec un intérêt grandissant. Il s'agit aussi de moi. Je souhaite mettre un terme à notre relation. À partir de maintenant. Dès le matin où nous nous sommes rencontrés chez *Pearl*, j'ai su que je commettais une erreur. J'avais raison. J'aurais dû m'écouter. Je n'aurais pas dû me laisser emporter par l'instant.

— Je n'en crois rien. Toi non plus, d'ailleurs.

— Tu te trompes, répondit-elle d'une voix tremblante.

— Donc, cette nuit que nous avons vécue ensemble ne signifie rien ? Ni cette journée en bateau ?

Elle avança le menton.

— Rien. Sur l'instant, je n'en avais pas conscience. Avec le recul, je me dis que c'était une bêtise.

Un éclat de rire leur parvint depuis le bord du lac et Allie se leva pour aller se planter devant la fenêtre. En se tordant le cou, elle pouvait voir Caroline et Wyatt entre les arbres, sur la rive.

Walker la rejoignit et contempla le paysage, lui aussi.

— Allie, qu'est-ce qui te prend ? demanda-t-il après un long silence.

Elle pivota brièvement vers lui, puis se détourna. Lorsqu'elle reprit la parole, sa voix posée ne trahissait en rien le tumulte qui l'agitait.

— Walker, je ne te demande pas de comprendre. Tu n'es pas papa. Tu vois ce petit garçon, là-bas ? Il est toute ma vie. Et réciproquement. Hormis quelques autres, Caroline, Frankie et Jade, la fille de Jax, je suis tout ce qu'il a. Il est déjà orphelin d'un papa. Je me dois d'être là pour lui, jour après jour, du matin au soir. Cela requiert beaucoup d'énergie. Physique et mentale. Je ne peux pas le laisser tomber. Je ne peux pas perdre du temps à patienter jusqu'à ce que ta femme et toi ayez fait le deuil de votre couple. À espérer qu'un jour, nous nous retrouverons. Je dois aller de l'avant. Pour Wyatt. Pour moi, aussi. À présent, j'aimerais que tu t'en ailles. Je suis très fatiguée.

Walker la dévisagea sans un mot, avec un mélange de frustration et de tristesse. Enfin, il secoua la tête, ouvrit la bouche pour parler et se ravisa. Il tourna les talons, quitta le chalet et s'en alla à bord de son pick-up.

Allie suivit le véhicule des yeux jusqu'à sa disparition complète. Puis elle reprit sa contemplation, cherchant le maillot rouge de Wyatt entre les arbres. Une larme solitaire, brûlante, roula sur sa joue. Elle ne s'accorda que celle-là. Elle avait assez pleuré pour aujourd'hui.

Ce soir-là, alors qu'elle soignait les innombrables piqûres de moustiques de Wyatt, elle chercha le moyen d'aborder le sujet de Walker avec lui. Finies les expéditions de pêche du dimanche matin. Elle voulait lui annoncer la nouvelle en douceur, dans un langage qu'il serait apte à comprendre. Elle devait donc éviter d'évoquer sa relation amoureuse avec Walker. Ou plutôt, son ex-relation amoureuse.

— Tu en as oublié un, s'insurgea Wyatt, interrompant le fil de ses réflexions et pointant l'index sur son coude.

Allie s'empressa de le tapoter avec un coton imbibé de solution apaisante.

Wyatt la gratifia d'un sourire reconnaissant. Il était particulièrement adorable, ce soir, assis sur le rebord de la baignoire, fraîchement lavé. Il sentait bon le propre et portait son pyjama préféré, bleu ciel parsemé de nuages blancs.

— Il n'en reste plus ?

— Non.

— Tu sais, Wyatt, attaqua-t-elle en remettant le bouchon sur le flacon, ma mère utilisait ce produit et ma grand-mère avant elle.

— De la même bouteille ? s'exclama-t-il, fasciné.

— Non, tout de même. Bien que le format du flacon n'ait pas changé. Et ça marche.

— C'est rose, objecta-t-il en inspectant les taches sur ses bras et ses jambes.

Allie se retint de sourire.

— Rose, rose… tu exagères. Je dirais plutôt couleur d'abricot.

Elle jeta le coton dans la corbeille et rangea la fiole dans l'armoire à pharmacie.

— Allez, mon grand ! Il est l'heure de se coucher.

— J'ai pas fini mes rails de train !

— Cinq minutes, décréta-t-elle d'un ton ferme.

Elle le suivit dans le salon, où il avait décidé d'agrandir son circuit.

Elle s'assit sur le canapé et l'observa. Au bout de six ou sept minutes, elle l'interrompit.

— Wyatt, mon chéri ?

— Oui, marmonna-t-il, allongé à plat ventre, concentré sur la construction d'un nouveau pont.

— Tu sais que Walker Ford m'a rendu visite aujourd'hui. Il m'a expliqué qu'il allait être très occupé au chantier naval. Il ne pourra plus t'emmener à la pêche le dimanche matin.

Wyatt se figea.

— Même pas de temps en temps ?

— Même pas de temps en temps, répondit-elle, la gorge nouée. Désormais, nous avons notre propre bateau. Je pourrai t'emmener, moi. Ou alors, on pourrait pêcher au bout du ponton. Je suis sûrement moins douée que Walker mais je connais les principes fondamentaux. On s'amusera bien ensemble.

— Peut-être.

Wyatt se replongea dans son activité. Sans se plaindre, constata-t-elle avec soulagement. Il n'en était pas moins visiblement déçu. En un sens, c'était encore plus bouleversant que des sanglots.

Les cinq minutes se transformèrent en dix, puis en quinze. Allie le laissa continuer. Quelque chose la tracassait. Quelque chose qui l'avait tracassée toute la journée.

— Wyatt... est-ce qu'Eden Prairie te manque ?

Il haussa les épaules et lança un train sur les rails. Il ne l'écoutait pas vraiment. Elle insista.

— Tu penses parfois à notre ancien quartier ? À nos anciens amis ? À Teddy, par exemple ?

Wyatt poussa un soupir appuyé, tel un homme adulte que l'on dérangerait pendant la lecture de son journal.

— Parfois.

— Parce que j'ai réfléchi et...

« Je me dis que j'ai peut-être eu tort de te déraciner pour t'amener ici. »

— ... je me dis qu'on pourrait retourner là-bas. Bien sûr, on ne récupérerait pas notre maison puisqu'on l'a vendue. On pourrait louer un appartement. Je trouverais du travail. Tu irais à la maternelle. On continuerait à venir ici, l'été.

— J'aime bien habiter ici, déclara-t-il, le front plissé.

— Pourquoi ?

S'il évoquait Walker Ford, cela ne ferait que renforcer sa décision de partir. Walker ne faisait plus partie du tableau. Ni pour elle ni pour Wyatt.

Au début, Wyatt demeura silencieux, se contentant de scruter la pièce. Allie suivit la direction de son regard, s'efforçant de voir à travers ses yeux. Le décor avait changé depuis leur arrivée, trois mois auparavant. Avec l'aide de Johnny Miller, leur homme à tout faire, ils avaient nettoyé, repeint, astiqué et poli chaque recoin du chalet, à l'intérieur comme à l'extérieur. Un dur labeur dont Allie se félicitait. Ce salon était agréable et chaleureux.

— Wyatt ? Pourquoi as-tu envie de rester ici ?

— Parce que c'est chez nous.

Sur ce, il se remit à jouer.

28

— Alors, c'est sûr… vous restez ? répéta Jax qui n'en croyait pas ses oreilles.

— Nous restons, confirma Allie avec un léger sourire.

— C'est la meilleure nouvelle que j'ai entendue depuis des lustres ! s'exclama Jax, presque étourdie de bonheur.

Allie et Wyatt n'étaient à Butternut que depuis trois mois mais déjà, elle refusait d'envisager la vie sans eux.

— J'aimerais porter un toast, annonça-t-elle en levant sa cannette de coca. À l'installation définitive d'Allie et de Wyatt parmi nous.

— Buvons à votre santé ! renchérit Caroline.

Toutes trois trinquèrent.

La nuit était tombée et elles étaient assises autour de la table de cuisine de Jax, en train de déguster les pizzas qu'Allie et Caroline avaient apportées. Joy, Josie, Jade et Wyatt avaient déjà mangé et regardaient un DVD dans le salon. Jenna, âgée de deux mois, dormait dans son berceau à l'étage, et son moniteur de surveillance clignotait sur le plan de travail.

— Jax, tu ne t'imaginais tout de même pas qu'Allie allait nous quitter à cause d'un homme, j'espère ? lança Caroline d'un ton faussement accusateur. Franchement, si toutes les femmes prenaient leurs jambes à leur cou dès que leur couple flanche, cette ville ne serait peuplée que d'hommes.

— Bien sûr que non, s'empressa de répondre Jax. Je craignais simplement qu'après un été ici, elle décide que Butternut était un endroit trop ennuyeux pour elle.

— Ennuyeux ? s'écria Allie, les yeux ronds d'incrédulité. N'ai-je pas échappé à une tornade ? Assisté à ton accouchement chez moi ?

Jax s'esclaffa.

— Non, vraiment, reprit Allie d'un ton grave. Quand Wyatt a déclaré qu'il se sentait ici « chez nous », je me suis rendu compte qu'il avait raison. Nous aurions pu choisir mille autres lieux, notre chalet, si délabré soit-il, nous plaît. Ce qui s'est passé entre Walker et moi ne change rien ni pour mon fils ni pour moi. D'ailleurs, mon travail me passionne de plus en plus. Sara commence à m'emmener avec elle visiter ses artistes et, bientôt, elle va m'en confier quelques-uns.

— C'est formidable ! s'émerveilla Caroline.

— Il y a un problème, continua Allie en cassant en deux l'un des cookies aux pépites de chocolat qu'elle avait confectionnés pour Jax. En disant à Walker que je ne voulais plus le revoir, j'avais oublié que c'était quasiment impossible dans une commune aussi petite que Butternut.

— Vous vous croisez souvent ? demanda Caroline.

— Sans arrêt. À la station-service, au supermarché, à la banque… La question serait plutôt : où ne l'ai-je pas encore croisé ?

— Tu finiras par t'y habituer, la rassura Caroline, sans grande conviction.

— Possible. En attendant, c'est délicat. Le plus étrange, c'est que je m'efforce de l'ignorer alors que lui me fixe obstinément, comme pour attirer mon attention. L'autre jour, à l'épicerie, il a tenté de m'aborder. Bien entendu, je me suis enfuie. On aurait dit qu'il avait quelque chose à me dire.

— C'était peut-être le cas, fit remarquer Jax.

Allie haussa les épaules.

— Il me semble qu'il m'a déjà tout dit, non ?

— Il t'a expliqué qu'il avait besoin d'un peu de temps, argua Caroline. Il ne t'a pas envoyée promener.

Allie fronça les sourcils en picorant son gâteau.

— Je pense qu'il tient toujours à moi, à sa façon. Simplement, il n'est pas prêt à s'engager dans une relation sérieuse. Et vous savez quoi, les filles ? Moi non plus.

— Tu te sens toujours coupable ? interrogea Caroline.

— Oui. Oui et non. Les moments que nous avons passés ensemble étaient tellement extraordinaires que j'ai… j'ai moins pensé à Gregg que ce qu'il aurait fallu.

— J'ignorais qu'il existait des devoirs dans ce genre de cas, murmura Caroline.

— Il n'en existe pas. Et parfois, je le regrette. Comment puis-je tomber amoureuse si je me rappelle sans cesse combien j'ai aimé, combien j'aime encore, mon mari ?

À cet instant, le moniteur grésilla. Toutes trois tendirent l'oreille. Elles perçurent quelques petits pleurs, puis le silence revint.

— Ouf ! On l'a échappé belle, proclama Caroline en se levant pour débarrasser la table.

Allie lui donna un coup de main.

— Elle a dormi six heures d'affilée ! annonça Jax en consultant sa montre.

— Incroyable, pour un bébé de deux semaines ! s'enthousiasma Allie en empilant les assiettes sales. À mon avis, elle ne tardera pas à faire ses nuits.

— Mouais, marmonna Jax.

Elle ne pensait pas aux cycles de sommeil de son enfant. Elle pensait à Jeremy qui n'était pas encore de retour. Il avait téléphoné un peu plus tôt et demandé à Jade d'avertir sa maman qu'il rentrerait tard. Il s'était contenté de lui faire transmettre le message, ce qui ne lui ressemblait guère. Pas plus que de traîner dehors. Surtout avec un nouveau-né à la maison.

— Où est Jeremy, ma chérie ? s'enquit brusquement Caroline, comme si elle devinait son désarroi.

— Il a du travail. Il sera bientôt là.

Jax entreprit de ranger les restes de pizza.

— Ah, non, pas question ! intervint Caroline en lui arrachant la boîte des mains. Ce soir, c'est nous qui nous chargeons de toutes les corvées. Même si tu nous compliques la tâche en refusant de t'équiper d'un lave-vaisselle.

— J'aime laver la vaisselle, protesta Jax.

Toutefois, elle n'essaya pas de leur donner un coup de main. Jax ne se laissait jamais aller ainsi mais ce soir, elle était trop angoissée par l'absence de Jeremy pour se battre. Trop bouleversée par ce que cela pouvait signifier. Et trop terrifiée pour s'appesantir sur la question.

— Quelque chose te tourmente, Jax ? s'inquiéta Allie en s'emparant d'un torchon.

— Tout va bien.

Allie n'était pas dupe. Elle replaça un plat propre dans un placard, raccrocha le torchon et vint s'asseoir auprès de Jax.

— Je m'interrogeais… est-ce plus facile chaque fois de ramener un nourrisson chez soi ? Ou as-tu toujours l'impression que c'est une première ?

— Un peu des deux, avoua Jax.

Puis, à sa grande surprise, elle se mit à pleurer. Allie l'étreignit.

— Oh, Jax !

Caroline renonça à nettoyer le comptoir et s'approcha à son tour.

— Ce n'est rien, je vous assure, hoqueta Jax. Un petit coup de blues, rien de plus.

— Normal, répliqua Allie. C'est la fatigue.

Se remémorant sa propre expérience avec Wyatt, elle eut un frémissement.

— Les hormones, ajouta Caroline. Après la naissance de Daisy, j'ai pleuré pendant des jours pour un oui ou pour un non.

Jax s'efforça de sourire et essuya ses larmes avec le mouchoir en papier que lui tendait Caroline. Ce n'était pas la fatigue. Pas plus que les hormones. C'était la peur, tout bêtement. La peur que Jeremy ait découvert le pot aux roses.

— Je ne vous mérite pas, gémit-elle avec gratitude en les prenant l'une après l'autre dans ses bras.

— Bien sûr que si ! riposta Allie.

Wyatt apparut sur le seuil de la cuisine.

— Maman, le DVD est fini, proclama-t-il en se frottant les yeux.

— Déjà ?

— Oui. Tu veux savoir comment c'était ? Je peux te raconter tout le film !

— Avec plaisir, mon chou. Tout à l'heure, dans la voiture, d'accord ?… Jax, ça va aller ? Si tu veux, je peux rester jusqu'au retour de Jeremy.

— Moi aussi, dit Caroline.

— Non. Vous travaillez demain matin, toutes les deux. Et je me sens nettement mieux maintenant.

Dans un brouhaha d'activité, Jax salua ses invités et supervisa le coucher des filles. Miraculeusement, toutes trois se mirent au lit sans le moindre incident.

Ensuite, Jax alla jeter un coup d'œil sur Jenna. La petite dormait paisiblement. Elle rajusta sa couverture et quitta la pièce en refermant doucement la porte.

Elle descendit au salon et patienta. Patienta. Patienta encore. Vingt et une heures trente. Vingt-deux heures. Vingt-deux heures trente. Où était-il ? se demandait-elle, de plus en plus paniquée. Pourquoi ne l'appelait-il pas ?

Enfin, peu avant vingt-trois heures, tandis qu'une légère pluie commençait à tomber, elle entendit un véhicule ralentir devant la maison. Une portière claqua, le moteur redémarra. Jax tendit l'oreille, guetta le bruit de pas sur les graviers. Elle s'approcha de la fenêtre et reconnut Jeremy dans l'obscurité. Il semblait…

différent. Titubant. Était-il souffrant ? Elle se précipita dans le vestibule.

— Jeremy ? Ça va ?

Il s'immobilisa sur le seuil, légèrement penché d'un côté.

— Très bien, rétorqua-t-il d'une voix pâteuse, en la repoussant pour passer.

Il empestait le whisky et elle eut une grimace de dégoût.

— Jeremy, tu es soûl ?

Fermant la porte derrière lui, elle lui emboîta le pas jusqu'au salon. Il se vautra dans un fauteuil. Jax prit place sur le canapé, effarée face à un Jeremy qu'elle ne connaissait pas. Un étranger.

Peut-être était-ce parce qu'elle ne l'avait pas vu une seule fois dans cet état ? Contrairement à elle, qui ne buvait pas une goutte d'alcool, Jeremy s'offrait un verre de temps en temps. Une coupe de champagne lors de leur mariage. Une bière lors de ses parties de poker. Il ne s'enivrait jamais. Dès le début de leur relation, il avait expliqué à Jax que les excès ne valaient pas la gueule de bois du lendemain. Elle avait opté pour une autre hypothèse : s'il était aussi discipliné, c'était par respect pour elle et les ravages que l'alcool avait causés dans sa jeunesse.

— Qu'est-ce que tu as, Jax ? grommela-t-il en l'observant d'un regard trouble.

Elle détourna la tête.

— Rien. L'ébriété ne te sied pas, c'est tout.

Il y eut un long silence.

— Ah, bon ? railla-t-il tout à coup. Eh bien, toi, tu sais ce qui ne te sied pas, Jax ? Le mensonge.

Jax eut un sursaut. Elle le dévisagea, à court de mots.

— Ne feins pas de ne pas savoir de quoi je parle.

— C'est la vérité.

Plus ou moins. Elle lui avait tellement caché de choses ces derniers temps qu'elle ignorait à quelle dissimulation il faisait allusion.

282

— Tu croyais franchement que je ne me rendrais compte de rien, Jax ? Dix mille dollars, c'est une sacrée somme, non ?

Elle eut l'impression que son corps se vidait brutalement de tout son air. Lorsqu'elle parvint à reprendre son souffle, elle chuchota :

— Je savais que tu t'en apercevrais un jour. Si je n'arrivais pas à combler le trou avant.

— Combler le trou ? ironisa-t-il.

Elle tressaillit. Jamais il ne s'était adressé à elle sur ce ton. Ni à qui que ce soit d'autre, d'ailleurs.

— Et comment comptais-tu le combler, ce trou ? Qui connais-tu qui puisse te prêter dix mille dollars ?

— Personne. J'avais échafaudé un plan…

La suite resta suspendue dans les airs. Son plan était nul et elle en était parfaitement consciente.

— Un plan ! ricana-t-il. Braquer une banque, par exemple ? Ou un magasin de luxe ?

De nouveau, Jax sursauta. Ainsi, il avait établi le lien entre la cause et l'effet. Comment ?

Jeremy la fixa un instant puis il secoua la tête. Sa colère semblait s'être dissipée. À sa place s'installait la tristesse. Et ça, c'était bien pire aux yeux de Jax.

— Pourquoi ne pas avoir jeté ce fric par la fenêtre, tout simplement, Jax ? J'aurais pu te pardonner. Mais donner un montant pareil à Bobby Lewis ? Qu'est-ce qui t'a pris ?

Mille et une questions lui vinrent à l'esprit. Que savait-il, au juste ?

Et Jeremy se mit à rire en voyant l'expression de son visage. Un rire amer. Il dit alors :

— Jax, si je n'étais pas si en colère, je pourrais presque avoir pitié de toi. Tu dois devenir dingue à tenter de comprendre quand et comment tes petits plans se sont écroulés.

Elle était incapable de dire un mot, trop terrifiée pour pouvoir parler.

Il continua d'un ton dramatiquement calme :

— Eh bien, je vais te dire à quel moment ton plan a foiré : il était mauvais depuis le début, Jax. Parce que tu as oublié combien c'est difficile de garder des secrets à Butternut, les grands comme les petits. Tout se sait ici.

Jax essayait de retrouver une respiration normale. En fait, de pouvoir à nouveau tout simplement respirer.

— Et tu sais quoi, Jax ? continua-t-il, j'avais découvert tes secrets, puis tes mensonges, et je t'avais tout pardonné. Jusqu'à aujourd'hui, je te défendais. Mais il y a eu ce dépôt à la banque à faire. En général c'est toi qui t'en charges, mais, avec le bébé, j'ai voulu le faire pour te laisser te reposer. Imagine ma surprise quand on m'a parlé là-bas de ton dernier retrait. Je ne voulais pas les croire. Ils ont dû me montrer le relevé pour me convaincre...

— Mais comment... murmura Jax, ne comprenant toujours pas comment il avait fait le lien entre le retrait et Bobby.

— Je savais que Bobby était sorti de prison, Jax, dit alors Jeremy. Ce n'était pas difficile de comprendre toute l'histoire.

Jeremy était à présent presque courbé en deux, les coudes sur les genoux, la tête entre les mains. Il avait l'air d'un homme brisé. Anéanti. Et le cœur de Jax en était fendu.

Un sentiment de désespoir l'envahit. Pardon. Pardon, se répétait-elle en boucle. Mais elle était incapable de proférer ces mots.

— Pourquoi ? chuchota Jeremy, la tête baissée. Pourquoi lui as-tu remis cet argent ?

Elle demeura muette.

Il la fixa, poussa un soupir, se détourna.

— Je sais pourquoi. Il te faisait chanter. Pourquoi l'as-tu laissé t'escroquer ? Pourquoi ne m'as-tu pas consulté, Jax ? Pourquoi ne m'en as-tu pas parlé ?

Elle tenta d'avaler le nœud qui lui obstruait la gorge. Ses yeux étaient brûlants de larmes.

— Je voulais te protéger.

— Me protéger de quoi ? demanda-t-il en se voûtant un peu plus.

— De la vérité.

Quel soulagement de pouvoir se montrer honnête avec lui, pour une fois. Peu importaient les conséquences.

— Jax, la vérité, je la connais. Je l'ai toujours connue.

Elle le contempla, intriguée. Évoquaient-ils le même sujet ? Comment était-ce possible ? Mais Jeremy opina.

— Oui, Jax, cette vérité-là… Je sais que Bobby est le père biologique de Joy. Je l'ai deviné le jour où tu m'as annoncé que tu étais enceinte. Je l'ai su le jour de sa naissance.

Elle le fixa sans comprendre. Son cerveau refusait de fonctionner normalement.

— Pour l'amour du ciel ! s'énerva-t-il. Ce premier soir, lors du pique-nique du 4 juillet, j'ai appris que tu avais fréquenté Bobby Lewis. J'aurais dû alors avoir l'intelligence de t'éviter, tu ne crois pas ?

Elle eut un tressaillement. C'était la première fois qu'il se montrait aussi cruel.

— Tu sais quoi, Jax ? Je n'ai pourtant pas pu me détacher de toi. Et je pensais pouvoir gérer la situation. Jusqu'à cette nuit, où nous étions couchés sous cette barque, au bord du lac. Tu m'as séduit, n'est-ce pas ? Ce n'était pas difficile. J'étais déjà complètement dépassé. J'avais tellement envie de toi. Tu étais en même temps si innocente et si délurée. Un mélange irrésistible. Du moins pour moi.

Jax resta immobile alors qu'intérieurement, elle avait la sensation de s'effondrer.

— Ce soir-là, je me suis dit : « Attention où tu mets les pieds. » Je me doutais que tu avais un but ultérieur. Je croyais deviner lequel, en plus. Parce que si tu te souciais si peu de contraception, ce ne pouvait être que pour deux raisons : soit ça t'était égal de tomber enceinte, soit tu l'étais déjà. Je n'étais pas stupide, même à cette époque. Les tests de paternité, j'en avais entendu parler. Je savais qu'on ne pouvait pas m'imposer un enfant dont je n'étais pas le père. Je me croyais prêt à tout supporter... Sais-tu ce que je n'avais pas prévu, Jax ?

Elle secoua la tête, totalement perdue.

— Je n'avais pas prévu de tomber amoureux de toi. Quand tu m'as déclaré deux semaines plus tard que tu étais enceinte, je me moquais éperdument de savoir qui était le père. Élever l'enfant d'un autre me paraissait un détail en échange de la chance de passer le restant de mes jours avec toi. Ensuite, quand Joy est née, j'ai pris conscience que ça n'avait plus aucune importance du tout. Je l'aurais aimée tout autant si elle avait été de moi.

Il examina Jax, le visage comme radouci par un souvenir... la première fois où il avait tenu Joy dans ses bras, peut-être ?

— Soyons clairs, reprit-il. Je n'étais pas malheureux d'apprendre que Bobby Lewis avait été incarcéré. Je ne tenais pas du tout à ce qu'il traîne dans les parages. Et j'étais rassuré que Joy te ressemble tellement. Même si je l'aurais aimée tout autant si elle avait hérité des traits de cet homme. Je...

— Tu l'as toujours su ? bredouilla-t-elle. Pourquoi... pourquoi n'as-tu jamais rien dit ?

— Je l'ignore. Aujourd'hui, bien sûr, je m'en mords les doigts. Sur le moment, j'ai respecté ton choix, je suppose. Je devais craindre par ailleurs que tu sois toujours à l'affût, au fil des ans, de signes montrant que j'aimais moins Joy que nos deux autres filles. Ce qui est faux.

— Je le sais bien, approuva Jax.

Avec le recul, elle constatait qu'il avait traité Joy exactement de la même manière que Josie et Jade. Ce constat ne fit qu'accroître sa douleur. Car si elle ne l'en aimait que davantage, elle savait qu'elle était sur le point de le perdre.

— Jax... je n'ai pas envie de t'abandonner. Mais je ne peux pas non plus rester. Pas après ce qui vient de se produire. Je peux te pardonner de m'avoir caché l'identité du véritable père de Joy. Mais ça ? Jamais.

— Pourquoi pas ? protesta-t-elle, luttant désespérément contre l'inévitable... En quoi est-ce pire ?

— Tu m'as menti une fois de plus. Tu as pris quelque chose qui nous appartenait, à tous les six, et tu l'as jeté aux orties. Qui plus est, tu n'as pas eu suffisamment confiance en moi pour venir me dire la vérité. Ni durant toutes nos années de mariage, ni dans cette nouvelle situation. Tu as continué à dissimuler tes secrets. Je ne le supporte plus. Je ne peux plus vivre ainsi.

Il se frotta les yeux d'un geste impatient et Jax vit avec stupeur qu'il pleurait. Décidément, les premières se succédaient, ce soir.

— Jeremy, tu n'es pas obligé de continuer à vivre ainsi. À présent, tu sais tout. Je ne te mentirai plus jamais, promit-elle tout en sachant qu'il était déjà trop tard.

— J'espère que tu n'es pas naïve au point de croire que nous n'aurons plus jamais de nouvelles de Bobby Lewis. Car c'est le problème, avec le chantage. Ça ne finira jamais. Tu auras beau lui expliquer que je sais tout, il s'en fichera. Il brandira des menaces, il exigera de faire subir à Joy un test d'ADN. Et nous avons beau savoir, toi comme moi, qu'il n'a aucune intention de se comporter en parent responsable vis-à-vis d'elle, les tribunaux en décideront autrement. Donc, nous le paierons encore et encore. Pour qu'il la laisse en paix. N'est-ce pas ?

— Non ! s'écria Jax avec véhémence. Il ne reviendra plus. Il a quitté la ville avec le chèque que je lui ai remis. Il ne s'est pas manifesté depuis.

— Il reviendra, il suffit d'attendre, prédit Jeremy d'un ton empreint de dégoût.

— Je suis certaine que non. J'en mettrais ma tête à couper.

Jeremy l'observa avec curiosité. Puis avec épouvante.

— Que lui as-tu dit, Jax ?

— Rien. Frankie s'en est chargé. Il était là, le soir où j'ai rencontré Bobby au *Mosquito*. Il a vu que Bobby me malmenait. Il l'a raccompagné jusqu'à sa camionnette. Il lui a promis que s'il remettait les pieds à Butternut, il le tuerait. Comme ça ! ajouta-t-elle en claquant des doigts. Il ne plaisantait pas, Jeremy. Frankie a déjà abattu un homme, en état de légitime défense. Il m'a assuré qu'il n'hésiterait pas à recommencer. Pour me protéger. Pour *nous* protéger, a-t-il précisé.

Si elle avait espéré amadouer Jeremy, c'était raté. Il parut encore plus furieux qu'auparavant.

— Génial. Content de savoir qu'un autre se bagarre pour toi à ma place. Réveille-toi, Jax ! C'était à moi d'entretenir ce genre de conversation avec Bobby, pas à Frankie. Si tu m'avais prévenu de votre rendez-vous, j'y serais allé avec toi. Nous aurions réglé cette affaire ensemble.

Soudain, Jeremy s'affaissa dans son fauteuil. Il ne paraissait plus du tout soûl. Il semblait seulement harassé. Le cœur déchiré, Jax se leva et voulut s'approcher de lui pour le réconforter, d'une manière ou d'une autre. Tant pis si elle tremblait de tous ses membres et ne pouvait plus retenir les larmes qui inondaient son visage.

Mais dès qu'elle s'approcha, Jeremy leva une main.

— Non, Jax. S'il te plaît. Ne rends pas les choses encore plus difficiles. Je vais jeter quelques vêtements dans une valise et partir. Je ne conduirai pas. Je demanderai à un ami de venir me chercher. Quelqu'un qui me laissera dormir sur son canapé jusqu'à ce que je trouve un lieu plus… permanent.

Un flot de terreur submergea Jax. Puis, comme par le passé, l'effroi céda à la lucidité. Elle ne pouvait pas réparer ses erreurs. En revanche, elle pouvait au moins tenter de lui adoucir les choses. Il n'avait rien à se reprocher. Il l'avait aimée, il avait aimé Joy tout en sachant qu'elle était la fille de Bobby. Pourquoi en serait-il puni ? S'ils en étaient là aujourd'hui, c'était à cause d'elle. C'était donc à elle de partir.

— Non, Jeremy. C'est à moi de m'en aller, rétorqua-t-elle avec un calme presque surréaliste. Toi, reste avec les filles. Elles t'aiment. Elles ont besoin de toi.

— Tu plaisantes ? Comment veux-tu que je prenne soin de Jenna en plus des trois grandes et de mon entreprise ?

— J'emmènerai Jenna avec moi. Les filles commencent l'école mardi. Après la classe, Joy pourra s'en occuper. Tu n'imagines pas combien elle a mûri cet été. Elle pourra aider ses sœurs avec leurs devoirs, donner un coup de main pour le dîner, le coucher.

Jax pensa à tous ces bonheurs auxquels elle allait devoir renoncer, ces routines qui lui donnaient tant de plaisir. Elle ravala un sanglot. À cause d'elle, de ses mensonges, de ses omissions, ceux qu'elle aimait le plus au monde allaient souffrir. Et si elle était convaincue que c'était à elle de quitter le domicile conjugal, cette perspective lui était insoutenable.

— Où irez-vous, Jenna et toi ? s'enquit Jeremy d'un ton sceptique.

« Chez la seule personne que je connaisse qui acceptera d'héberger une maman et son bébé de deux semaines. »

— Chez Caroline. Les filles pourront m'y rendre visite tous les jours après l'école.

Surtout, ne pas perdre son calme. Elle devait au moins cela à Jeremy. Elle filerait discrètement. Sans auto-apitoiement, tentatives de négociations ou scènes d'hystérie.

Elle se leva et se dirigea machinalement vers l'escalier. Dans leur chambre, elle saisit une valise dans l'armoire, la posa sur le lit et entreprit d'y jeter ses vêtements. Puis elle l'emporta dans la chambre de Jenna. Elle serait obligée de revenir quand Jeremy serait au travail. En attendant, elle emporterait l'essentiel : couches, lingettes, pyjamas.

Lorsqu'elle eut terminé, elle descendit son bagage et le jeta sur le siège passager de la camionnette. Elle détacha le siège-bébé, le monta et y installa Jenna. Par chance, le bébé ne se réveilla pas. Lorsqu'elle passa devant l'entrée du salon, elle y vit Jeremy, prostré. Il ne leva pas la tête.

Dans un brouillard de larmes, Jax fixa le siège-bébé dans la voiture. Elle se ressaisit, le temps de parcourir le court trajet jusque chez *Pearl*. Elle se gara devant le café, gravit l'escalier jusqu'à l'appartement et sonna.

— Jax ?... Ô mon Dieu, ma chérie ! Qu'est-ce qui t'arrive ?

— Une catastrophe, chuchota Jax.

Atterrée, Caroline lui prit la valise des mains.

— Entre. Tu vas tout me raconter.

Jax lui relata toute l'histoire. Puis elle lui annonça que ce qu'elle avait toujours craint, depuis le début, avait fini par arriver. Elle avait perdu Jeremy. Probablement pour toujours.

29

— Courage, mon vieux, courage, murmura Walker devant la vitrine de la galerie *Pine Cone*.

Allie était bien là, dans le fond, devant un tableau et en pleine conversation avec une femme d'une cinquantaine d'années. Une cliente, de toute évidence, songea Walker, assailli par un élan de jalousie envers cette personne capable d'obtenir la pleine attention d'Allie.

Lorsqu'il poussa la porte, déclenchant le tintement des clochettes qui y étaient accrochées, elle jeta un coup d'œil vers lui. L'espace d'un éclair, elle eut une expression de curiosité polie. En reconnaissant Walker, son front lisse et satiné se plissa. Elle croisa les bras et se détourna.

Ainsi, elle allait se comporter comme s'il était invisible. Une fois de plus. C'était la règle depuis leur dernier échange dans sa cuisine. Elle l'évitait. Alors il n'insistait pas.

« Pas aujourd'hui », pensa-t-il. Aujourd'hui, tout allait changer. Car il n'était pas ici en qualité d'amant éconduit. Il était ici en tant que client. Si elle était aussi professionnelle qu'il le subodorait, elle serait obligée de s'occuper de lui. Quitte à ce qu'il doive patienter la journée entière.

Un quart d'heure plus tard, il commença à craindre le pire. Elle était toujours en compagnie de l'inconnue, toujours devant la même œuvre. Tout en faisant mine d'examiner un vase en céramique à proximité, Walker tendit l'oreille. La dame prétendait adorer l'aquarelle qu'elles contemplaient mais s'inquiétait de savoir si ses couleurs s'harmoniseraient avec celles de son nouveau canapé. « Grotesque, pensa Walker. Qui achète une toile en fonction de son mobilier ? » Comment Allie supportait-elle à longueur de journée des gens comme ça ? C'était un affront à sa dignité, décida-t-il. Tant pis… si elle devait le tolérer, lui n'y était pas forcé.

Il déambula donc jusqu'à elles, feignant la nonchalance. Le tableau qu'elles admiraient représentait une vue sur la rive d'un lac. Un lac qui ressemblait étrangement à celui de Butternut. Cette peinture lui plut et son prix, cinq cents dollars, lui parut raisonnable.

— Joli, commenta-t-il en se rapprochant. C'est le lac de Butternut ?

La cliente le dévisagea d'un air un peu nerveux. De toute évidence, elle attendait qu'Allie lui réponde. Allie l'ignora ostensiblement.

À présent, il n'était plus qu'à quelques centimètres d'elles. La femme recula d'un pas et pivota vers Allie.

— Ce monsieur a peut-être besoin de renseignements ?

Allie serra les mâchoires, refusant de le regarder.

— M. Ford voit bien que je suis occupée, il reviendra plus tard, finit-elle par lâcher.

— Impossible, intervint-il. Il veut vous parler maintenant.

— Je suis occupée, répéta-t-elle en fixant l'aquarelle. Même M. Ford peut le constater.

Sidérée, la cliente s'écarta un peu plus. Elle porta son regard de Walker à Allie, guettant la suite des événements.

Pour finir, Allie se tourna vers Walker.

— Je vous accorde une minute, annonça-t-elle d'un ton sec en l'invitant d'un geste à la suivre à l'autre extrémité de la galerie. Qu'est-ce que tu fiches ici ? sifflat-elle quand ils furent suffisamment éloignés.

— N'est-ce pas évident ? Je suis venu te voir.

— Le moment est mal choisi, rétorqua-t-elle en s'empourprant. L'endroit aussi. Je travaille.

Un trouble indescriptible le submergeait. Allie avait toujours cet effet sur lui. Walker s'efforça de se concentrer sur ses paroles.

Certes, cela pouvait s'expliquer. Aujourd'hui, par exemple, elle était particulièrement attrayante. Elle portait un chemisier, une jupe crayon, des escarpins à petits talons et ses cheveux étaient coiffés en un chignon bas. Elle avait accessoirisé cette tenue sobre d'une paire de boucles d'oreilles pendantes et un délicat parfum de jasmin l'enveloppait.

Il ne l'avait jamais vue sous cette facette. Celle-ci lui plaisait-elle davantage que l'autre ? La femme en short, débardeur et tongs ? Pas forcément. Les deux lui seyaient. Elle était irrésistible.

— Walker ? Je te rappelle que je suis au boulot, s'énerva-t-elle.

— Je sais, répondit-il en revenant sur terre. J'ai attendu. Cette dame ne se décidera jamais. Ce tableau coûte cinq cents dollars. Pourquoi se comporte-t-elle comme si c'était le choix le plus important de son existence ?

À en juger par l'expression d'Allie, il faisait fausse route.

— Cinq cents dollars, c'est une somme considérable. Du moins pour certaines personnes.

— D'accord, tu as raison. Je ne sous-entendais pas le contraire. C'est juste que j'ai l'impression qu'elle te fait perdre ton temps.

— Contrairement à toi ? railla-t-elle, les sourcils en accent circonflexe.

« Aïe ! » pensa Walker. Cependant, il refusa de se décourager.

— Bon, je m'en vais à condition que tu acceptes de me rencontrer plus tard.

— Et si je refuse ?

Walker n'avait pas envisagé cette éventualité.

— Eh bien, je m'incrusterai.

— Tu n'es pas sérieux.

— Allie, je n'ai pas d'autre solution. Quand je t'appelle, je tombe sur ta messagerie. Quand je te croise dans un lieu public, tu te brises quasiment le cou à force de m'éviter.

Elle ne le contredit pas.

— Un quart d'heure, c'est tout ce que je te demande. Si tu veux bien écouter ce que j'ai à te dire, je te promets que tu n'auras plus jamais à m'adresser la parole. À moins d'en avoir envie, bien sûr.

Il conclut par un sourire qu'il espérait dévastateur. Elle demeura de glace mais ne l'envoya pas paître.

— Bien, murmura-t-elle après réflexion. Nous discuterons dès que cette dame sera partie. Tu disposeras de quinze minutes, pas une de plus.

Avant qu'il ne puisse réagir, il se rendit compte que la cliente se dirigeait vers la sortie. Allie s'en aperçut aussi.

— Je suis navrée, dit-elle en la rejoignant. J'avais besoin de parler avec M. Ford. Avez-vous d'autres questions concernant cette œuvre ?

— Je ne pense pas l'acheter tout de suite, répliqua la dame d'un ton empreint de reproche. Je reviendrai peut-être lors d'un prochain passage à Butternut.

— Avec plaisir. En attendant, voulez-vous que je vous donne quelques informations concernant l'artiste ?

— Volontiers, accepta la cliente en marquant une pause sur le seuil de la boutique.

Elle jeta un coup d'œil méfiant vers Walker. Pas la peine d'être un génie pour comprendre qu'elle avait entendu au moins une partie de sa discussion avec Allie.

Pendant que cette dernière allait chercher la biographie de l'artiste derrière le comptoir, Walker eut une révélation. Il sortit son portefeuille.

— Madame… euh… excusez-moi, je n'ai pas bien entendu votre nom.

— Je ne vous l'ai pas donné.

— Ah, c'est vrai ! s'exclama-t-il avec un sourire. Nous n'avons pas été présentés, n'est-ce pas ?

— Non, grommela-t-elle.

Elle était sur ses gardes. Elle était aussi vaguement intriguée.

— Je m'appelle Ann Sanford.

— Eh bien, madame Sanford, décréta Walker en sortant sa carte bancaire, c'est votre jour de chance. Car je vais acheter ce tableau. Pas pour moi. Pour vous.

— Pourquoi… pourquoi feriez-vous cela ? bafouilla-t-elle.

— Pourquoi pas ?

De nouveau, il lui sourit en priant pour qu'il lui reste un peu de son charme d'antan. Apparemment, c'était le cas car elle rougit et le gratifia d'un sourire timide.

Allie les rejoignit. Elle tendit une brochure à la cliente tout en fusillant Walker du regard.

— Monsieur Ford, votre geste est généreux mais inutile. Si Mme Sanford veut s'offrir cette œuvre, elle pourra toujours revenir.

— Ce ne sera pas nécessaire, assura Walker avec désinvolture, en remettant sa carte à Allie. Parce que Mme Sanford, Ann, va repartir avec, dès maintenant. N'ai-je pas raison, Ann ?

— Je… Euh… je suppose que oui.

Elle fondait littéralement. On aurait dit une collégienne que l'on venait d'inviter à danser.

— Et voilà ! claironna-t-il en gratifiant Allie d'un clin d'œil.

Elle lui coula un regard noir et se précipita derrière sa caisse.

Après avoir transporté l'aquarelle emballée dans du papier kraft jusqu'à la voiture de la cliente, il revint dans la galerie.

Allie bouillonnait de rage.

— Qu'est-ce qu'il y a ? Tu viens de vendre un tableau, non ?

— C'est à toi que je l'ai vendu. Je voulais le lui vendre à elle.

— Quelle différence ? argua-t-il en se rapprochant du comptoir qu'Allie s'affairait à remettre en ordre.

— En tant qu'homme d'affaires, tu devrais la saisir. Je n'essayais pas uniquement de lui vendre une toile, Walker. J'essayais de construire une relation avec elle. Afin que, lors de sa prochaine visite parmi nous, et la suivante, car sa sœur possède un chalet dans la région, elle revienne m'acheter autre chose.

Walker poussa un soupir, visiblement décontenancé.

— Pardonne-moi. Je n'aurais pas dû m'en mêler... Allie, je frise le désespoir. J'ai besoin de te parler. Je me suis dit qu'en venant ici, tu ne pourrais pas te débarrasser de moi aussi facilement qu'ailleurs.

— Tu n'avais pas tort, reconnut-elle avec l'ombre d'un sourire.

Elle se percha sur un tabouret, s'empara d'un sac et en extirpa un sandwich enveloppé de papier sulfurisé.

— Si ça ne t'ennuie pas, je vais me restaurer pendant qu'on parle... Pendant que *tu* parles, rectifia-t-elle.

— Tu n'as pas déjeuné ? s'étonna-t-il en consultant sa montre (il était quatorze heures trente).

— J'ai été débordée.

— Laisse-moi t'emmener manger un morceau. Ce sandwich est sûrement délicieux, surtout si c'est toi qui l'as confectionné. Quoique... pour être honnête, il a l'air... tristounet.

Allie l'examina puis le posa.

— C'est vrai, admit-elle en le remettant dans le sac.

— Allons chez *Pearl*, proposa-t-il avec une pointe d'espoir. Caroline sert son fameux Bacon-laitue-tomates aujourd'hui. Tu peux te faire remplacer un petit moment ?

— Je peux fermer pendant une demi-heure. Sara me le permet quand je suis seule. Pas plus longtemps, précisa-t-elle en évitant son regard.

Allie accrocha son panneau « Reviens de suite » à la vitrine, verrouilla la porte et tous deux traversèrent la rue pour se rendre chez *Pearl*. Le coup de feu de midi était passé et la plupart des tables étaient libres.

Caroline était là, bien sûr, penchée sur son comptoir, en train de papoter avec Jax, qui serrait son bébé contre son cœur. Quel être minuscule ! s'émerveilla Walker. Quel âge avait Jenna à présent ? Un mois ? Elle paraissait si fragile, si vulnérable.

Jax, elle, semblait parfaitement à l'aise. Elle salua Allie de la main puis, apercevant Walker, détourna poliment la tête. Caroline opta, elle aussi, pour la discrétion. Elle vint prendre leur commande, deux sandwichs bacon-laitue-tomates et deux citrons pressés, puis se retira immédiatement.

— Comment va Jax ? s'enquit Walker en l'observant à la dérobée.

Allie haussa les épaules.

— Bien.

— Elle a quitté son mari et trois de ses enfants et elle va bien ? insista Walker, dubitatif.

— Elle voit les aînées tous les jours, expliqua Allie, le front plissé. Pour le reste, c'est… compliqué.

— Je m'en doute. J'ai vu Jeremy à la quincaillerie hier, enchaîna-t-il après que Caroline leur eut apporté leurs boissons. Il était dans un état pitoyable. On aurait dit qu'il n'avait pas fermé l'œil depuis des jours. J'ai cru qu'il allait s'endormir dans le rayon perceuses.

Walker se garda de lui raconter qu'à cet instant, il avait compati avec Jeremy. Il ne dormait pas non plus ces temps-ci.

— J'ignore comment va Jeremy, avoua Allie. Jax, quant à elle, est une battante. D'une façon ou d'une autre, elle surmontera cette épreuve. Mais ce n'est pas de cela que tu voulais me parler, je pense ?

— Non, murmura-t-il en scrutant nerveusement les alentours.

Les minutes s'écoulaient rapidement et il ne voulait pas être interrompu pendant son discours. Il décida d'attendre l'arrivée de leurs plats.

— Comment va Wyatt ? demanda-t-il.

Aussitôt, le visage d'Allie se radoucit.

— Il va à la maternelle et il est enchanté. Il prétend que sa maîtresse, Mme Conover, ressemble à une princesse. De surcroît, il se réjouit d'avoir sa meilleure amie, Jade, en CP. De quoi frimer dans la cour de récréation.

Walker sourit.

— Pouvoir frimer, c'est important. Quant à une maîtresse qui ressemble à une princesse… c'est la cerise sur le gâteau.

Il rit tout bas, son angoisse se dissipant légèrement.

— Et la pêche ? Tu l'as emmené pêcher récemment ?

— Non. J'ai essayé. De toute évidence, je ne suis pas à la hauteur. Wyatt m'a dit : « Laisse tomber maman… »

Walker avait compris. Leurs expéditions hebdomadaires lui manquaient, à lui aussi. À tel point qu'il y avait renoncé complètement. Sans Wyatt, ce n'était pas pareil.

Caroline leur apporta leurs sandwichs. Lorsqu'il releva la tête quelques instants plus tard, elle avait disparu, ainsi que Jax, le bébé et les quelques clients restants. Ils avaient la salle pour eux. Plus question de tergiverser.

Il tripota sa serviette en papier.

— Je ne suis pas un bavard. C'est pourquoi j'aime tant la pêche, je suppose. J'ai besoin que tu comprennes pourquoi j'ai agi ainsi. Alors, je t'en supplie, laisse-moi aller jusqu'au bout. D'accord ? Et tâche de garder l'esprit ouvert. Je… il faut que tu m'écoutes.

— Je suis tout ouïe, répliqua Allie, impassible.

Il se lança, sans préambule. Il commença par le jour où Caitlin était venue le trouver dans son bureau du chantier naval et lui avait annoncé qu'elle était enceinte. Sa proposition de mariage. Les longs mois de solitude qui avaient suivi, à vivre sous le même toit en tant que parfaits étrangers.

Il prit soin de ne pas imputer tous les torts à Caitlin. Il se considérait d'ailleurs comme le plus fautif des deux. Il aurait très bien pu faire preuve d'honnêteté envers elle dès qu'il s'était rendu compte de son erreur. Au lieu de quoi, il l'avait ignorée et s'était réfugié dans son travail. C'était plus facile que de lui dire la vérité. Plus lâche, aussi.

En abordant l'épisode de la fausse couche, il buta un peu sur ses mots. Il n'était pas habitué à s'exprimer avec une telle spontanéité. Jusque-là, il ne s'était jamais confié à personne. Pas même à Reid qui avait dû remplir les cases vides tout seul. Il persévéra malgré tout. Impossible de revenir en arrière. L'enjeu était trop énorme.

Il décrivit à Allie la terrible épreuve de l'hôpital. La mort du bébé. La décision de Caitlin de le quitter dès que les médecins la libéreraient. Son obstination à lui, à vouloir donner une seconde chance à leur couple alors qu'au fond (il en avait pris conscience plus tard), il n'avait aucune intention de faire des efforts. Enfin, il lui relata le départ de Caitlin, aux aurores, un matin de janvier.

Il avait littéralement déchiqueté sa serviette en papier. Il risqua un coup d'œil vers Allie, s'attendant à ce qu'elle paraisse outragée par son insensibilité. Ou dégoûtée par son égocentrisme. Elle avait seulement l'air triste.

— C'est la dernière fois que je l'ai vue, conclut-il en s'emparant d'une autre serviette. Jusqu'à ce qu'elle débarque le mois dernier. Je ne l'aurais sans doute jamais revue, Allie, si tu n'avais pas existé.

— Moi ?

— Toi. Car le lendemain de cette nuit que nous avons passée ensemble, j'ai compris deux choses. La première, c'était que je devais revoir Caitlin. Sur le papier, tout était fini entre nous. Mais il n'y avait pas que cela.

Allie fronça les sourcils, perplexe.

— Si je ne l'aime plus, je tiens à elle en tant que personne humaine. Je lui devais des excuses, Allie… Le problème, c'est que je n'avais pas la moindre idée de la façon dont je pouvais la contacter. Probablement parce qu'elle n'en avait pas envie. J'ai fini par la retrouver grâce à une de ses amies. Je lui ai demandé si elle acceptait que j'aille la rencontrer à Minneapolis. Elle a préféré venir ici. Je n'étais pas au courant. Si je l'avais été, je t'aurais prévenue. Plus tard, elle m'a dit qu'elle ne m'avait pas téléphoné pour m'avertir de son arrivée parce qu'elle avait peur, jusqu'au moment de se garer devant chez moi, de ne pas en avoir la force. Elle m'en voulait encore terriblement.

Allie tâta son sandwich sans y goûter.

— Bref, reprit Walker. Elle a séjourné au *White Pines* pendant deux jours et nous avons passé plusieurs moments ensemble. Je ne mentirai pas, Allie. Au début, l'atmosphère était très tendue. Nous avons discuté comme nous n'avions jamais discuté au cours de notre mariage. Elle m'a annoncé qu'elle s'était fiancée.

Le visage de Walker s'éclaira à ce souvenir : elle avait paru si heureuse !

— Je lui ai demandé pardon. Je lui ai avoué que je me reprochais la… la mort de notre bébé.

— Walker…

— C'est la vérité, Allie. Son médecin nous a assommés d'un discours du genre « ces choses-là arrivent, on ne sait pas toujours pourquoi ». Serait-ce arrivé si elle n'avait pas été aussi malheureuse ? J'en

300

doute. J'en douterai toujours… Nonobstant, ces retrouvailles ont été bénéfiques. Désormais, nous pouvons faire le deuil de notre bébé et de notre couple. Je pense que sa colère à mon égard s'est estompée. Quant à moi, j'ai pu lui rendre quelque chose qui lui appartenait. Un objet sans valeur… qu'elle avait oublié.

Il secoua la tête en se rappelant la nuisette qui avait résidé pendant tout un temps sur l'étagère du haut de l'armoire du vestibule.

— Allie… ce matin-là, après la nuit merveilleuse que nous avons passée ensemble, en te regardant dormir, je me suis rendu compte aussi que j'étais terrifié. Parce que j'étais amoureux de toi.

Cette fois, il la regarda droit dans les yeux. Elle écarquilla les siens, puis rougit. Elle s'était attendue à tout sauf à un déjeuner accompagné d'une déclaration d'amour.

— Je suis sincère, insista-t-il. Pour moi, c'était une première. J'ai pris peur. J'ai même tellement paniqué que l'espace d'une minute, j'ai cru que je commençais une crise cardiaque. Avant cela, je m'étais toujours dit que le coup de foudre, c'était pour les autres. Que je n'étais pas assez stupide pour tomber dans le piège… Tu étais, tu es toujours, si belle ! Tout à coup, j'ai compris que tu étais la femme de ma vie. Et j'ai pensé : « Au secours, mon Dieu, je suis fichu. » Le plus simple aurait été de t'avouer mes sentiments. Je n'en ai pas eu le courage. La visite de Caitlin m'a servi de prétexte pour reculer l'échéance. Je n'imaginais pas que tu réagirais ainsi, Allie, en m'envoyant me faire cuire un œuf.

— Je n'ai pas employé cette expression, il me semble, murmura-t-elle avec un demi-sourire.

— Tu es trop polie. Je le méritais bien.

Il lui sourit à son tour, s'émerveillant de sa beauté rehaussée par la lumière filtrant entre les lattes des stores à moitié baissés. Une mèche de cheveux s'était

échappée de son chignon et il eut un mal fou à se retenir de tendre la main pour la repousser de sa joue.

— Walker, déclara-t-elle brusquement, en se redressant... J'apprécie ton honnêteté. Vraiment. Ça n'a sûrement pas été facile pour toi de me raconter tout cela.
Pourtant, je ne vois pas en quoi cela change quoi que ce
soit entre nous.

Il sursauta.

— Justement, ça change tout !

Allie n'en était pas convaincue.

— Je n'en suis pas si sûre. Tu as pris du recul par rapport à ton passé et c'est tant mieux. Mais que je sache,
tu es toujours l'homme qui a paniqué après avoir passé
une nuit avec moi. Qu'est-ce qui te permet de croire que
cela ne se reproduira plus ? En admettant qu'il y ait une
prochaine fois.

— Allie... Je t'aime. Mon amour pour toi m'a donné
un courage dont je me pensais incapable. Peut-être
est-ce une conséquence directe de cet état ? Je n'en sais
rien, j'ai encore beaucoup à apprendre en ce domaine.

— Et si ce n'était pas de l'amour mais uniquement
une sorte d'engouement ?

— J'y ai réfléchi. D'autant que je suis novice en la
matière. Je ne dors plus, je ne mange plus, j'ai un mal
fou à me concentrer au boulot. Je suis obsédé par toi, je
pense à toi jour et nuit. Je ne crois pas que ce soit une
passade, Allie. Je ne suis plus un adolescent. Je suis un
adulte capable de t'aimer.

— Donc, cette peur que tu as éprouvée au lendemain
de notre nuit s'est volatilisée ?

Il haussa les épaules.

— Pas complètement, je suppose. Surtout, une autre
peur l'a remplacée : celle de ne pas pouvoir te compter
dans ma vie.

Elle baissa la tête, se mordit la lèvre.

— Je ne sais pas, Walker. Je ne sais pas.

— Qu'est-ce que tu ne sais pas ?

302

Il fixait sans le vouloir le creux de sa gorge. Il se remémorait leurs baisers passionnés, leur plaisir mutuel. Assis en face d'elle, il avait la sensation qu'un mur invisible les séparait désormais. Elle était tout près mais il ne pouvait pas la toucher. Il ne pouvait pas caresser son cou, ni sa main bronzée posée sur la table. Il but un peu de sa citronnade. Quel supplice ! Il n'en voyait pas le bout.

— Je suis désolée, Walker, je ne sais pas si... je peux encore te faire confiance, dit-elle si bas qu'il dut se pencher vers elle pour l'entendre. Il ne s'agit pas seulement de moi. Il s'agit aussi de Wyatt. Si ça ne marche pas entre nous, il en souffrira autant que moi, tu comprends ?

— J'en suis conscient. Je conçois que tu ne veuilles pas prendre de risques. Comment veux-tu que je te prouve que je t'aime si tu ne m'en donnes pas l'occasion ?

— En somme, tu voudrais un acte de foi ?

— Exactement.

— Je... j'ai besoin de réfléchir. Je ne peux pas te répondre tout de suite.

Walker opina.

— Prends tout ton temps. Si tu décides que tu ne veux pas de moi, je t'épargnerai le tourment de me croiser au supermarché à l'avenir.

— Que veux-tu dire ?

— Mon frère, Reid, veut que je retourne à Minneapolis. Il a tenté de m'en persuader pendant tout l'été. Il prétend que le chantier naval de Butternut tournera très bien sans moi et il a raison. Cliff, notre directeur général, que tu connais, est tout à fait capable de gérer l'entreprise sans moi.

— Et si on décidait de recommencer ?

— Je resterais ici, avec toi et Wyatt, et je dirigerais l'affaire. Cliff irait à Minneapolis à ma place. Bien entendu, c'est l'option qui me conviendrait le mieux. Sans toi, plus rien n'a de sens.

— Tu aimes ton chalet ! Et le lac ! objecta-t-elle.

— C'est vrai. Mais sans toi, je te le répète, ils ne signi-fient plus rien pour moi.

— Walker, je… je suis un peu perdue.

— Je m'en doute. Je ne te presse pas. Quand tu auras pris ta décision, appelle-moi. Ou viens me voir. À n'importe quelle heure du jour ou de la nuit.

Il sourit en se rappelant sa dernière visite et la nuit qu'ils avaient vécue.

— Walker, quoi qu'il arrive, tu sais que cela ne concerne pas que toi et moi, n'est-ce pas ? N'oublie pas Wyatt.

— Surtout pas ! C'est un petit garçon exceptionnel.

« Et il me manque affreusement », faillit-il ajouter.

Allie consulta brièvement sa montre et poussa un petit gémissement. Se sentant coupable, il vérifia l'heure à son tour. Elle devait à tout prix regagner la galerie. Comme elle plongeait une main dans son sac, il l'intercepta.

— Je me charge de la note. Pardon de t'avoir retenue si longtemps.

Elle le salua, visiblement préoccupée, et disparut.

Walker poussa un profond soupir. Il avait fait tout son possible. Il avait dit ce qu'il avait à dire. La balle était dans le camp d'Allie. Quelle que soit sa décision, il devrait la respecter. L'accepter. Du mieux qu'il pourrait.

Il laissa quelques billets sur la table et jeta un coup d'œil sur l'assiette d'Allie. Elle n'avait pas touché à son sandwich. Que faire ? Demander à Caroline de l'embal-ler et le déposer à la galerie ? Mauvaise idée. Il ignorait si Allie avait ou non envie de le revoir.

30

Caroline sonna de nouveau, cette fois en laissant le doigt sur le bouton. Elle savait qu'il y avait du monde. Toutes les fenêtres étaient éclairées et des entrailles de la maison provenaient les éclats rythmés et répétitifs d'une musique rock. Elle ne partirait pas d'ici avant que quelqu'un, n'importe qui, lui ouvre cette porte.

Enfin, au bout de cinq minutes, elle entendit une voix. Une voix exaspérée.

— D'accord ! D'accord ! J'arrive, bon sang de bon sang !

Jeremy apparut, l'air profondément irrité. Et complètement harassé. Il était vêtu d'un tee-shirt sale et d'un jean usé. Ses cheveux n'étaient pas coiffés et il n'avait pas dû se raser depuis trois jours. Ses yeux bruns étaient cernés.

— Oh, Jeremy ! Tu es dans un état lamentable !

— Comme c'est aimable, railla-t-il.

Caroline fronça les sourcils. Jeremy n'était pas de nature à ironiser. Avant de se séparer de Jax, il s'était toujours montré d'une gentillesse et d'une courtoisie infaillibles. N'était-ce pas incroyable à quel point les gens pouvaient changer en si peu de temps ?

— Tu m'invites à entrer ? demanda-t-elle, comme il restait cloué sur place.

— Je suppose que tu viens de la part de Jax ?

— À vrai dire, Jeremy, Jax ignore que je suis là. Mais, oui, je viens pour elle.

— Mauvaise pioche, rétorqua-t-il en commençant à refermer.

— Jeremy, je t'interdis de me claquer cette porte au nez.

Il la dévisagea d'un air agressif puis son courage s'envola. Il fixa le sol puis poussa un soupir de lassitude.

— À ta guise, marmonna-t-il en s'effaçant.

Caroline le suivit dans le salon. Elle scruta la pièce, sidérée. Quel chaos ! Vêtements, livres, jouets, DVD jonchaient le sol. Les moindres surfaces croulaient sous les piles d'assiettes sales.

— Jeremy, que s'est-il passé ici ? s'exclama-t-elle en redressant une plante en pot qui s'était renversée, répandant de la terre sur le tapis.

— Trois petites filles, répondit-il d'un ton indifférent.

« Et un homme adulte », faillit-elle riposter. Elle se ravisa à temps.

— Je te proposerais volontiers de t'asseoir mais comme tu peux le constater, il n'y a nulle part où se poser.

Caroline hocha la tête, soucieuse. Les deux fauteuils étaient rassemblés et drapés de couvertures pour former une sorte de fort. Le canapé était déplié, les draps si froissés qu'elle se demanda comment il était possible d'y dormir.

Quand son mari à elle l'avait quittée, elle avait refusé de se coucher dans le lit conjugal et opté pour le divan. Était-ce le cas de Jeremy ?

À l'étage, il y eut un brouhaha de cris, suivi d'un claquement de porte.

— Joy et Josie se disputent du matin au soir, expliqua Jeremy. J'ignore comment Jax parvenait à les calmer.

— Elles ne dorment pas encore ?

— Non, murmura-t-il.

Au moins, il eut la décence de paraître contrit.

— Jeremy, il est bientôt vingt-trois heures. Demain, elles vont à l'école.

— Je ne m'en sors pas. Jax leur manque. Quant à ses appels pour leur souhaiter une bonne nuit, ils n'arrangent rien. Au contraire.

Caroline tressaillit. Elle avait entendu Jax téléphoner à ses filles. Pathétiques, ces coups de fil, Jax s'adressant tour à tour à Joy, Josie et Jade en s'efforçant vaillamment de retenir ses sanglots.

— Jeremy... qu'avez-vous expliqué aux petites ? Concernant votre relation, j'entends ?

— Elles pensent que Jax et le bébé sont chez toi parce que leur maman a besoin de repos.

— Et combien de temps s'imaginent-elles que cela va continuer ?

— Aucune idée.

Caroline se rapprocha pour se percher sur le bord du canapé-lit.

— Il faut qu'on parle, annonça-t-elle en lui faisant signe de la rejoindre.

— Nous parlons.

— Non, sérieusement.

— Je n'ai rien à dire, bougonna Jeremy.

Contre son gré, il écarta les deux fauteuils et prit place sur l'accoudoir de l'un d'entre eux.

— Admettons... Tu souhaiterais peut-être avoir des nouvelles de ta femme et de Jenna ? suggéra-t-elle sans prendre la peine de masquer son agacement.

— Pas la peine de demander. Je sais qu'avec toi, elles sont entre de bonnes mains.

« C'est toi qui devrais prendre soin d'elles. » Caroline se ressaisit juste à temps.

— Je fais de mon mieux pour les aider. Sauf que j'ai mes limites. Par exemple, je n'arrive pas à convaincre Jax de cesser de pleurer. Car elle pleure, Jeremy, toute la journée, entre deux tétées. D'après moi, elle frise la déshydratation.

Elle ébaucha un sourire, tentant d'injecter un soupçon d'humour dans la conversation. En vain.

— Où veux-tu en venir, Caroline ?

— Je veux que tu demandes à Jax de revenir à la maison. Là où est sa place. Tu as beau lui en vouloir, tu sais comme moi que c'est la seule solution.

— Caroline, je refuse d'avoir ce genre de conversation avec toi.

— Dans ce cas, aie au moins l'amabilité de m'écouter jusqu'au bout.

Il soupira.

— Que sais-tu de l'enfance de Jax ? lui demanda-t-elle, en changeant de tactique.

— Jax n'aime pas en parler. J'imagine que ce n'était pas tout rose.

— C'est peu de le dire. Je vais te mettre au parfum.

— Pas la peine. Si tu penses que le fait que ses parents étaient alcooliques excuse son comportement, je ne suis pas d'accord.

— Sans l'excuser, cela pourrait l'expliquer, argua Caroline avec diplomatie. Sais-tu, par exemple, que lorsque son père et sa mère étaient soûls, ils se disputaient ? Violemment. Jax, elle, se cachait dans un placard, l'unique endroit où elle était à peu près en sécurité. L'ennui, c'est qu'au fur et à mesure les bagarres se sont multipliées. C'est alors qu'elle a commencé à se réfugier chez *Pearl*. Je te fais remarquer au passage que, pour elle, cela représentait un trajet de cinq kilomètres à pied. Elle venait à toute heure du jour ou de la nuit. Dans la journée, mes parents lui donnaient à manger. Ils lui confiaient une tâche à accomplir dans le restaurant et la rémunéraient. Ils l'appréciaient beaucoup, évidemment. Tout le monde aime Jax. Je pense surtout qu'ils avaient pitié d'elle.

Jeremy demeurait impassible. Caroline ne se laissa pas décourager.

— Quand elle déboulait le soir, mon père la laissait dormir dans l'entrepôt. Il lui apportait une couverture et un oreiller. Elle s'installait sur ces énormes sacs de farine qu'il y stockait. Il la réveillait quand il descendait préparer le café, afin qu'elle ait le temps de rentrer chez elle et de se changer pour l'école… Une nuit, je ne l'ai jamais oublié, on était en plein hiver. La température avait chuté à moins trente. Jax a sonné vers deux heures du matin. Elle était gelée. Elle avait parcouru tout ce trajet dans la neige. Ma mère l'a montée dans l'appartement et couchée. Elle a dû lui mettre cinq couvertures. Le soleil se levait déjà avant qu'elle n'ait cessé de frissonner.

— D'accord, j'ai compris, trancha subitement Jeremy. Elle a eu une enfance malheureuse. Ce n'est pas une raison pour me mentir comme elle l'a fait. Chaque jour de notre mariage. Je ne l'en ai pas empêchée, je le reconnais. Je ne m'attendais pas à ce qu'on en arrive là. Elle a pris notre argent, tout ce que nous avions économisé à la sueur de notre front, et l'a donné. Ou plutôt, jeté par la fenêtre. Sans m'en parler. Elle m'a trahi. Eh bien, je refuse désormais d'être sa dupe.

« Il a tout faux ! » songea Caroline. Comment l'en convaincre ?

— Jeremy… Jax t'a-t-elle dit pourquoi elle ne voulait pas d'un lave-vaisselle ?

Il la dévisagea en plissant les yeux.

— Je ne vois pas le rapport, Caroline.

Elle persista.

— Jax t'a-t-elle dit pourquoi elle ne voulait pas d'un lave-vaisselle ?

— Elle prétendait aimer la laver elle-même.

— Personne n'aime cela. Jax y tenait pour une raison particulière. Elle me l'a expliqué un jour. Si elle ne t'en a jamais touché un mot, c'est sans doute parce qu'elle voulait t'épargner ses lamentations. J'étais ici, peu après votre mariage. Vous veniez d'emménager. J'étais dans la cuisine et Jax nettoyait la vaisselle du petit déjeuner. Je lui ai proposé de l'aider. Elle a refusé tout net. J'ai dit : « Vous allez vous offrir une machine, non ? » Elle m'a répondu : « Pas question ! » Elle m'a alors raconté que dans sa famille, il n'y avait pas de vaisselle. Pas parce qu'ils étaient pauvres. Parce que ses parents la brisaient quand ils se querellaient. Pour finir, l'un d'eux a eu l'idée brillante de ne plus remplacer les assiettes cassées. Ils se sont contentés d'assiettes en carton ou de serviettes en papier… ou peut-être de rien du tout. Elle m'a déclaré ce matin-là que chaque fois qu'elle lavait un plat, elle pensait à la chance qu'elle avait de le posséder. À la chance qu'elle avait eue de te rencontrer, aussi et…

— Tais-toi, l'interrompit Jeremy en levant les bras. Je n'en peux plus. Tu crois que je ne l'aime plus, Caroline ? Tu crois que je ne souffre pas ? Malheureusement, le mal est fait.

— D'après toi, Jeremy, pourquoi a-t-elle donné ces dix mille dollars à Bobby ? Que cherchait-elle à protéger ? Tout ce à quoi elle songe chaque fois qu'elle lave la vaisselle. A-t-elle eu raison de céder à son chantage ? Probablement pas. Aurait-elle dû t'en parler ? Certainement. Sauf que dans son esprit, elle n'avait pas le choix. Elle se disait qu'en le payant, il vous ficherait la paix et que la vie continuerait comme avant… Dix mille dollars, c'est une somme colossale, reconnut-elle, le souffle court. Elle le sait parfaitement. Mais ce que vous aviez construit ensemble n'avait pas de prix pour elle. À ses yeux, c'était inestimable. Elle a remis un chèque de dix mille dollars à Bobby Lewis. Franchement, Jeremy, si elle avait eu dix millions, elle n'aurait pas hésité.

Caroline se tut, le cœur battant. Elle était à court de mots. À Jeremy de jouer maintenant.

Pendant un long moment, il demeura immobile, silencieux. Puis il se pencha, les coudes sur les genoux, le visage caché dans ses mains. Caroline craignit qu'il ne se mette à pleurer. Il n'en fit rien mais lorsqu'il reprit la parole, sa voix était brisée.

— Que dois-je faire ?

— Venir avec moi, répliqua-t-elle du tac-au-tac, l'esprit en ébullition. Demande à Joy de surveiller ses sœurs. Reviens avec moi. Ramène ta femme et ton bébé.

Elle retint son souffle en le voyant accepter d'un signe de tête.

— Je vais prévenir Joy.

Il se leva et gravit l'escalier.

Moins d'un quart d'heure plus tard, Caroline et lui arrivaient chez elle. Jax, sur le canapé, nourrissait Jenna. Levant la tête, elle esquissa un sourire. Puis elle aperçut Jeremy derrière son amie.

— Jeremy ?

Il opina et vint se placer auprès d'elle. D'une main, il caressa le crâne de Jenna, à peine visible au-dessus de sa couverture.

— Que fais-tu ici ? demanda Jax, partagée entre crainte et espoir.

— Je suis venu vous chercher.

Sur ce, il étreignit sa femme et son enfant.

— J'ai des trucs à faire au restaurant ! proclama Caroline.

Ni l'un ni l'autre ne lui prêta attention. Jax se mit à sangloter de bonheur et quand Caroline referma la porte de l'appartement derrière elle, elle eut l'impression que Jeremy pleurait aussi.

« Ne t'y mets pas, toi aussi ! » Mais déjà, une larme perlait au coin de son œil. Après tout, pourquoi pas ? D'autant que c'était une larme de joie. Elle se dirigeait vers les machines à café quand soudain, elle s'immobilisa en passant devant la caisse. Elle marqua un temps, s'en approcha, l'ouvrit, souleva le tiroir et en sortit la carte de Buster Caine. Elle l'examina un bref instant. Pas longtemps. Chaque minute comptait. Une de trop et elle perdrait courage.

Elle fonça vers le téléphone, le décrocha, composa le numéro. Il lui répondit dès la troisième sonnerie.

— Allô ?

— Buster ? Bonsoir. Ici Caroline. Le café…

Il y eut un silence.

— Je me souviens de vous, Caroline, répondit-il enfin, amusé.

— Il est tard. Je vous dérange ?

— Pas du tout. En quoi puis-je vous être utile ?

— J'aimerais que vous m'emmeniez faire un tour à bord de votre avion.

De nouveau, un silence.

— Du moins… si l'invitation tient toujours, bredouilla-t-elle.

— Absolument.

— Tant mieux. Quelle heure vous conviendrait ?

— Tout dépend. À quelle heure fermez-vous demain ?

— Quinze heures trente.

— Je passe vous prendre ?

— Avec plaisir. Euh… Buster ?

— Oui ?

— Je meurs d'impatience.

— Nous sommes deux, Caroline.

31

Par une fraîche soirée de septembre, assise sur les marches de sa véranda, Allie essayait en vain de se calmer. Comme le jour du pique-nique, ses genoux s'entre-choquaient, résistant à tous ses efforts pour les immobiliser. Elle eut beau les envelopper des deux bras et y poser le menton, ils continuaient à trembler. Comme s'ils avaient leur esprit propre. Comme s'ils savaient quelque chose qu'elle ignorait.

C'était parfaitement ridicule. Walker devait passer prendre un café, rien de plus. Elle avait à lui parler. Ils étaient tous deux adultes, non ? Dotés de raison. Ce rendez-vous en serait le reflet. Elle n'avait aucune raison de réagir ainsi.

Elle consulta sa montre. Vingt heures cinquante-cinq. S'il était ponctuel, et il le serait sans doute, il arriverait dans cinq minutes. À l'instant précis où cette pensée lui venait, elle entendit le ronflement de son pick-up dans l'allée et les cailloux qui jaillissaient sous les pneus. Les faisceaux de ses phares apparurent, l'éclairant vivement avant de se poser sur le bosquet de bouleaux au bord du lac. Walker coupa le moteur et les arbres disparurent dans le noir. Il descendit de la camionnette et la contourna.

— Assez ! chuchota Allie à l'intention de ses genoux.

— Salut ! lança Walker en agitant une main.

— Salut.

Elle se leva en priant pour que ses jambes ne se déro-
bent pas sous elle.

— Wyatt est dans les parages ?

— Il dort. J'ai eu un mal fou à le coucher.

Walker esquissa un sourire.

— Je le reconnais bien là.

— J'aurais volontiers servi le café dehors mais le vent
est un peu frais. Il vaudrait mieux qu'on s'installe dans
le salon.

Elle avait oublié combien l'automne arrivait vite dans
le Nord. Les jours raccourcissaient, le temps se rafraî-
chissait. Ce matin, en partant pour l'école, leur souffle
formait de la buée.

— En effet, approuva Walker. Remarque, ce n'est pas
étonnant. Nous sommes le 20 septembre. Le dernier
jour de l'été.

« Le dernier jour de l'été », songea Allie en se précipitant dans la cuisine. Avait-elle vraiment vécu ici avec
Wyatt pendant un été entier ? Elle se remémora leur
première soirée dans le chalet en piteux état, avec sa
véranda de travers et ses robinets crachant une eau
boueuse.

À vrai dire, elle et Wyatt n'étaient pas en meilleur état.
Extérieurement, ils paraissaient normaux. Intérieurement, ils souffraient.

Elle revint dans le salon et s'assit nerveusement sur le
bord du canapé. Walker, qui avait déambulé dans la
pièce, mal à l'aise, vint s'asseoir auprès d'elle en prenant
soin de maintenir une distance respectable entre eux.

Elle hésita, cherchant ses mots. Walker prit la parole
le premier.

— J'ai appris que Wyatt et toi vous étiez absentés.

— Oui. Le temps d'un long week-end.

Au sens propre. Ils étaient retournés à Eden Prairie et
avaient séjourné chez des amis. Allie avait vidé le garde-
meubles et donné la plupart des affaires de Gregg. Elle
n'en avait conservé que quelques-unes, pour Wyatt.

Une crosse de hockey abîmée que Gregg chérissait tout particulièrement. La guitare qu'il s'était offerte pour jouer avec un groupe amateur du temps du lycée. Un sweat-shirt délavé au logo de l'université du Minnesota. Ces objets ne signifiaient pas grand-chose pour leur fils mais un jour, peut-être, apprécierait-il de les avoir.

Ils en avaient profité aussi pour se rendre sur la tombe de Gregg, où ils avaient laissé un dessin de Wyatt, chatoyant de couleurs. Le petit garçon s'était représenté avec sa maman devant le chalet. Au-dessus, le ciel était bleu, parsemé de nuages cotonneux. Au soleil, il avait donné un large sourire. Wyatt espérait que son œuvre plairait à son papa. Allie lui avait assuré que oui.

Elle ne raconta rien de tout cela à Walker. Pas encore. Elle avait une chose importante à lui annoncer d'abord.

— Tu veux du café ? bredouilla-t-elle, histoire de gagner du temps. Il est prêt.

Il accepta d'un signe de tête distrait.

Elle se releva, alla remplir deux tasses et y versa une goutte de lait. Lorsqu'elle reparut, Walker avait abandonné le canapé pour se poster devant la cheminée. Il contemplait le nouveau tableau accroché juste au-dessus.

— Est-ce… ?

— Oui, murmura-t-elle en lui tendant un mug. C'est la vue de ton ponton depuis le mien. Cette toile te plaît ?

Il la dévisagea sans comprendre, reportant son regard sur la peinture.

— Tu te rappelles le tableau que tu as acheté pour cette dame, à la galerie ? Il est du même artiste. J'adore son travail et je savais qu'il avait une prédilection pour les paysages de la région. Je lui ai donc commandé celui-ci. Vu sa taille, il a mis plusieurs jours. Il est venu ici l'achever pendant que Wyatt et moi étions à Eden Prairie. Nous l'avons découvert à notre retour.

— Pourquoi cette vue, spécialement ?

Allie haussa les épaules.

— Je ne sais pas. Peut-être parce que j'ai passé la moitié de mon temps à la contempler tout l'été. Tu sais, Walker, enchaîna-t-elle avec un sourire, si ça ne marche pas entre nous cette fois-ci, je serai coincée avec un sacré souvenir de toi.

— Alors… ?

— Alors, j'ai réfléchi à ce que tu m'as dit chez *Pearl* l'autre jour et j'ai décidé de faire acte de foi. Avec toi. Nous. Je veux retenter le coup… Si tu en as encore envie de ton côté.

— Si j'en ai encore envie de mon côté ? s'écria-t-il. Allie, tu plaisantes ? Je n'y croyais plus ! J'essayais de me préparer au pire. Avant de venir ce soir, j'ai eu l'impression que je me rendais devant un peloton d'exécution.

Elle rit aux éclats.

— On s'offre une seconde chance ?

— Ce serait idiot de lui tourner le dos, répondit-il avec un sourire si charmeur qu'elle faillit défaillir.

Il lui ôta sa tasse des mains, la plaça délicatement sur le manteau de la cheminée. Puis il la serra dans ses bras et réclama ses lèvres.

— Il faut fêter cet événement, souffla-t-il entre deux baisers. Laissons tomber le café. Tu as du champagne ?

— Non. Du jus de pommes, peut-être.

— Le jus de pommes, ça ne suffit pas… Je connais d'autres moyens de célébrer cette nouvelle.

Les genoux d'Allie se remirent à trembler. Cependant, elle avait quelque chose à dire à Walker avant qu'il ne soit trop tard.

— Nous le ferons, je te le promets, murmura-t-elle en frémissant de désir. J'ai des règles de base à t'exposer d'abord.

— Maintenant ?

— Maintenant.

Car elle savait qu'elle ne se maîtriserait plus très longtemps. Walker cessa de l'embrasser mais continua à la tenir contre lui.

— Je t'écoute.

— Asseyons-nous, suggéra-t-elle en s'écartant avec douceur.

Ils s'installèrent sur le canapé, face à face.

— Walker, déclara-t-elle sans préambule, Gregg était un bon mari.

— Je l'ai toujours pensé, répondit-il machinalement.

S'il était surpris par la tournure de leur conversation, il n'en montra rien.

— Gregg était aussi un bon père.

— Ça aussi, je le sais.

— Je ne l'oublierai pas. Je ne veux pas non plus que Wyatt l'oublie.

— Pas plus que moi.

Elle acquiesça. Elle le croyait.

— Je dois à Gregg, à moi-même et à notre fils, d'entretenir son souvenir. En même temps, je dois aller de l'avant. Je veux connaître de nouveau le bonheur. Pendant longtemps, j'y ai renoncé. Je jugeais de mon devoir de pleurer Gregg. Sans arrêt. Un peu comme un travail. Ce n'est plus le cas. Au début, en tout cas, je risque d'avoir du mal à trouver mon équilibre.

Walker l'observa un long moment, l'air songeur. Lorsqu'il prit la parole, il employa précisément les paroles qu'Allie voulait entendre.

— Je ne vois pas pourquoi tu ne pourrais pas cumuler les deux : respecter la mémoire de Gregg et être heureuse. D'autant qu'avec Gregg, tu l'étais. Je ne l'ai jamais connu mais je vous aiderai, Wyatt et toi, à entretenir son souvenir. Ne mérite-t-il pas de continuer à être aimé par ceux qu'il aimait ?

Allie opina, au bord des larmes. Soulagée.

— Merci.

— Tu n'as pas à me remercier. À présent, c'est moi qui ai quelque chose à te dire.

Elle haussa un sourcil interrogateur.

— Comme je viens de te le signaler, je n'ai jamais connu Gregg. Malgré tout, je me sens redevable envers lui. Car les deux personnes qu'il a laissées derrière lui sont toutes deux exceptionnelles. Prendre soin d'elles me paraît la moindre des choses. Je vais donc vous aimer et vous protéger. Je ne vous ferai jamais, jamais de mal. Et si je n'ai guère l'habitude de proférer des promesses, Allie, celle-ci, je te promets de la tenir.

Allie ravala la boule qui lui nouait la gorge.

— Puis-je te demander un service ?

— Ce que tu veux.

Elle sut qu'il était sincère. Cet homme ne reculerait devant aucun sacrifice pour elle.

— Pourrais-tu juste... juste me serrer dans tes bras ?

— Je pense que oui. Enfin, je vais essayer... Je te préviens, j'ai tellement rêvé de ces retrouvailles que j'ignore si je vais pouvoir m'en contenter.

Il essaya. Quelques instants. Inévitablement, leurs lèvres se frôlèrent et bientôt, Walker la poussa vers le canapé en déboutonnant son chemisier.

— Mes genoux avaient raison, murmura-t-elle.

— Pardon ?

— Je dis seulement qu'on ne peut pas faire ça ici, rectifia-t-elle précipitamment. Wyatt dort dans la pièce voisine.

— Je ne peux pas t'embrasser ?

— Ce ne sont pas tes baisers qui m'inquiètent.

— Tu as peur qu'on le réveille ?

— Oui.

— Tu parles bien du Wyatt qui a dormi comme une marmotte pendant toute une tempête ? Pendant que ton amie accouchait dans ta chambre ? Je serais très étonné que nos petits ébats le dérangent.

— Petits ? plaisanta-t-elle.

— Bon, d'accord. Grands.

Elle s'esclaffa mais céda.

— Seule condition : tu devras t'en aller avant qu'il ne se lève demain matin. Je ne veux pas le mettre devant le fait accompli. Nous devons trouver le moyen de lui annoncer la nouvelle avec diplomatie.

— Absolument, approuva Walker.

Sur ce, il la souleva dans ses bras, la transporta jusque dans sa chambre, ferma la porte et la déposa sur son lit. Là, ils se déshabillèrent l'un l'autre, avec lenteur, savourant le moment avec une telle tendresse qu'Allie en eut les larmes aux yeux.

Plus tard, enlacés, Walker en vit une rouler sur sa joue.

— Tu pleures ! chuchota-t-il, surpris, en se hissant sur un coude pour la sécher délicatement. Qu'est-ce qui ne va pas ?

— Rien... Tout va bien. Je suis heureuse, voilà tout. Je ne saurais l'être davantage.

— Tu en es sûre ?

— Je pense.

— Sûre et certaine ? insista-t-il en laissant courir un doigt sur son ventre nu.

— Bon, d'accord. Peut-être que si, admit-elle en l'attirant à nouveau contre elle.

10675

Composition
FACOMPO

Achevé d'imprimer en Italie
par GRAFICA VENETA
le 3 mars 2014.

Dépôt légal : mars 2014.
EAN 9782290078235
L21EPSN001124N001

ÉDITIONS J'AI LU
87, quai Panhard-et-Levassor, 75013 Paris

Diffusion France et étranger : Flammarion